YVES BEAUCHEMIN

Yves Beauchemin est né en Abitibi en 1941. Après des études en lettres, il enseigne, il fait des travaux de bibliothèque et de journalisme, et il est conseiller musical à Radio-Québec. L'immense succès de son roman Le matou, *ses nombreuses traductions, son adaptation pour le cinéma et la télévision le libèrent. Yves Beauchemin, passionné de politique et de musique, peut se consacrer à l'écriture. Il habite Longueuil.*

L'ENFIROUAPÉ

Un travailleur, qui a tout laissé tomber, se fait rouler par un député véreux. En prison durant trois ans, il réfléchit. À sa sortie, il entreprend de se venger. Il devient, à sa façon, activiste. Ce roman, conçu avant la Crise d'octobre 1970, ajoute à la politique une dimension qui ne s'y trouve pas souvent: l'humour. *L'enfirouapé* rassemble une galerie de personnages qui peuvent faire sourire ceux de Rabelais. Dès cette première oeuvre, Yves Beauchemin se révèle un étonnant romancier.

La collection Québec 10/10 *est publiée sous la direction de Roch Carrier.*

Illustration de la page couverture: Suzanne Brind'Amour

Éditeur: Éditions internationales Alain Stanké

ISBN: 2-7604-0242-8

Dépôt légal: premier trimestre 1985

Imprimé au Canada

Yves Beauchemin
L'enfirouapé

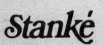

roman

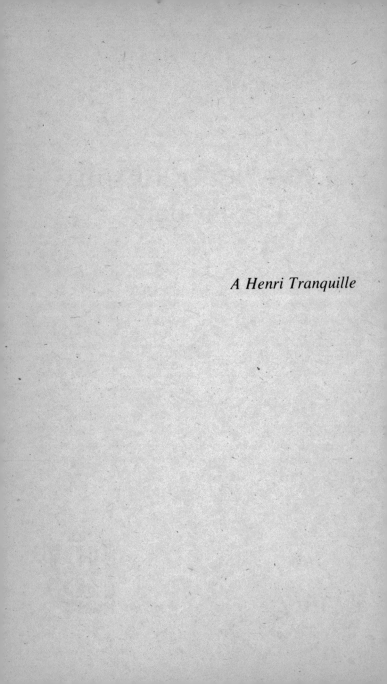

A Henri Tranquille

Le 16 octobre 1665, le capitaine d'artillerie Rodrigue Ferland de La Barre aperçut Québec pour la première fois de sa vie. Il se tenait sur le pont d'un navire qui avait mis quatre mois à franchir l'Atlantique et qui portait dans son ventre plusieurs membres du Régiment de Carignan, tous de solides gaillards écœurés par la morue séchée et la continence maritime. Le capitaine de La Barre, qui passait pour un homme à bonnes fortunes, s'était levé avant le soleil pour faire sa toilette et avait revêtu son costume le plus neuf. Il descendit la passerelle en sifflant un petit air guilleret qui fit fureur cet hiver-là chez les Québécois, se tassa un bon repas à l'auberge du *Chien d'Or* et se mit à arpenter les rues de la ville, inutile de vous dire pourquoi. Quelques heures plus tard, après de copieuses libations prises avec une jolie servante qu'avait séduite sa moustache militaire, il entrait discrètement avec elle dans une petite chambre de la rue Buade fleurant la bonne lavande et le renfermé, et mettait en branle en terre d'Amérique une longue lignée de Ferland de La Barre.

L'arrivée des Anglais les réduisit au simple nom de Ferland. De commerçants, ils se retrouvèrent bientôt cultivateurs, puis commis voyageurs, bedeaux, hommes à tout faire et enfin chômeurs, quand éclata la Grande Crise.

Un de ceux-là naquit à Péribonka en 1951, tout près du Musée, du côté même de la route où s'élève maintenant le

5

motel *Maria Chapdelaine*. On le baptisa du nom de Maurice.

Comme il n'aimait pas l'école, il quitta son village à dix-sept ans pour travailler à Montréal. Il fut d'abord brasseur de marinades chez *Catelli-Habitant*, camionneur chez *Miron*, garçon d'ascenseur chez *Simpson;* il essaya de vendre des produits *Familex*, puis des chaudrons en aluminium doublés de téflon; il travailla quelque temps comme apprenti soudeur chez un fabricant d'appareils de climatisation; son patron disparut un beau jour en lui laissant une affection des voies respiratoires, mais pas de salaire. Mal pris, il ne trouva rien de mieux que de s'enrôler dans l'aviation, mais au bout de huit mois, il fut renvoyé pour indiscipline. Deux semaines plus tard, il est presseur de chemises chez *Maple Leaf Valet Service*. Comme il se montre travailleur, M. Christofaccis, gérant de l'établissement, lui donne $48 par semaine, moins les déductions habituelles et sans compter une amende de $3.75 pour chaque chemise déchirée par mégarde.

I

Novembre.

Malgré les rigueurs de la saison, la température se maintient chez *Maple Leaf* à un agréable 95°F. Maurice vient de presser sa 247e chemise. Par la même occasion, il vient de déchirer sa troisième. Le craquement du tissu lui rappelle qu'il doit également cinq semaines de loyer à sa concierge (elle a refusé de lui servir son petit déjeuner ce matin tant que la note n'aurait pas été payée) et qu'il devra bien plus d'argent encore à son garagiste s'il décide d'arracher de la mort sa Volkswagen 54 achetée « comme neuve » grâce à un prêt de *Household Finance*. Comment, dans ces conditions, le blâmer de saisir sa bouteille de Coke et de lui faire suivre le cours de sa colère? La vitrine de *Maple Leaf Valet Service* en perd des morceaux! Maurice sort à toute vitesse de l'établissement, poursuivi par les injures de son patron, saute dans son auto et file vers sa chambre meublée de la rue Saint-Denis. Il pousse la porte du vestibule et se dirige vers l'escalier.

Une petite femme au visage jaune et sec écarte un rideau:

— Avez-vous l'argent, monsieur Ferland?

— Oui, madame. Attendez-moi ici. Je monte à ma chambre et je vous le donne tout de suite.

Il entre dans sa chambre, tire une vieille valise d'un placard et jette dedans tout ce qu'il possède.

— Finies les jobines* de chien, marmonne-t-il d'une voix rageuse.

Il descend l'escalier trois par trois en cognant sa valise partout.

— Mais où allez-vous comme ça, monsieur Ferland?

---

*Français de France, voyez glossaire.

— Chercher des cigarettes.

— Des cig... quoi? Mais vous fumez pas, monsieur Ferland. Monsieur Ferland! crie-t-elle sur le perron. Monsieur Ferland! Revenez ici!

La Volks l'attend à deux coins de rue. Malgré la distance, Maurice entend chaque syllabe de l'énumération de vices et malformations que lui adresse la concierge, le tout rehaussé de cris et d'appels aux forces de l'ordre, que reprennent les enfants de la rue en riant. Tout cela est brusquement noyé dans le grondement du moteur. Maurice conduit d'une main. De l'autre, il tient son portefeuille ouvert; son pouce compte les billets: 2, 4, 5, 6. Le compte y est: il pourra se rendre d'une traite jusqu'à la maison de ses parents. Là, il prendra le temps de se reposer, de manger tout son soûl et de réfléchir en paix aux moyens d'améliorer son sort.

Il aperçoit soudain une jeune fille en train de faire du pouce. Les longs cheveux blonds agissent sur son pied. L'auto s'arrête. Bonne décision. Un joli visage à l'air décidé se penche vers lui en souriant.

— Où allez-vous, mademoiselle?

— À Longueuil.

— Montez, je passe par là.

La jeune fille arrange son manteau, tire sa jupe, se cale dans le siège et regarde le bout de ses doigts en attendant que son bienfaiteur entame la conversation.

Il se tourne vers elle pour un second coup d'œil. Décidément, il n'a pas fait monter n'importe qui! Son regard glisse en tapinois sur deux cuisses bien galbées, délicieusement brunies, et qui semblent émettre comme une sorte de halo ensoleillé. Autre détail: elle ne porte pas de soutien-gorge; la pointe des seins cherche à percer le tissu de la blouse comme deux poussins dans leur coquille. Un peu plus haut, maintenant. Les lèvres sont joliment dessinées, un tantinet vulgaires, mais le regard sauve tout: ferme, incisif, avec une lueur de joyeuse avidité des plus réconfortantes. Maurice soupire profondément. Sa tête se vide d'idées et, du fond des âges, le capitaine Ferland de La Barre élève son doigt, un doigt impératif, autoritaire, qui exige la continuation du Régime français.

— Habites-tu Montréal? demande la jeune fille, qui ne cesse de l'observer du coin de l'œil.

— J'y habitais, mais je sacre mon camp. Je m'en retourne chez mes parents à Péribonka.

— Tu n'aimes pas la ville?

— J'en ai jusque-là de jouer à l'employé. Voilà trois ans que je crève de faim pendant que mes patrons s'enrichissent. Ça suffit pour l'instant.

— Où travaillais-tu? Il est assez joli, pense-t-elle. Il a de beaux cils. J'aime son accent.

Maurice raconte ses malheurs. Les hommes ont toujours pensé qu'ils se gagnent les femmes en parlant. Mais la plupart du temps, hélas! c'est chose faite bien avant qu'ils n'ouvrent la bouche. Elles écoutent leurs discours, rient de leurs bons mots, approuvent leurs jugements, justement pour leur signifier que la bataille est gagnée. Elles écoutent, rient et approuvent pour leur donner le temps de prendre de l'assurance.

À la hauteur de la rue Rachel, Maurice en a acquis pas mal. Le doigt du capitaine Ferland se tient tout droit dans sa tête. Il est énorme, violacé; des éclairs s'échappent de son extrémité masquée par des nuages. Quelle bonne revanche ce serait, pense Maurice, que de quitter la ville sur une botte.

L'auto s'est arrêtée le long de la rue Saint-Denis, tout près de la Bibliothèque nationale. Maurice prend un air crâne, risque une main vers la nuque de Julie et, le cœur battant, après quelques caresses, il lui fait la fameuse proposition.

Julie se trouble, sourit, hésite. Elle ouvre la portière, fait quelques pas sur le trottoir, se retourne… et lui fait signe de descendre.

Les voilà qui se dirigent vers le *Fleur de Lys Tourist Room*. Le capitaine Ferland veille au grain. Douche, tévé, air climatisé. Qui veut mieux? Maurice pousse la porte sans penser qu'il est sur le point de mettre son portefeuille à sec. Se venger de Montréal est plus important. Le *Fleur de Lys Tourist Room* est tenu par une grosse Belge de cinquante ans qui, depuis longtemps, a placé sa vie sous le signe du petit profit.

— $8 par jour, c'est le minimum, monsieur. Faut aller voir ailleurs si le prix ne vous convient pas.

Maurice n'a que $6. Julie ne peut fournir qu'un peu de monnaie. Est-ce qu'il va rater sa vengeance à cause de $1.35? Il discute. Il s'échauffe. Il fait l'Européen au lieu de partir tout penaud comme un Québécois. La vieille Belge se contracte, vocifère, postillonne, puis se ravise tout à coup:

— Soit. Je vous loue une chambre. Mais attention! Comme il s'agit d'un tarif réduit, je ne peux vous offrir les avantages habituels. Vous pourrez utiliser la chambre une heure, pas une seconde de plus et à condition de ne pas défaire le lit. À la plus petite dérogation, j'appelle la police. C'est ma dernière offre.

Maurice et Julie se consultent du regard. La Belge les conduit à la chambre, puis se retire. Mais la voilà qui rapplique dix minutes plus tard:

— Attention! crie-t-elle, l'œil dans le trou de la serrure, vous ne devez pas défaire le lit, souvenez-vous-en!

Elle rapplique une seconde fois pour leur annoncer qu'il ne reste plus que vingt minutes. Elle rapplique enfin une dernière fois pour leur signifier, par un vigoureux coup de poing dans la porte, que l'heure est écoulée. Maurice quitte le *Fleur de Lys* en claquant la porte; Julie se retient de rire.

— On peut aller ailleurs, peut-être? suggère-t-elle prudemment.

Ils restent devant l'auto, sans bouger, silencieux. Maurice se mord les lèvres. Toute la lignée des Ferland de La Barre est humiliée en lui; leur ressentiment s'accumule, grossit, pousse d'une façon douloureuse. Julie lui touche le bras, timidement:

— Dans l'auto, alors?

— C'est assez pour qu'elle ne reparte plus jamais, rérépond-il d'une voix bourrue.

Il retourne vers la maison de chambres. Elle est bordée

sur un de ses côtés par une ruelle crevassée qui débouche sur une petite cour. Il contemple la ruelle un instant, puis fait signe à Julie de le suivre. Ils sont maintenant derrière la maison. Deux rangées de fenêtres s'alignent le long de la façade; au rez-de-chaussée, l'une d'elles est grande ouverte. Maurice s'y rend, passe la tête, se retourne vers son amie:

— Viens-t'en, ma belle, on va faire des économies.

La fenêtre est basse et s'enjambe facilement. Julie tremble un peu, mais le goût du plaisir l'emporte. Les voilà dans la chambre, qui fleure la bonne lavande et le renfermé. Julie ouvre de grands yeux:

— Mais... nous sommes dans la chambre de la vieille!

Les meubles sont couverts de vieux bibelots, les murs de petits tableaux style « Jeannot-qui-a-six-ans-s'en-va-à-la-pêche » et une paire de gros bas de coton pend sur le dossier d'une chaise. Maurice tourne la clef de la porte, s'approche d'une commode et se met à fouiller dans les tiroirs. Julie, assise sur le bord du lit, l'observe, un peu déçue:

— Tu ne devrais pas faire ça. On peut nous prendre pour des voleurs.

— Tiens, fait Maurice, des lettres d'amour! Et des photos! Eh! eh! eh! elle s'amusait ferme, la patronne, dans ses jeunes années. Regarde comment on dégustait le vin dans ce temps-là.

Julie s'esclaffe devant ces gros seins tombants, ces ventres bombés, ces bonshommes chauves et moustachus qui sourient radieusement, coupe à la main et verge en l'air.

— Plus de danger! s'écrie Maurice. On peut rester ici un an, nourris, logés, elle ne pourra rien contre nous.

Ayant fait cette constatation, il s'occupe aussitôt de profiter des avantages pratiques de sa situation. Les minutes passent, pudiques, l'œil baissé, un doigt dans chaque oreille. Mais celles de la patronne sont libres de toute obstruction. La voilà tout à coup qui lève la tête, l'œil rond, la respiration suspendue. Une expression de stupéfaction méchante se dessine lentement sur son visage bouffi. Elle s'avance dans le corridor à grandes enjambées et va se coller l'oreille contre la porte. Plus de doute possible: sa chambre est occupée... et même son lit! Elle se met à secouer la poignée avec frénésie, prend son élan et donne un coup de genou à ébranler les colonnes du Temple. La serrure est vétuste et rend l'âme, pendant que la porte s'ouvre lentement. La Belge reste sur le seuil, pétrifiée.

— Ah! c'est le comble! s'écrie-t-elle enfin. Je n'ai jamais rien vu d'aussi révoltant, même durant la guerre. Et pourtant j'y ai laissé mon mari.

— Il faisait du service? demande Maurice aimablement.

— Il était capitaine, jeune homme, alors que vous, vous embrassez les fesses de cette demoiselle, qui n'est même pas majeure, dans une chambre qui n'est pas la vôtre. Mais je vais y mettre de l'ordre, prenez ma parole.

Elle tourne les talons et se dirige vers le téléphone qu'on aperçoit dans le passage.

— À votre place, madame, je resterais bien tranquille, dit Maurice et, tout souriant, il balance du bout des doigts une liasse de lettres enrubannée.

— Les photos sont pas mal aussi, dans leur genre!

La grosse Belge se cabre devant le lit comme un bœuf qui va charger. Si elle pouvait parler, les mots lui carboniseraient les dents.

— Vous pouvez disposer maintenant, ajoute Maurice d'une voix nonchalante. Mademoiselle et moi aurions besoin d'un peu de repos. N'oubliez pas de servir le souper dans la chambre, voulez-vous?

II

Sept heures du matin. La Volkswagen file à toute vitesse sur le pont Jacques-Cartier. Julie contemple le fleuve d'un air ensommeillé, tandis que son compagnon mâchonne nerveusement un bout de cure-dent. Aucun mot n'a été échangé depuis qu'ils ont quitté le *Fleur de Lys Tourist Room*. Encore quelques minutes, et il va la déposer chez ses parents et se retrouver seul dans sa famille. Seul dans son lit (alors que sa chambre se prête si bien aux rendez-vous nocturnes). Seul dans ses promenades (alors qu'il connaît des tas de cabanes à sucre bien situées). Son front se plisse. Il se rappelle les 116 nuits consécutives qu'il a dû passer seul à son arrivée à Montréal en 1968. Il se les rappelle et elles ne lui font aucun bien!

Julie, de son côté, voudrait bien rompre le silence, mais où trouver les mots? Elle ne sait trop que penser de ce drôle de bonhomme qui lui a parlé jusqu'à l'aube de ses maîtresses d'écoles à Péribonka, de l'épicier Marcel Hamel qui s'était ruiné en publiant une *Vie de Maurice Richard* de 800 pages, des réunions de famille qu'on faisait chez lui au temps des Fêtes, et où son oncle Marcellin buvait tellement qu'on devait l'empêcher, durant des semaines, de faire son entrée au Grand Séminaire de Chicoutimi. Elle pense aussi à tous les intermèdes sans paroles de la nuit passée et constate avec tristesse que le dernier était bien le dernier. Eh bien! voilà. La maison de ses parents vient d'apparaître au coin de la rue. Il va dire « à bientôt » à sa compagne, l'embrasser « tendrement » et, qui sait? peut-être se reverront-ils un jour?

— Je demeure juste au coin, fait Julie d'une voix toute menue.

— Ah bon! répond Maurice d'un ton bourru (quel autre ton prendre, ma foi?)

— Oui, c'est la maison verte à deux étages, juste en face de nous.

— La maison de mes parents est verte aussi, mais plus pâle, répond Maurice en freinant. Enfin, un peu plus pâle, disons.

— Il y a deux ans, observe Julie, notre maison était plus pâle aussi, mais jaune. Elle était plus pâle, répète-t-elle d'une voix un peu rauque, mais le deuxième étage était jaune vif.

— Ah oui?

Maurice se débat désespérément pour se libérer de cette conversation stupide qui les fait ânonner comme des joueurs de hockey dans une interview; mais sa tête s'est de nouveau vidée, tout comme au début de leur rencontre. C'est à ce moment qu'une pulsion historique part tout à coup du capitaine Rodrigue Ferland de la Barre, couché en plein Régime français dans une petite chambre de la rue Buade, et inspire à la main droite de son descendant un geste matinal et opportun qui purge la situation de son caractère artificiel. La main se pose sur le bas de nylon beige de Julie; c'est une main très instruite par l'histoire, une main qui connaît son Régime français par cœur et se hâte d'imiter la course aventureuse de Jacques Cartier entre les rives du Saint-Laurent. Voici bientôt l'île de Montréal, avec sa forêt giboyeuse pleine de rencontres piquantes. Mais voici également qu'il est huit heures moins le quart et que le père de Julie se tient debout près de l'auto, les yeux exorbités, écrapoutissant ses sandwichs au jambon dans le petit sac de papier que sa douce épouse vient de lui remettre. Maurice lève la tête. Julie se retourne. Un long filet d'hosties part de la bouche du père pendant que la Volks tourne le coin à toute vitesse et que des gouttes de moutarde s'écrasent une à une sur le trottoir. Julie s'agite sur son siège, toute joyeuse, visiblement soulagée:

— Je lui écrirai ce soir. Il va me comprendre, j'en suis sûre.

14

Elle serre Maurice dans ses bras et le couvre de baisers, puis s'arrête tout à coup, inquiète:

— Qu'est-ce que tes parents vont dire, en me voyant arriver?

— On voit que tu n'es jamais allée au Lac Saint-Jean, répond Maurice avec un large sourire.

Vers le milieu du boulevard Talbot (vous rappelez-vous le gros ministre Talbot?), la boîte de vitesses de la Volkswagen devient tout à coup un objet aussi historique et inutilisable que le dentier d'Hitler.

— Varlope-de-Christ-de-sybole! hurle Maurice en claquant la portière.

Il lève le capot et, à tout hasard, jette un coup d'œil sur le moteur. Il est trois heures trente de l'après-midi. Aucune habitation en vue. Par contre, une quantité extraordinaire de sapins indifférents bordent la route d'asphalte craquelé. Après un quart d'heure d'efforts ingénieux et d'habiles tentatives, Maurice se rend compte que le seul résultat qu'il pourra jamais obtenir sera de retarder l'arrivée d'un véritable mécanicien. Il consulte sa montre, maussade:

— Il faut aller chercher quelqu'un, le soleil va bientôt tomber.

Les voilà partis sur la route. Elle est large, solide et puissante, la route; elle monte et descend les côtes à toute vitesse, à perte de vue, elle galope comme une jument géante qui aurait mangé de l'avoine magique; elle est vaillante comme l'Union nationale sous Duplessis; elle ensorcelle les automobilistes qui filent dessus la pédale au fond sans voir les signes désespérés des deux piétons. Vers cinq heures, un représentant de la brasserie Molson s'arrête près d'eux dans un nuage de caoutchouc brûlé.

— Où allez-vous comme ça, les amis? lance-t-il joyeusement.

— Mon auto est tombée en panne, répond Maurice.

— Montez, montez, fait-il en agitant les bras comme s'il acclamait quelqu'un, je vais vous mener au prochain garage. Assieds-toi ici près de moi, ma belle, et toi en arrière, mon ami. Plus de deux sur le siège avant, ça porte malheur.

Julie se retourne vers Maurice. Mais la puissante haleine du commis voyageur l'a renseignée depuis longtemps sur la cause de son entrain. L'auto repart en trombe; à la façon qu'il a de conduire, le bonhomme semble considérer la ligne blanche comme aussi imaginaire que celle de l'équateur. Maurice lui demande plusieurs fois de ralentir, mais l'autre ne l'entend même pas; toute son attention est à Julie; il se présente, puis se met à déblatérer contre les effets de la drogue.

— Oui, ma belle, c'est du poison vif, ces cochonneries-là, et rien d'autre. Ça vire si bien un homme sens dessus dessous qu'il ne reconnaît plus ni père ni mère. Me croirais-tu? Tu ne me croiras pas, mais quand même: samedi dernier, j'étais au *Bar Capricorne* à Sainte-Flavie. La migraine me prend, j'en perdais mes cheveux. Le barman me regarde:

— Qu'est-ce que tu as, Bob?

— La tête me pète, mon vieux.

— Tiens, prends ça.

Et il fourre dans ma bière UNE — j'ai bien dit UNE — petite pilule de rien du tout. Eh bien! une heure après, je couchais avec une négresse, moi qui ne les sens pas à cent milles. Comprends-tu ça, ma toute belle?

Le commis voyageur la fixe d'une façon inquiétante. Sa main droite tapote le siège et s'approche doucement de la cuisse de Julie. Maurice s'agite en arrière:

— Regardez un peu où vous allez, monsieur, on vient de frôler un camion.

— Y'a pas de soin, y'a pas de soin, je veille au grain. Pas vrai, ma petite chatte?

Julie a froid dans le dos à chacun de ses sourires. Elle se retourne de nouveau vers Maurice. Faux geste: une main entre à toute vitesse dans sa culotte; elle se met à hurler et se jette contre la portière. Le chauffeur suffoque, la tête rejetée en arrière.

— Arrête ton auto, vieux maquereau, lui crie Maurice, ou je t'étrangle.

L'auto zigzague dangereusement. Des cailloux volent de tous côtés. Elle ralentit, puis s'immobilise en travers de la route. Maurice et Julie sont déjà loin. Le commis voyageur les suit. Il pleure à chaudes larmes!

— Attendez, ne partez pas tout de suite! crie-t-il désespérément.

Il s'avance en titubant vers Maurice:

— Faut m'excuser, je n'ai pas eu de jeunesse. Mon père me faisait travailler toutes les fins de semaine à son magasin.

Maurice le repousse et s'en va rejoindre Julie, qui s'est mise à courir.

Sa montre marque six heures. Toujours pas de maison en vue. Julie boite depuis un bon moment, mais refuse obstinément de faire du pouce.

— Un garage! s'écrie Maurice tout à coup.

— Où ça?

— En haut de la côte, là-bas.

L'établissement a l'air abandonné. Les fenêtres sont condamnées avec de vieilles planches. Des lézardes courent dans les murs de stuc blanc sale. Pourtant, une Chevrolet en assez bon état est stationnée dans la cour. Maurice frappe à la porte.

— On est fermé depuis six mois, glapit un petit vieux en surgissant tout à coup.

Avec son visage ratatiné couvert de poils blancs et ses yeux brillants d'alcoolique, on dirait le dernier soldat de la guerre de Sécession. Maurice recule, un peu intimidé:

— Mon auto est en panne, monsieur, on aurait besoin d'aide.

C'en est trop. Le vieux se fâche tout à fait; sa voix fait penser à un vieux couteau ébréché:

— Ma vie est faite, écœurez-moi pas! Allez voir mon frère, il demande pas mieux! Et sa main décharnée fait claquer la porte.

Un chemin envahi par l'herbe part du garage et s'éloigne dans la forêt. Maurice se tourne vers son amie:

— Est-ce qu'on y va?

Julie est fourbue et claque des dents depuis que le soleil s'est mis à descendre; elle fait signe que oui. Ils ne marchent pas longtemps; presque tout de suite, le chemin fait un coude et une vieille maison blanche, assez délabrée, apparaît devant eux au milieu d'un champ de foin sec. Maurice monte le perron à demi écroulé et frappe à la porte. Un grand vieillard en pantoufles de laine vient leur ouvrir:

— Oui, monsieur? fait-il d'une belle voix sonore.

Il articule ses mots comme les gens instruits d'il y a trente ans, dressés par les prêtres à « bien parler leur français ».

III

Deux heures plus tard, une Ford 45 que la rouille a déjà soulagée de plusieurs dizaines de livres de métal, débouche devant le garage en remorquant la Volkswagen.

— Georges-Henri? crie le vieillard de sa voix de ténor un peu démodée.

Un moment passe, puis une boîte de conserve vole dans l'air et va danser sur le capot de la Ford.

— Écœurez-moi plus, ma vie est faite, y'a d'autres garages que le mien! Et il termine cette constatation par une longue bordée de sacres.

— Georges-Henri, ces deux jeunes gens ont des ennuis mécaniques. Je te laisse leur auto pendant qu'on va aller souper. Jettes-y donc un petit coup d'œil, veux-tu? Ça leur ferait plaisir.

— Laissez-moi mourir en paix! j'ai fait mon temps! j'ai pris mes bottes! j'ai payé toutes mes taxes!

Le vieillard se tourne en souriant vers Maurice:

— Il va vous réparer ça dans le temps de le dire. Ne l'écoutez pas, c'est un cœur d'or qui s'ignore. Il fait une petite dépression depuis que sa femme est partie avec le cuisinier de l'hôtel Colonial à Chicoutimi. Mais je suis sûr que vous mourez de faim. Suivez-moi, j'étais justement sur le point de m'attabler. Du ragoût, du bon ragoût de boulettes? fait le vieillard en inondant l'assiette de Julie.

Maurice lève la main:

— Merci, merci, j'en ai déjà trop.

Mais deux minutes plus tard, il jette un coup d'œil significatif vers le chaudron. La cuisine est petite et basse. Les murs sont faits de lattes embouvetées, autrefois vernies, maintenant peintes en blanc. Un énorme poêle à bois occupe presque tout le fond de la pièce. Près de l'évier, une pompe manuelle fait office de robinet.

— Est-ce que vous êtes venus ici en voyage d'agrément ou pour affaires? demande le vieillard de sa voix mesurée et bien articulée.

— Je m'en vais à Péribonka rendre visite à mes parents.

— Ah bon! Et vous voulez leur présenter votre amie. Voilà qui est bien. C'est un joli village, Péribonka, ajoute-t-il, après un moment de silence. On a une belle vue du lac, là-bas. Je suppose que vous demeurez à Montréal, mademoiselle? J'en étais sûr à votre accent. C'est une ville bien intéressante, Montréal, mais peut-être un peu fatigante pour les gens de mon âge.

— Est-ce que vous y avez déjà habité? demande Julie.

— Oui, dans le temps, et plusieurs fois par la suite. J'ai fait mon cours classique au collège Sainte-Marie. Jusqu'en Rhétorique, j'entends. L'année de mes dix-sept ans; mon père est mort de la grippe espagnole et j'ai dû me mettre à travailler.

— Que faisiez-vous comme métier?

— Ah! ma petite fille, faudrait plutôt me demander les occupations que je n'ai pas eues! Au début, je vendais des bas de soie de porte en porte; puis j'ai travaillé trois ans pour un Anglais qui fabriquait des lampes de salon, mais je crevais de faim; ensuite — c'était juste avant la Crise — je suis allé bûcher en Abitibi pour la C.I.P.; j'ai fait la drave aussi, j'ai été infirmier dans un hôpital de vétérans, puis cuisinier, garde-chasse, mécanicien. Qu'est-ce que je n'ai pas fait, ma foi du bon Dieu! Quand ma mère est morte, la maison est restée vide, les enfants n'en voulaient pas; alors, je l'ai achetée, pour qu'elle reste dans la famille. Aussitôt que j'avais un peu de temps, je venais m'y reposer, je jardinais, j'entretenais les lieux. C'est ici que ma plus jeune sœur a eu son enfant; j'avais été obligé d'aller la chercher à l'Ile du Prince-Edouard où son amoureux l'avait abandonnée. Ah! mes amis! J'en ai tordu des mouchoirs, cet hiver-là. J'ai fait la guerre aussi…. Ça, c'est encore moins drôle.

— La Deuxième Grande Guerre?

Oui, celle-là même. Mes meilleures années ne sont pas de ce côté-là, je vous l'assure. À vivre si longtemps comme des bêtes sauvages, on s'abîme l'intérieur pour la vie, c'est forcé. Et tout ça pourquoi? Allez donc le savoir.

Le vieux se leva et se dirigea vers la dépense. Par la porte entrouverte, on voyait les tablettes débordantes de provisions. Il prit un sac de café, referma la porte et René Lévesque apparut en *poster* géant et se mit à fixer une pilé d'assiettes sales en essayant de la convaincre. Une expression amusée apparut sur le visage de Julie:

— Tiens! seriez-vous membre du Parti québécois?

Le vieux se retourna vivement:

— J'y étais bien avant René, répondit-il avec un sourire plein de sous-entendus.

Ses joues s'étaient colorées et il avait pris un air solennel.

— Je parle ainsi d'une façon générale, bien sûr. Vous savez, le temps a fini par m'enlever mes forces, et c'est un grand mal, mais, par contre, j'ai pu voir grâce à lui bien des choses: c'est le seul avantage qu'on a de vieillir, je crois. Or, à force d'en voir, un homme finit par tirer ses conclusions; seuls les fous ne peuvent pas. Le présent régime, c'est tout un spectacle, mais ceux qui l'ont précédé — Taschereau, Godbout, Duplessis — ne valaient pas tellement mieux. Alors, lorsqu'un gars comme René apparaît dans le paysage, on se dit: « Ce n'est pas possible, il va faire comme tous les autres » (je ne parle pas du docteur Hamel cependant, mais vous êtes trop jeunes pour l'avoir connu). Et pourtant, non, il ne ressemble pas tout à fait aux autres. Je ne sais pas pourquoi, il ne le sait peut-être pas lui-même, mais le fait demeure. À mon avis, c'est le premier politicien correct qui se montre la face chez nous depuis Jean Talon, rien de moins. Ce n'est pas qu'il manque de défauts, tout le monde en a, c'est une loi de la nature. On m'a dit, par exemple, qu'il n'est pas toujours facile d'entente et tout le monde sait qu'il est aussi ponctuel qu'un train pendant une tempête de neige. Mais par contre, c'est un homme qui a toujours respecté son cerveau et ça, d'après moi, c'est peut-être la chose au monde qui demande le plus de courage. Vous savez, penser, c'est un peu comme voyager, pour reprendre une vieille comparaison. Quand on laisse ses pensées tout à fait libres, on court le risque de les retrouver à des endroits bien peu confortables. Aussi, la plupart des gens se dépêchent de les parquer entre quatre clôtures, car ils ont peur de voir trop de pays. À Québec, c'est presque une tradition quand on entre au Parlement pour accrocher le $22,000; allez entendre un député deux semaines après son investiture: ma foi, c'est à peine s'il est capable de prononcer un discours qui se tienne debout. Eh bien! René, lui, ne s'est jamais mis de clôture. On le voit qui va d'un côté, puis de l'autre qui revient même sur ses pas, parfois mais il n'arrête jamais d'avancer, tout de même. Je vous le demande: comment ne pas admirer un bonhomme pareil? Mais me voilà parti pour parler toute la nuit, s'exclama-t-il en essayant de cacher son émotion. C'est l'habitude de vivre seul qui rend comme ça. On finit par perdre les usages du monde. Écoutez, j'ai une chambre inoccupée, voulez-vous passer la nuit chez moi? Vous repartirez demain après le déjeuner.

Maurice eut l'air d'hésiter.

— Je vous offre ça un peu pour mon plaisir, reprit le vieux en souriant. Je ne vois pas beaucoup de société, ces temps-ci: mon frère est mon seul voisin et il a le caractère délicat depuis quelques mois; le gros gin lui a rendu les nerfs malades et sa femme est en train de l'achever. Suivez-moi, je vais vous montrer votre chambre.

La cuisine s'ouvrait sur un corridor assez long dont la moitié était occupée par un escalier. Maurice regardait son hôte monter pas à pas, la main crispée sur la rampe. Il s'arrêta au milieu de l'escalier et se retourna vers eux, tout essoufflé:

— Profitez de la vie, avant de vous retrouver avec une vieille carcasse comme la mienne. Voilà votre chambre, fit-il en poussant une porte. Vous excuserez le matelas, c'est un vieux lit de campagne. La salle de bain est juste en face. Passez une bonne nuit, je vais aller voir si votre auto est prête.

Il les salua de la main, mais Maurice le suivit dans le corridor et referma la porte de la chambre derrière lui.

— Justement, je voulais vous parler de mon auto, dit-il en rougissant légèrement. C'est que, voyez-vous, je suis sans travail et... mais je peux vous payer par chèque.

— Laisse, mon garçon, ça me fait plaisir. Tu me permets d'occuper un peu mon frère, qui en a grand besoin, quoi qu'il en dise.

Et le vieux descendit.

— Tu ne te laves pas, Julie? demanda Maurice en entrant dans la chambre.

— Trop fatiguée, répondit-elle d'une voix tout ensommeillée.

Dix minutes plus tard, en sortant de la salle de bain, Maurice entendit claquer la porte de la cuisine. Le vieux apparut au bas de l'escalier:

— C'est fait, chuchota-t-il, tout est réparé. Peux-tu descendre une minute? Je voudrais te parler.

Maurice aperçut sur la table de la cuisine une vieille boîte à cigares, tout écornée.

— Tiens, fit le vieux en sortant une liasse de billets de la boîte, prends ça. Tu es jeune, toi; moi, je n'en ai plus besoin, j'ai tout ce qu'il me faut.

Maurice contemplait la liasse, stupéfait. Elle était faite de billets de vingt et de cinquante dollars.

— Allons, allons, fourre-moi ça dans ta poche. Ce sont des billets du temps de Georges VI. Il faut s'en servir, pendant qu'ils valent encore quelque chose.

Il est deux heures du matin. Maurice dort sur le côté, une jambe glissée entre celles de Julie. Mais en réalité, il se trouve à Québec sur la Grande-Allée, au milieu d'une cohue qui hurle de joie. Il fait des efforts désespérés pour se frayer un chemin, mais quelqu'un l'agrippe par la manche: un craquement sec retentit; tant pis pour la chemise, car il vient d'apercevoir René sortir d'une automobile. Des policiers essayent de lui ouvrir un chemin. Il avance lentement en distribuant des poignées de main à la ronde, les traits tirés, un timide sourire aux lèvres comme pour s'excuser d'être la cause de tant de vacarme; il agite gauchement la main et salue tous ces gens qui rient et pleurent en même temps, ces journalistes qui oublient de prendre des notes, ces photographes aux yeux ronds avec leur appareil sur le ventre, et il se dirige lentement vers son bureau, au Parlement.

Vers dix heures, le lendemain matin, le soleil avait tellement surexcité une mouche dans la cuisine qu'elle se jeta plusieurs fois contre la vitre, puis tomba sur l'appui, les pattes en l'air, hors d'haleine, ivre de joie. Les marches de l'escalier se mirent alors à craquer, Maurice et Julie apparurent, les yeux gonflés de sommeil. Ils firent quelques pas dans la pièce, puis s'arrêtèrent. Un profond silence régnait dans la maison tout inondée de soleil.

— Il dort encore, souffla Julie.

— Il faut le saluer avant de partir.

Ils s'assirent à table et attendirent. Une heure passa. Maurice écoutait gargouiller son estomac d'un air stoïque.

— Il est peut-être sorti, fit-elle. Va voir dans sa chambre.

— Les vieux dorment plus longtemps que nous, tu le sais.

Quelques minutes s'écoulèrent.

— Je t'en supplie, va voir, fit-elle, sinon je dévalise le frigidaire.

Maurice enfila le corridor et arriva dans un grand salon rempli de vieux meubles et de trophées de chasse. Une tête d'orignal l'observait d'un air dégoûté. Il aperçut une porte basse près d'une bibliothèque chargée de bouquins, et l'ouvrit doucement. La chambre ruisselait de lumière; une brise humide, toute pleine de senteurs d'herbe, lui arriva au visage. Étendu sur son lit, les yeux fermés, le vieillard souriait doucement; sa tête, légèrement rejetée de côté, avait pris une teinte blanchâtre et, le long de sa gorge légèrement gonflée luisaient des veines d'un bleu étrange. Maurice l'observa un moment, puis son front se couvrit brusquement de sueur et il sortit en claquant la porte.

— Qu'est-ce que tu as? lui demanda Julie. Viens-tu de rencontrer un fantôme?

Il lui fit signe de le suivre, dévala les marches du perron et s'éloigna à grands pas.

— Mais réponds-moi. Est-ce qu'on t'a cousu les lèvres? Il est parti, oui ou non?

— Il est parti. Et j'en ai assez d'être ici.

Une sorte de terreur religieuse l'habitait. Jamais il ne s'était senti dans un état pareil.

— Eh bien! toi, t'es un drôle de bonhomme, lança Julie qui avait peine à le suivre, c'est le moins qu'on puisse dire.

La Volkswagen était toujours stationnée devant le garage. Maurice allait démarrer lorsque le dernier soldat de la guerre de Sécession se montra à une fenêtre.

— Ah! bonjour, fit Maurice d'une voix mal assurée. Est-ce que je vous dois quelque chose pour les réparations?

— Sais-tu ce que je réponds à ce genre de questions, mon ami? ricana le soldat.

Maurice le regarda, étonné.

— Voici ce que je réponds.

Il poussa la porte, s'avança flambant nu dans la cour, une carabine à la main, et perça l'auto à trois endroits.

— Je ne pensais pas qu'elle pouvait encore filer si vite, murmura-t-il, pensif, en regardant l'auto disparaître au tournant de la route.

IV

Maurice voulait se rendre d'une seule traite jusqu'à Péribonka, mais en arrivant à la ville d'Alma, Julie l'obligea de s'arrêter à un restaurant.

— Tu n'as pas faim? lui demanda-t-elle, la bouche pleine.

— Non, pas tellement.

— Qu'est-ce qui se passe? As-tu mal dormi?

— J'ai très bien dormi, au contraire.

— Eh bien! laisse-moi te dire, sans te blesser, mon ami, que tu ne gagnerais pas le Grand Prix mondial de la gaieté aujourd'hui.

Maurice sortit son portefeuille et l'entrouvrit:

— Regarde ce que j'ai là-dedans.

— Pour l'amour du ciel! s'exclama Julie, et elle faillit s'étouffer. Où as-tu trouvé ça? reprit-elle, à voix basse, en jetant un coup d'œil dans le restaurant.

— C'est lui qui me l'a donné.

Elle le regarda un instant, incrédule:

— Et… pourquoi?

— Comme ça. Il m'a dit qu'il n'en avait plus besoin. Qu'il était trop vieux. J'ai refusé, mais il m'a presque forcé.

— Quel drôle de bonhomme! Qu'est-ce que tu vas faire de tout cet argent?

Maurice haussa les épaules, se leva de table et alla téléphoner à ses parents.

Lorsque madame Ferland apprit que son garçon arrivait avec une « amie », la certitude d'un mariage prochain, qui rendrait son fils moins instable, plus « téléphoneur » (et peut-être de nouveau pratiquant) la mit sens dessus dessous; elle téléphona aussitôt à son mari qui travaillait à Dolbeau et lui dicta une longue liste d'emplettes, puis sortit du congélateur un monticule de tartes et de biscuits. En arrivant de l'école, Rose-Anne, l'aînée, dut se lancer dans un ménage foudroyant et Michel, sept ans, courir un nombre incalculable de fois au magasin général, tandis que leur mère s'affairait dans la cuisine.

— Mon Dieu qu'il a maigri! s'écria-t-elle, tout attendrie, en se penchant vers la fenêtre pour voir son fils sortir de l'auto.

— Ce sont plutôt ses cheveux qui ont allongé, rétorqua monsieur Ferland d'un ton quelque peu acide.

Mais l'air lui changea lorsqu'il aperçut Julie.

— Ho-hom! fit-il mentalement, mon garçon se débrouille bien.

Et mine de rien, il se dirigea vers la chambre conjugale pour mettre une chemise propre et sa nouvelle cravate.

Madame Ferland venait d'ouvrir la porte et s'avançait sur le perron, la voix toute trémolante:

— Bonjour! de la grande visite! de la grande visite! Entrez, entrez!

Elle serre son fils contre son ventre, l'embrasse sur les deux joues, son visage est rouge et crispé, ses yeux couleront-ils? couleront-ils pas? Près du buffet, alignés en rang d'oignons, de 7 à 14 ans, Michel, François, Danielle et Rose-Anne sont figés dans un sourire timide. Monsieur Ferland arrive tout émoustillé avec sa cravate « d'artisanat » et un sourire très spécial; il serre la main de Maurice et aide galamment Julie à enlever son manteau, pendant que ses enfants l'observent, stupéfiés.

Durant trois jours, madame Ferland déversa dans les estomacs une quantité effroyable de nourriture; on regarda la télévision tard dans la nuit et Maurice et Julie firent la grasse matinée dans un silence religieux qui suspendait toutes les activités de la maison.

Julie fit la connaissance de presque tous les gens du village et son ami l'amena visiter le musée de Maria Chapdelaine. Ils restèrent longtemps dans la pauvre maisonnette traversée de fils électriques, défigurée par une installation audio-visuelle, que son statut de musée n'empêchait pas de pourrir tout doucement, et contemplèrent en silence la chambrette austère où le Français de France Louis Hémon, entre deux corvées de ferme, noircissait des feuillets sur les Québécois de 1910.

Pendant ce temps, madame Ferland, assise à la table de la cuisine, discutait avec son mari:

— Il faudrait causer avec lui de son avenir, Hervé. Depuis qu'il est parti de l'école, il court à gauche et à droite, sans avancer d'un pouce; il n'a jamais obtenu un bon emploi nulle part, on dirait que ça ne l'intéresse pas.

Monsieur Ferland hochait gravement la tête, le front soucieux:

— Je vais être encore obligé de mettre des gants blancs, soupira-t-il.

Il n'en eut pas l'occasion.

Le lendemain matin, le jeune Michel arriva dans la cuisine à l'heure du déjeuner et s'écria devant tout le monde:

— Maman, Maurice est couché sur Julie dans sa chambre.

Le malaise qui s'installa dans la maison rendit les communications quelque peu difficiles. Vers midi, après avoir lu un entrefilet dans le *Courrier du Lac Saint-Jean,* Maurice décidait de les interrompre tout à fait et de retourner sur-le-champ à Montréal.

UNE MORT MYSTÉRIEUSE

« M. François Lortie, un rentier qui vivait en solitaire dans le parc des Laurentides près de la route 54A, est décédé lundi dernier dans des circonstances mystérieuses. La police recherche activement comme témoins importants de cette affaire un jeune couple dans la vingtaine voyageant dans une Volkswagen 1954 de couleur verte, qui se serait présenté au domicile du vieillard quelques heures avant le drame. De sources proches du défunt, on a laissé entendre que la disparition d'une importante somme d'argent ne serait pas étrangère au décès. Tout renseignement susceptible d'éclairer la justice devrait être communiqué au caporal Ludovic Huot, à Chicoutimi, en composant, etc. ».

D'une main tremblante, Maurice déchira l'entrefilet et le mit dans sa poche. Julie l'observait, étonnée. Puis il descendit à la cave et remonta avec un pinceau et une chaudière de peinture. Monsieur Ferland sortit dans la cour, les mains dans ses poches, s'approcha de son fils et l'observa un moment:

— Tanné de la couleur de ton auto? demanda-t-il prudemment (il voyait disparaître le gallon de peinture jaune qu'il venait d'acheter pour la salle de bain).

Maurice lui fit signe que oui.

— D'après moi, ça ne fera pas un très bel effet, posé au pinceau.

— Bah! fit Maurice en jetant sur son auto un regard méprisant, pour ce qu'il lui reste de jours à vivre…

À quatre heures, la peinture était séchée; Maurice annonça à ses parents qu'il retournait à Montréal après le souper.

— Déjà? s'écrièrent-ils.

Mais devant sa nervosité croissante, ils n'essayèrent pas de le retenir. Dès que son garçon fut parti, madame Ferland se retira dans le salon où son mari la surprit en train de s'éponger les yeux.

— Voyons, Fernande, cesse de faire des drames. Pensais-tu que ton garçon était encore joseph? Les femmes l'attirent, c'est de son âge: il n'est pas le premier garçon à sauter par-dessus le règlement. Moi-même, dans mon jeune temps, je n'allais pas à la messe tous les matins.

Madame Ferland lève la tête et ses yeux coulent de plus belle:

— Ce n'est pas ça, voyons. Doux Jésus! Es-tu aveugle? N'as-tu donc pas remarqué l'air qu'il a eu toute la journée? Je suis sûre qu'il s'est produit quelque chose.

Pendant ce temps, l'auto de Maurice file vers le parc des Laurentides et Julie s'agite sur son siège:

— Mais parle, sacripant! Tu ne me feras pas croire qu'on est parti à cause de l'incident de ce matin.

Maurice regarde droit devant lui sans dire un mot; au bout d'un moment, il fouille dans sa poche et lui tend la découpure de journal. Julie relève la tête, toute pâle:

28

— Il était mort quand on est parti de chez lui, n'est-ce pas?

— Oui.

— Pourquoi ne m'en as-tu pas parlé?

— Ça ne me tentait pas.

— Il faut aller trouver la police.

— Sûrement pas. Ça va assez mal comme ça.

Julie garde le silence un instant:

— Eh bien! je vais y aller, moi, lance-t-elle d'une voix mal assurée.

Il lui jette un regard qui fait fondre sa résolution comme beurre dans la poêle. Elle tapote quelque temps le tableau de bord, la gorge serrée, le souffle court, en proie à mille pressentiments, puis se tourne de nouveau vers lui:

— Est-ce que ce serait toi qui...

— Tu es folle, non? C'est arrivé comme ça.

En disant ces mots, sa voix tremble comme s'il allait se mettre à pleurer. À mesure qu'approche la barrière du parc, il devient de plus en plus nerveux; la conduite de l'auto s'en ressent.

— C'était stupide de peinturer ce maudit bazou, pense-t-il. Il n'y a pas de meilleur moyen de se faire repérer.

Malgré tout, ils passent les deux barrières sans encombre. Julie dort profondément quand ils arrivent à Montréal. Maurice s'arrête au premier motel qu'il aperçoit. À huit heures, le lendemain matin, il a déjà fait plusieurs appels téléphoniques. Il se rend chez *Oswald Parent Autobody Service,* où l'on manipule la lime dans certains cas spéciaux, et repart avec $75.00 en poche, mais à pied. À deux heures, il s'est loué un petit appartement sur la rue Mentana. Il y reste seul trois jours, puis Julie vient le rejoindre, incapable de supporter les éclats paternels.

V

Maurice était sous la douche un samedi matin lorsqu'on sonna à la porte.

— Bonjour, monsieur, lui dit un jeune policier avec un aimable sourire.

Il portait un costume impeccable et serrait dans sa main une jolie paire de gants de chevreau; un parfum sobre et viril émanait de sa personne tandis que ses yeux étincelaient de bonne volonté et de droiture scientifique.

— Je m'excuse de vous déranger, monsieur. Je sais combien il est désagréable d'aller répondre à un visiteur en plein milieu d'une douche, mais je me vois obligé de vous demander quelques renseignements.

— Donnez-vous la peine d'entrer.

— C'est trop de bonté, répondit le jeune policier. Est-ce que vous avez déjà possédé une auto de marque Volkswagen, immatriculée 896703456700249 et manufacturée en 1954?

— Non.

— Auriez-vous l'obligeance de me suivre pour quelques autres questions, monsieur?

— Bien sûr. Je vais m'habiller et je suis à vous.

Maurice retourna dans la salle de bains et referma la porte. Un quart d'heure s'écoula. Le policier attendait, debout. Finalement, il s'assit. Et tout à coup, la lumière se fit en lui. Il devint extrêmement déprimé, les traits de son visage s'affaissèrent, sa peau devint grise, des points blancs éclatèrent ici et là dans ses cheveux. Il s'affala sur sa chaise, se laissa glisser sur le plancher et ferma les yeux en soupirant:

— Pourquoi? Pourquoi m'a-t-il fait ça?

Deux jours plus tard, le concierge entra dans l'appartement:

— Sainte Viarge! Qu'est-ce qui se passe? Êtes-vous blessé?

— Pourquoi? Pourquoi? murmurait le policier d'une voix éteinte.

On le transporta à l'hôpital Maisonneuve où il mourut lentement, au milieu des réconforts de la religion.

Maurice avait eu amplement le temps d'aller rejoindre Julie, qui se trouvait chez une amie, et de lui raconter toute l'affaire. Elle réfléchit un instant.

— Il n'y a que mon oncle pour nous sauver, décida-t-elle. Ils se rendirent donc chez lui.

Le député Jerry Turcotte était une crapule pleine d'entrain, un joyeux veuf, un homme d'affaires à tout prix, un buveur de Labatt 50, un pinceur de fesses professionnel. Il adorait lire les journaux à potins, collectionner les photos pornographiques et serrer la main des gens importants. Lui-même avançait dans la voie du succès à une vitesse remarquable. Il était propriétaire de la maison de courtage *Financial Fun Co.*, de la boutique de vêtements *Fébrile Folie*, et vice-président d'une compagnie qui fabriquait du fromage à pizza selon un procédé révolutionnaire extrêmement économique. Il possédait en outre des intérêts dans plusieurs petites entreprises aux activités les plus diverses. Mais son ambition ne s'était pas arrêtée là. Le 29 avril 1970, après une campagne électorale particulièrement active, il avait couronné sa carrière en se faisant élire député dans le comté montréalais de Lafleur. Mais toute joie apporte ses peines: il devait faire face depuis peu à une contestation d'élection de la part d'un militant syndical bien connu, candidat du Parti québécois.

— Hoho! Hihi! Vous voilà bien mal pris, s'écria-t-il en se tapant sur les cuisses. Et vous voulez que le vieux Jerry aille vous dépanner?

— Je vous en prie, mon oncle. Je suis sûre que vous pouvez nous aider. Après tout, on n'a rien fait de mal. On a seulement craint d'être soupçonnés.

— Bien sûr que je vais t'aider, mon minou! Jerry aide toujours ses amis. Et encore plus ses nièces. Et surtout celles qui ont des petits tétons durs comme les tiens et de belles petites cuisses musclées qui n'ont pas peur de s'écarter. J'envoie ça raide, hein? C'est mon genre, voilà la raison. J'ai le genre très raide et j'aime m'amuser. Et vous, mon ami, que faites-vous dans la vie?

— Pour l'instant, je suis chômeur, répondit Maurice, tout interloqué.

— Dommage. Vous n'avez jamais songé à la carrière militaire?

— Non.

— Eh bien! tant mieux! C'est un casse-cul. Je pourrais vous en parler longtemps, moi. Il n'y a rien comme le monde des affaires. Succès et liberté, voilà ce que c'est que les affaires. Voulez-vous un Coke?

Ils firent signe que non.

— Je vous en sers un quand même: vous me dites non parce que vous êtes gênés. Et même, je vous garde à dîner, parce que vous me plaisez.

Il se mit à bardasser dans l'armée de bouteilles qui cernait son bureau et le recouvrait en partie:

— Tiens, en voilà deux. Viens les chercher, mon garçon, l'openeur est près de toi. Hoy! j'y pense. Venez avec moi, je vais vous montrer ma dernière acquisition.

Et dans un fracas de bouteilles renversées, il passa dans l'autre pièce.

Julie se pencha à l'oreille de son ami:

— Il collectionne les portraits d'hommes célèbres. C'est sa marotte.

— Tiens, regarde-moi ça! Mon meilleur et mon plus beau!

Ils se trouvaient dans une salle entièrement tapissée de tableaux et photographies encadrés, aux formats les plus divers. Placés l'un près de l'autre, Hitler, Jules César, Maurice Duplessis et tutti quanti semblaient tous avoir la même gueule sévère. Une douzaine d'entre eux empilés dans un coin méditaient tristement sur la vanité de la gloire terrestre. Jerry Turcotte les avaient décrochés pour faire place à un immense tableau, au cadre outrageusement sculpté, qui représentait le Prince, tout souriant, en tenue sport près d'un canon. Maurice ouvrait de grands yeux, le souffle coupé.

— Hein! qu'est-ce que vous en pensez? fit le député. C'est pas un homme, ça? Pour être un homme, c'est un homme. Du charme, de l'aisance, du sang-froid. Et bon financier, par-dessus tout!

— Mais vous avez dû payer une fortune pour ce tableau-là! s'exclama Julie.

— $6,800, sans compter le transport. On n'a rien pour rien, c'est bien connu. Mais il faut penser à dîner maintenant. Qui mange peu fourre mal. Hoho! Ne prenez pas cet air-là, j'ai déjà été jeune moi aussi. Et j'ai encore un petit bout plein de jeunesse de temps à autre.

Le député s'approcha d'un interphone:

— Êtes-vous là, mame Tremblay?

— Oui, monsieur.

— Eh bien! préparez-vous, j'ai deux invités ce midi et ils ont les dents longues. Comment sont leurs dents?

On entendit un soupir dans le haut-parleur et la voix répondit:

— Longues, monsieur.

— *Parfa,* ma bonne dame, *parfa.*

Il se tourna vers Maurice:

— C'est ma ménagère. Un vrai cœur d'or. Et drôle! À péter devant un évêque!

Ils revinrent dans le bureau du député. Julie le prit par le bras:

— Mon oncle, dites-moi ce que vous allez faire pour nous sortir du pétrin?

— Ce que je vais faire? Un coup de téléphone, ma belle.

Il composa un numéro.

— Allô! Gilles? Comment ça va, vieux snoreau? Oui, oui, je sais. Dis donc, j'aurais besoin de te voir tout de suite. Quoi? Mais envoie-le chier, le propriétaire du Kambo. Ce n'est pas lui qui va t'agiter le rameau béni sur ton lit de mort.

Oui, tout de suite. Salut. Tu vois, mon bel amour, fit-il en se retournant, c'est déjà réglé.

En disant ces mots, il fait un grand geste; sa main heurte une petite potiche sur le coin de son bureau. La potiche tombe, un bouchon roule sur le plancher.

— Saintostie! ma femme qui se répand encore!

— Votre quoi? fait Maurice.

— Ma femme, répond-il en sortant du bureau à toute vitesse.

— Elle s'est fait incinérer en 58, crie-t-il dans le passage.

Il revient avec un petit aspirateur.

— Elle voulait rester près de moi après sa mort. Vous connaissez les femmes.

Il branche l'aspirateur et le met en marche.

— Je la garde toujours près de moi. C'est une sorte de porte-bonheur, et ça donne de l'atmosphère au bureau. Saintostie! l'urne est presque vide.

Il arrête l'aspirateur, sort le sac à poussière et le transvide délicatement. Maurice et Julie l'observent, horrifiés.

— Ouais! Ça ne rentre pas tout. Tant pis, je ne suis pas pour la passer au microscope.

Et à ces mots, il vide le sac dans une corbeille à papier.

— Pourvu qu'elle soit un peu là, moi, ça me suffit. Avez-vous une allumette?

Il roule le bouchon autour de la flamme et le pousse dans le col de l'urne, puis les regarde, satisfait:

— La police, j'en fais mon affaire. Cessez d'avoir la face longue, mes ti-z-enfants.

Une sonnerie l'interrompt.

— Mame Tremblay, crie-t-il dans l'interphone, c'est Gilles, dites-lui de passer directement à mon bureau.

Gilles apparaît aussitôt. Il porte un imperméable à la Eddie Constantine et son chapeau donne l'impression d'être un amalgame de vieux linges à vaisselle passés au cirage à chaussure. C'est un homme bedonnant, frisant la quarantaine; il sourit avec une candeur enfantine, mais à la façon qu'il a de promener son regard, on ne laisserait pas traîner une pièce de dix sous devant lui.

34

— Mes enfants, s'écrie le député, je vous présente Gilles Pellerin. En 49, il a failli s'inscrire au Conservatoire d'art dramatique, c'est vous dire comme son âme est élevée.

— Bonjour, mesdames et messieurs. Le soleil brille de tous ses feux, aujourd'hui. Les policiers ont dû tous aller faire un petit tour sur le Mont-Royal avec leur blonde. Belle journée pour aller faire un dépôt à la banque ou même un léger retrait, le tout dans une agréable intimité.

— Tu dis des caveries, mon garçon, fait Jerry en fronçant les sourcils, et il lui fait signe de s'asseoir.

— Scusez-moi, bafouille l'autre en obéissant.

Il pose les mains sur ses genoux et regarde Turcotte en souriant, tout en lorgnant une radio portative posée sur une tablette en face de lui. Le député se cale dans son fauteuil:

— Gilles, mon ami, je t'ai appelé pour que tu aides ma nièce et son *chum* qui ont de petits ennuis avec la police.

— Qu'est-ce qu'ils ont fait?

— Absolument rien.

— Hum! Hum! La situation est délicate, alors. Je n'ai pas l'habitude de ces sortes d'affaires. De quoi s'agit-il au juste? fait-il en se tournant vers Julie avec son plus charmant sourire. Bon, je vois, ça peut aller, dit-il après avoir écouté son récit.

Il lève un regard craintif sur le député qui l'observe depuis un moment, les lèvres serrées:

— Je vais en parler à Reggie ce soir et je vous donnerai des nouvelles demain.

— Seulement demain?

— Mais par contre, continue-t-il, presque affolé, je peux vous révéler quelque chose tout de suite. Je n'ai pas encore dîné aujourd'hui, voyez-vous, et mon portefeuille est resté chez moi, ce qui m'empêche... Alors, j'ai pensé tout à l'heure que si vous aviez la bonté...

— Tu me fais penser à quelque chose, toi, s'exclame le député en actionnant l'interphone. Mame Tremblay, amenez-vous donc ici une minute.

— Oui, monsieur, répond la voix résignée.

Madame Tremblay apparaît dans le bureau, les bras ballants, son embonpoint serré dans un tablier à carreaux, ses cheveux gris ramenés sur la tête en un gros chignon; à son expression, on dirait que sa mère vient de monter au ciel il y a dix minutes. Le député Turcotte fait pivoter son fauteuil:

— Qu'est-ce qu'on mange à midi, mame Tremblay?

— De la soupe aux champignons, un rôti de bœuf au jus, de la salade, une purée de pommes de terre, des carottes au beurre et un gâteau renversé aux ananas.

— *Parfa*. Faites-nous venir à la place un bon repas chinois, mais dites-leur bien de ne pas mettre d'ail dans les *spareribs*.

— Mais…

— Tut tut tut. Le gouvernement essaye de lutter contre le chômage, mame Tremblay, aidez-le, aidez-le un peu. Aujourd'hui vous travaillez; demain vous pourriez vous retrouver sur le trottoir.

Il se lève et lui pince le bout d'un sein tellement fort qu'on doit la faire asseoir pour qu'elle reprenne souffle.

— Oubliez le repas chinois, lui crie-t-il au moment où elle quitte la pièce, je viens de changer d'idée.

Il fouille dans son portefeuille et tend deux dollars à Gilles Pellerin:

— Je ne veux pas te voir la face à table aujourd'hui, mon vieux, c'est un dîner de famille, tu comprends? Va manger au restaurant.

— Merci, *boss,* merci, répond Pellerin avec précipitation, et il s'apprête à partir.

— Minute, fait Turcotte.

Pellerin se retourne, tout pâle.

— J'ai peut-être la berlue. J'avais cru voir un stylo plaqué or sur le coin de mon bureau quand tu es entré.

— Oui, peut-être, répond Gilles en soupirant, et il se met à fouiller dans son manteau. Tiens! il était tombé dans ma poche, s'écrie-t-il, tout étonné.

— *Parfa*. J'aime autant le voir ici qu'ailleurs. Un de ces jours, j'irai faire une petite fouille à ton appartement avec un déménageur ou deux.

— Ménagez-moi, *boss*, bafouille-t-il, tout tremblant, vous savez comme on souffre d'être cleptomane.

— Console-toi, mon garçon, je suis sur le point de te guérir pour la vie. Salut.

— Bonjour, *boss*.

— L'enfant de chienne, grommelle le député après avoir entendu claquer la porte. Si je ne le surveillais pas chaque minute, il serait capable de partir avec ma fournaise.

VI

Le soir même, Gilles Pellerin rencontra Reggie au *Béret Vert* et lui décrivit la « mission » dont l'avait chargé Jerry Turcotte. Reggie l'écouta sans dire un mot, vidant avec application une demi-douzaine de bouteilles de bière. Puis il se leva, lâcha un rot étonnant et alla placer quelques appels téléphoniques. Quand il revint, Pellerin apprit que le sergent-détective chargé de l'enquête sur Maurice se nommait D. Lachapelle et avait l'habitude, chaque samedi soir, d'aller jouer aux quilles au *Bowling-Rama,* rue Ontario. Gilles et Reggie s'y rendirent donc et devinrent en trois heures les meilleurs amis que D. Lachapelle ait jamais eus sur terre. Gilles proposa de fêter cet heureux événement en allant prendre un verre dans un club « très-très-bien » qu'il connaissait, rue Saint-Denis. D. Lachapelle accepta. Dès son entrée dans l'établissement, il fut agréablement impressionné par la beauté des danseuses phosphorescentes qu'on avait peintes sur les murs. Cela le fit boire beaucoup, d'autant plus qu'il ne payait pas.

— C'est un chef-d'œuf, mes amis, déclara-t-il à son huitième verre, en désignant les danseuses d'un grand geste.

Au dixième, il fit venir le propriétaire pour lui expliquer sa conception personnelle de la peinture artistique, mais la conversation vira bientôt en histoires cochonnes du plus mauvais goût. Au douzième verre, une jeune femme de quarante ans, au maquillage remarquablement épais, vint s'asseoir près de lui et se mit à lui caresser les cuisses d'une façon très significative. D. Lachapelle se retrouva bientôt dans une chambre au deuxième étage, en compagnie de sa nouvelle amie. Quelques minutes plus tard, les deux mécènes purent avoir avec leur protégé une entrevue qui se déroula dans des conditions d'intimité extrêmement satisfaisantes. Le sergent-détective refusa d'abord, avec horreur, de collaborer à un ralentissement de l'enquête sur Maurice Ferland. On lui fit plusieurs offres alléchantes. Il les rejeta toutes. Sans exception. Cependant, après avoir bu deux verres de shampoo, il fit d'importantes concessions. Mais le lendemain, quand Gilles Pellerin vint le trouver, sa conscience avait repris le dessus. Quelques heures plus tard, en pénétrant dans son garage, D. Lachapelle constata la disparition de son auto. Deux jours passèrent. Au troisième, un appel anonyme l'invita à se rendre dans un fond de cour du nord de la ville. Son auto s'y trouvait: les pneus fendus, la carrosserie à ras le sol et remplie de ciment jusqu'aux vitres. Quelqu'un y avait tracé du doigt cette phrase lapidaire mais précise: « Il est comme nous, il durcit vite ».

Le lendemain, le dossier de Maurice Ferland trouva place dans un vieux classeur poussiéreux qu'on laissa tomber par mégarde du haut du pont Jacques-Cartier.

Entre-temps, Jerry Turcotte n'était pas resté inactif. Il avait loué un appartement pour Maurice et Julie, leur avait donné $200 et l'ordre de ne pas se montrer tant que leur affaire n'aurait pas été réglée.

Maurice s'étonnait de la générosité du député.

— C'est un vieux vicieux, mes cuisses ont dû l'ensorceler, lui dit Julie en haussant les épaules.

Ils s'encabanèrent pendant quatre jours, faisant la navette entre le lit et la télévision. Au matin du cinquième jour, le téléphone sonna.

— Hoho! Hihi! Vos ennuis sont finis. Devine qui parle, ma tite minoune en or?

— C'est vous, mon oncle?

— Encore essoufflée, hein? Quand les tétons dansent, c'est que la bedaine s'amuse. Passe-moi Maurice, je voudrais lui parler.

— Quel vieux maquereau, murmura-t-elle en tendant le récepteur à Maurice encore tout ensommeillé.

— Maquereau, hein? fit le député. J'ai tout entendu, j'ai tout pardonné. Est-ce qu'elle couche bien, ma nièce?

— Pas mal, répondit Maurice en riant.

— Enfin: un gars qui se tient sur mes ondes! Faut profiter de la vie, le plaisir est court: huit pouces au maximum et tout finit en pluie. Hihi! Pas bête, celle-là, qu'en penses-tu? Tes ennuis sont finis, mon garçon.

— Voulez-vous dire que...

— Fini, n-i ni. Tu es blanc comme neige! Personne ne te connaît. Tu peux te promener dans la rue en faisant sonner une cloche. Ne dis rien. Pas un mot. Mais rends-moi un service.

— Tout ce qu'il vous plaira, monsieur...

— Jerry. Tout le monde m'appelle Jerry. Le Premier ministre m'appelle Jerry. Le Prince m'appelle Jerry. Suis la foule, mon ami, pas de monsieur Turcotte, les cheveux me blanchissent quand j'entends ce mot-là. Viens me voir cet après-midi à mon bureau. On va se parler comme de grands garçons.

— Décidément, c'est un original, ton oncle, fit Maurice en raccrochant.

— C'est surtout un vieux cochon, trancha Julie d'un ton sans réplique.

VII

— Un instant, mon tit jeune homme, fit le député quand Maurice se présenta devant lui; je finis de signer mes cartes de bonne fête et je suis à toi.

— Bon sang! s'exclama Maurice en apercevant l'énorme pile de cartes. À qui envoyez-vous tout ça?

— À mes électeurs, Maurice, à mes électeurs! J'ai 32 électeurs qui sont nés le 24 octobre, 12 le 25, 85 le 26, et ainsi de suite. Puisque les gens naissent tous les jours, il faut bien que je fasse mon devoir de député et que je leur dise combien je suis content qu'ils soient au monde.

— Vous leur envoyez des cartes de bonne fête à *tous*?

— L'époque l'exige, mon ami, l'époque l'exige. Les citoyens sont nerveux de nos jours. Il faut flatter leur vie privée; sinon la tension monte, ils font de l'insomnie et hop! un beau matin on les retrouve tous dans la rue en train de crier sans trop savoir pourquoi. La circulation se bloque. Les livraisons ne se font plus. Le commerce périclite et hop! la société s'effouère à terre et les Chinois viennent fouiller dans nos tiroirs. Veux-tu une bière?

Maurice, qui s'amusait beaucoup à l'écouter, fit signe que oui.

— Mame Tremblay, cria Jerry dans l'interphone.

— Oui, monsieur, fit une voix résignée.

— Deux Labatt dans 30 secondes.

Madame Tremblay parut presque aussitôt avec un plateau et s'avança lentement dans la pièce, les yeux baissés, laissant échapper de profonds soupirs. Le député Turcotte s'était remis à signer ses cartes en feignant de l'ignorer, mais il avait un curieux sourire aux lèvres. Elle déchargea le plateau et s'apprêta à repartir.

— Vlan! cria le député en lui appliquant une tape aux

fesses. Elle fit trois petits pas lestes malgré son poids.

Il éclata de rire en voyant son visage cramoisi:

— Chère mame Tremblay, vous me plaisez tellement, tellement, mame Tremblay, que je laisserais mon nez morver plutôt que de prendre un mouchoir que vous n'auriez pas vous-même repassé.

— Vous n'êtes pas gentil, monsieur Turcotte, répondit-elle en bégayant, et elle sortit à toute vitesse.

— Mame Tremblay!

— Oui, fit-elle, dans le corridor.

— Revenez, je veux vous parler.

On entendit un long soupir et elle reparut, en prenant soin de se tenir à distance.

— Comment va votre mari, mame Tremblay?

Elle se mit à rougir de nouveau et ses lèvres tremblèrent:

— Mon... mari?

— Oui, vous savez que je m'intéresse beaucoup à votre mari. En fait, je m'y intéresse beaucoup, il n'y a aucun doute là-dessus.

— Il se porte comme d'habitude, répondit-elle, cherchant à repartir.

— Restez, restez, je veux des précisions. Est-ce qu'il est toujours à la hauteur de Séoul?

Elle prit un air de condamnée à mort et pencha la tête:

— Il s'est éloigné de Séoul hier.

— J'aime beaucoup votre mari, mame Tremblay, vous le savez. Son mari est à Saint-Jean-de-Dieu, fit Jerry en se tournant vers Maurice. Il continue tout seul à faire la guerre de Corée, là-bas. En fait, il n'est jamais revenu de cette fameuse guerre. Curieux, hein? Je le connais depuis 28 ans, Emile. A l'époque, c'était le comique de la gang. Eh bien! même fou, il est resté comique; il faut le voir attaquer un bataillon communiste; Barnum and Bailey en seraient morts de jalousie. Les psychiatres disent qu'il ne guérira pas avant d'avoir conquis toute la Corée. Mais seul et à pied, il avance lentement. Le temps joue contre lui. Il risque de mourir de vieillesse avant d'arriver au bout de sa tâche. C'est triste, hein? En ce moment, les psychiatres essayent de lui fournir une jeep, mais allez donc fournir une jeep mentale à un fou? C'est très difficile. Enfin, ils essayent.

Madame Tremblay s'était éclipsée discrètement.

— Alors, comme je suis le plus grand ami d'Emile, je les aide tous les deux. Je graisse les docteurs et je la fais travailler chez moi.

— Vous aimez beaucoup la taquiner, je crois, observa Maurice avec un air de reproche.

— Elle *aime* que je la taquine, mon ami, je te le jure. Les tapes aux fesses la font rougir, mais c'est de plaisir. Il ne faut pas oublier qu'elle couche toute seule dans le grand lit depuis *1951!*

Il fixa Maurice d'un air solennel et doctoral. Celui-ci prit une gorgée de bière pour se donner contenance.

Le député l'imita:

— Passons aux choses sérieuses, maintenant, fit-il en déposant avec fracas sa bouteille sur le bureau. Je t'ai dépanné hier, ça m'a fait plaisir; je le referais 128 fois encore si c'était à refaire. Maintenant, mon Maurice, en échange, j'aimerais que tu me rendes un petit service.

— Avec plaisir. Tout ce que vous voudrez.

— Voilà: je possède une compagnie de finance depuis quelques années. Oh! rien de bien gros: deux machines à écrire, une vieille secrétaire myope et trois ou quatre classeurs entassés dans une espèce de garde-robe pleine de poussière. Évidemment, je ne t'apprendrai pas comment fonctionne une compagnie de finance. Quand dix piastres sortent par une porte, il faut que vingt-cinq piastres entrent par l'autre, sinon pourquoi se fendre le cul?

Le député ingurgita trois énormes gorgées de bière, rota, s'essuya la bouche, puis se pencha sur son bureau:

— Alors, Maurice, j'ai pensé à toi. Je sais que tu n'as pas froid aux yeux et que...

— Vous voulez que j'aille faire une saisie.

— C'est ça! *Bright boy!* En plein dedans! Mais... une saisie un petit peu spéciale, ajouta-t-il en baissant brusquement la voix. Car il s'agit d'un client… spécial. C'est tellement vrai que la semaine dernière, lorsqu'un de mes agents est allé le voir, il l'a reçu avec un fusil. On n'a rien contre ça. Qu'il le garde, son fusil. Par contre, on va faire la saisie quand même. Sais-tu comment?.

— En son absence, je suppose?

— C'est ça! en son absence! Tu vois, ce n'est pas compliqué. Voilà pourquoi je t'en ai parlé. Tu ne seras pas seul, d'ailleurs. Je vais envoyer Gilles avec toi. C'est un vieil expert. Vous vous amuserez bien ensemble. Est-ce que ça te va?

— Bien sûr.

Le député se leva, fouilla dans sa poche et lui tendit une liasse de billets.

— Tiens, prends ça pour tes petites dépenses et rends-toi chez lui au 3635 Henri-Julien; il t'attend.

— Mais… vous me donnez beaucoup trop d'argent!

— Tut tut tut. Empoche et tais-toi. T'amèneras Julie prendre un bon repas chez Bill Wong. Quand on fait bien manger les femmes, elles nous font bien dormir. Hihi. Salut.

Maurice sortit de chez le député et héla un taxi.

— Mon ami, lui dit le chauffeur, je vous annonce que vous êtes à côté d'un alcoolique anonyme.

— Ah oui? fit Maurice, interloqué.

Il le regarda. C'était un homme dans la quarantaine, extrêmement maigre et sec, avec une immense moustache noire et un cou allongé dont la peau ressemblait à du papier-oignon froissé. Un frémissement continuel agitait sa tête.

— Oui, monsieur, si jamais vous étiez monté paqueté dans mon auto, je vous aurais crissé une volée drette-là parce que je connais trop les méfaits de l'alcool.

— Voilà, c'est ici, fit Maurice en arrivant chez Gilles Pellerin. Il sortit de l'auto.

— À peine paqueté sur les bords, et je vous crissais une maudite volée, lui cria le chauffeur en démarrant avec fracas.

Maurice sonna à la porte.

— Entrez! cria une voix.

Un long corridor, violemment illuminé, s'allongeait devant lui. À son extrémité, une peinture à l'huile de Fernand Gignac en sombrero à pompons occupait tout un pan de mur.

— Je suis au bout, à gauche, cria la voix.

Maurice pénétra dans une petite cuisine extrêmement sale et encombrée, qui sentait le spaghetti refroidi. Au centre, assis à une table, Gilles Pellerin, les cheveux ébouriffés, finissait un bol de céréales, les yeux plongés dans un grand livre cartonné intitulé: *Mandrake et les envahisseurs de la planète Z.* Il se leva avec précipitation:

— Bonjour, mon ami. Prenez la peine de vous asseoir sur cette chaise, après avoir peut-être enlevé ce restant de pâté chinois. Vous m'excuserez d'être encore en robe de chambre à cette heure-ci, mais j'ai les nerfs extrêmement fragiles et la robe de chambre me détend beaucoup. Le XXe siècle est dur, vous savez, pour ceux qui vivent en marge de la société. Est-ce que je vous sers un bol de céréales?

— Non merci. Vous pouvez me tutoyer, vous savez.

— C'est un honneur. Oui, c'est un honneur, répéta Pellerin d'un air pensif. Je remarque une bosse dans la poche intérieure de votre veston. Mais je suis sans doute indiscret, excusez-moi. Est-ce que vous me permettriez de préparer devant vous une omelette au poulet?

— Bien sûr. Ma foi du bon Dieu, pensa Maurice, il est aussi timbré que son patron.

Gilles Pellerin se mit à fouetter vigoureusement les œufs avec une fourchette:

— Avez-vous pensé, mon ami, que l'omelette au poulet est le plat le plus parfait qui existe sur terre?

— Non, jamais.

— Le plus parfait et le plus complet. Je n'ai pas beaucoup d'instruction, mais je comprends tout à fait le sens de l'expression: « C'est l'alpha et l'oméga »: le commencement du poulet, c'est-à-dire l'œuf, intimement mélangé avec son oméga, la chair. Le tout adouci par le lait, relevé par les assaisonnements et délicatement rôti dans le beurre.

44

Je n'ai jamais fait d'indigestion d'omelette au poulet, dit-il en s'assoyant, et je ne connais personne qui en ait fait une. Vous?

— Moi non plus.

Maurice avait de la peine à retenir son hilarité.

— Cette nuit, reprit Pellerin, nous allons faire une petite excursion dans le nord de la ville.

Il lui tendit le Mandrake:

— Ouvrez-le. J'ai dessiné le plan de la maison à l'intérieur de la couverture.

— Il faut se rendre au X?

— Exactement, répondit Gilles Pellerin, la bouche pleine. Ce sera très facile.

— Vous aimez beaucoup Mandrake, à ce que je vois?

— C'est mon héros. C'est le comédien parfait. Il se promène sur la terre comme sur une scène de théâtre. Il est tout-puissant, *non pas* parce qu'il est magicien, mais parce qu'il donne à tout le monde *l'illusion* d'en être un. Voilà le comble de l'art. Vous savez comme moi que la magie n'existe pas. Il n'y a que les imbéciles pour y croire, et encore. Ce qu'ils appellent pouvoir magique n'est que de la *persuasion*. Mandrake le possède au suprême degré. Tous les comédiens en possèdent un peu. Moi-même, je ne vous le cacherai pas, j'ai du sang de comédien dans les veines. Vous me connaissez mal pour l'instant, mais tôt ou tard vous verrez que j'ai du sang de comédien. Malheureusement, je n'ai pu faire carrière dans le théâtre. Mon père buvait comme un trou et j'ai dû commencer à travailler la couche aux fesses; à quatorze ans, je vendais des capotes dans les toilettes de clubs; ce n'est pas très formateur, avouez-le.

Il poussa un profond soupir et se tut.

— Je lisais beaucoup Mandrake quand j'étais jeune, fit Maurice au bout d'un moment.

— Vous avez eu tort de vous arrêter. Si je n'avais pas suivi certains de ses conseils, je serais bien plus raté que je ne le suis actuellement. Venez avec moi.

Il le fit passer dans un immense salon à moitié vide,

garni d'un vieux divan, d'un petit tapis élimé et de trois chaises pliantes sur le dossier desquelles se lisaient les mots: « Ministère des Travaux publics ». Près du foyer, se trouvait une bibliothèque munie de portes vitrées.

— Je possède tout ce qui s'est publié en français sur Mandrake, dit-il avec fierté, en faisant glisser une des portes.

Maurice saisit un album tout écorné et se mit à le feuilleter:

— *La Toupie invisible*... mais j'ai déjà lu cette histoire quelque part, j'en suis sûr! Est-ce qu'il n'y a pas là-dedans un personnage qui peut se promener dans les veines du corps humain et arrêter le cœur à volonté?

— Oui, c'est Nestor! s'écria Gilles Pellerin en battant des mains. Vous connaissez réellement les aventures de Mandrake. C'est très rare, vous savez. Tenez, vous m'êtes trop sympathique, je vous remets ce petit paquet.

Il lui tendit une liasse de billets. Maurice laissa échapper une exclamation et glissa la main dans la poche de son veston; elle était vide.

— Excusez-moi, s'il vous plaît, fit Gilles Pellerin, devenu écarlate. C'est beaucoup plus difficile que vous ne pensez d'être cleptomane et de ne pas voler, surtout quand on on a devant soi un jeune homme si... Vous m'êtes très sympathique, vous savez. Excusez-moi. Nous allons préparer notre coup de ce soir en essayant d'imaginer ce que Mandrake ferait à notre place.

Il l'entraîna dans la cuisine et se mit à lui tenir toutes sortes de propos bizarres. Maurice l'écoutait et de temps à autre portait discrètement la main dans la poche de son veston. Vers cinq heures, il prit congé de son hôte et lui promit de revenir à dix heures précises. En entrant chez lui, il aperçut un billet sur la table de la cuisine: « Partie magasiner. Je reviens bientôt ». À dix heures moins le quart, Julie n'était pas de retour. Maurice sortit, assez inquiet de son absence, et retourna chez Gilles Pellerin qui l'attendait sur le perron. Ce dernier lui tendit un sac de papier:

— Pastille de menthe? Mauvaise haleine attire malheur.

— Non merci, fit Maurice. Je garderai plutôt la bouche fermée.

— Je parlais pour parler, bien sûr.

Ils marchèrent quelque temps dans la rue, enfilèrent une ruelle, puis une seconde. À la troisième, Maurice se tourna vers son compagnon:

— Est-ce que tu stationnes toujours ton auto aussi loin?

Gilles Pellerin sourit et porta un doigt à ses lèvres:

— *Wouf wouf et turlututu. Les chiens ne parlent jamais dans la rue.*

Ils s'arrêtèrent devant un assemblage branlant de vieilles planches et de tôle rouillée sur lequel on avait greffé une porte de garage. Gilles Pellerin sortit un trousseau de clefs:

— Un peu de sésame, maintenant.

Maurice dut l'aider, car la porte était coincée. Une fourgonnette était stationnée à l'intérieur.

— Au fait, chez qui va-t-on?

— Oh! chez n'importe qui, un vague citoyen, Odilon Redon, je crois.

La camionnette avança lentement dans la ruelle, déboucha sur la rue Duluth, puis tourna sur le boulevard Saint-Laurent et se mit à filer vers le nord. Maurice se sentait à la fois inquiet et joyeux en voyant ce gros homme aux doigts luisants qui conduisait en chantonnant d'une voix douceâtre. Il se pencha vers lui:

— Dis donc, qu'est-ce que tu faisais avant de travailler pour monsieur Turcotte?

— Nom de Dieu! Ce que je faisais? La nuit est trop courte pour tout raconter. Enfin, allons-y. En 1965, j'ai travaillé six mois à *Federal Smoked Meat and Other Varieties,* mais j'ai dû quitter la place à cause d'une morsure de rat qui s'était infectée. Ensuite, je me suis engagé comme bouncer au *Capri,* mais le milieu était trop dur, ça n'a pas marché. Ensuite... Ah oui! Tout de suite après ma sortie d'hôpital, un de mes amis est venu me trouver et m'a proposé de... enfin, il m'a fait une proposition très intéressante, excusez-moi si les détails viennent de passer par-dessus bord; à l'époque j'avais une vie privée un peu trop chatoyante. En tout cas, pendant trois ans on s'est payé du vrai bon temps, la vie sur des pétales de roses quoi, voilà ce que c'était. Mais tout a une fin. Il a fallu changer notre fusil d'épaule. En 1969, je me suis associé à un Grec et on s'est lancé dans la crème de tomate *Housewife*. Huit cennes la boîte de quinze onces condensées; en 1969, ce n'était pas cher, croyez-moi.

— En effet! Comment faisiez-vous pour la vendre si bon marché?

— Oh! c'était bien simple. Vingt livres de tomates par cent gallons de liquide, la chimie faisait le reste. Mais il y a eu des plaintes. Pour mille personnes qui raffolaient de notre soupe, il y avait deux ou trois petites natures qui se plaignaient d'allergies. Alors, on a dû changer de recette. Mais ce n'était plus comme avant. Au bout de trois mois, nos profits passaient à graisser les inspecteurs; on a déclaré faillite et je suis allé me paqueter dans un hôtel de Miami avec une plotte de petite vertu.

La fourgonnette filait maintenant le long de la rivière des Prairies.

— Qu'est-ce que je dois faire au juste, ce soir? demanda tout à coup Maurice qui venait de penser qu'il aurait pu fort bien manger de la soupe *Housewife* et se découvrir une petite nature.

— C'est moi qui fais tout. Tout tout tout. Ou plutôt non. Je vais vous donner l'occasion de prendre de l'expérience; on n'en possède jamais assez dans le domaine temporel. Vous entrerez dans la maison. Je surveillerai les alentours. Sécurité garantie ou je me promène avec une perruque mauve jusqu'à la fin de ma vie.

— Est-ce que tu ne me cacherais pas quelque chose, par hasard? demanda Maurice d'un air soupçonneux. Vas-y toi-même dans la maison.

— Parole d'honneur, je vous ai tout dit, mon cher monsieur. La maison est déserte, j'entre dans le salon, je décroche une peinture à l'huile, je la dépose sur un petit secrétaire, je prends le tout dans mes bras, je le transporte jusqu'au camion, et c'est final bâton, les cloches de Pâques peuvent toutes sonner. Et puis, si vous ne me croyez pas, restez dans le camion, je pensais vous faire plaisir en vous procurant un peu d'aventure. Pour moi, c'est de la routine, je fais ça depuis deux ans, ça me fait bâiller.

Le silence se fit. Gilles Pellerin faisait semblant de bouder tout en se demandant avec angoisse si son manège allait marcher. Il marcha. Maurice n'avait pas été entièrement convaincu par ses paroles, mais la peur de passer pour lâche fut la plus forte.

— C'est ici, dit Pellerin au bout d'un moment.

La fourgonnette s'arrêta devant une maison à deux étages, d'apparence banale, qui se dressait un peu à l'écart. Maurice ouvrit la portière:

— Je vais y aller.

— Non, non, restez dans le camion. Je ne travaille jamais avec des gens qui n'ont pas confiance en moi. C'est un principe que je tiens de mon père, et de plusieurs autres personnes, d'ailleurs.

— Puisque je te dis que j'y vais.

— Bon, bon. Je passe pour cette fois-ci. Par pure bonté. Maintenant, écoutez-moi, mon petit monsieur. Il faut entrer dans la maison exactement comme si vous entriez dans une pâtisserie le dimanche après la grand-messe pour vous acheter des beignes chauds. Les jambes molles, les bras ballants, l'air de rien. Voilà la clef. Ouvrez la porte et imaginez que vous sentez l'odeur des beignes chauds.

Maurice sauta en bas de la fourgonnette et se dirigea lentement vers la maison.

— De bons beignes chauds, lui souffla Pellerin.

La porte s'ouvrit sans peine. L'intérieur était sombre et une odeur de viande grillée flottait dans l'air. Maurice avança rapidement; sa chemise était trempée de sueur. Une porte, deux portes, c'était celle-ci. Il allait l'ouvrir lorsqu'un robinet se mit à couler bruyamment au deuxième. Il se retourna, glacé d'effroi, et tendit l'oreille. Mais tous les bruits étaient couverts par un brassement de machine à laver qui venait de son cœur.

— La nervosité me joue des tours, se dit-il au bout d'un moment.

Des picotements insupportables lui traversaient les jambes. En poussant la porte, il eut comme un éblouissement et porta la main à ses yeux, tout étourdi.

— Au diable la trouille, marmonna-t-il, pris tout à coup d'une rage aveugle.

Il se rendit au fond de la pièce, décrocha le tableau, le posa sur le secrétaire, prit le meuble à plein bras et sortit du salon en renversant une chaise. Au même moment, un roulement sourd se fit entendre à l'étage supérieur et Maurice aperçut en haut de l'escalier un vieillard en chaise roulante, perdu dans un immense pyjama.

— Est-ce que c'est vous, monsieur Guindon? fit une voix chevrotante.

Ils se regardèrent pendant quelques secondes, puis Maurice fit volte-face et s'éloigna à toute vitesse avec son butin.

— Au secours! glapit le vieillard, qui se démenait dans sa chaise comme un possédé.

Il fit un faux mouvement, dévala l'escalier en hurlant et se heurta contre un vaisselier dans un fracas effroyable de vitre brisée qui laissa bientôt placé à une longue série de blasphèmes et de jurons.

Gilles Pellerin avait ouvert la porte arrière de la fourgonnette. Il saisit le secrétaire, le jeta à l'intérieur, et se précipita au volant.

— Tu ne m'avais pas dit qu'il y avait un infirme dans la maison, lui cria Maurice en montant.

La camionnette démarra si brusquement qu'il faillit tomber de son siège.

— Espèce d'hostie de gros salaud de menteur! Je comprends tout maintenant: t'avais besoin d'un jeune cave pour faire tes sales jobines, hein?

Il lui saisit le bras et se mit à le secouer. Gilles Pellerin se libéra d'un coup sec:

— Veuillez continuer d'utiliser vos facultés, mon cher petit monsieur, lui dit-il, tout souriant mais blanc comme un drap; et il accéléra.

50

— Ah! ça veut m'impressionner par son beau langage! Eh bien! figure-toi que j'en ai vu d'autres, espèce de tapette parfumée! Tu vas tout me dire, comprends-tu? Qu'est-ce qu'il y a dans le secrétaire? À qui appartient-il? Et l'éclair qui m'a aveuglé tout à l'heure qu'est-ce que c'était? Hein?

Gilles Pellerin sursauta:

— Quel éclair?

— Oui, l'éclair qui m'a aveuglé lorsque j'ai ouvert la porte du salon?

— Un éclair dans un salon? Je... c'est une farce... même Marcel Proust n'y aurait pas pensé. Vous êtes doué pour le grand art, il n'y a pas de doute là-dessus. C'était probablement... un éclair de chaleur, vous comprenez? un éclair de chaleur dans le ciel, c'est très connu. Le *boss* avait donc raison, murmura-t-il en son for intérieur.

La camionnette ralentit, enfila quelques ruelles, puis s'arrêta devant le garage. Gilles Pellerin tendit un trousseau de clefs à Maurice:

— Voudriez-vous m'ouvrir, cher monsieur?

— Fous-moi la paix avec tes « cher monsieur », vieille pédale, et réponds-moi!

— À l'intérieur seulement.

La fourgonnette pénétra dans le garage et Maurice referma la porte. Les phares étaient restés allumés. Gilles Pellerin tira fébrilement le secrétaire, s'arma d'un tournevis et, après plusieurs minutes d'efforts, réussit à forcer le tiroir. Maurice l'observait en silence, les yeux flamboyants. L'autre saisit un sac de toile, vida prestement le tiroir dedans et ferma le sac au moyen d'un cadenas.

— Montre-moi ce que tu as mis dedans, fit Maurice en s'avançant.

Son compagnon recula, en proie à une vive confusion:

— Tout à l'heure, vous m'avez traité de menteur et... comment vous dire? j'en ai honte, mais vous aviez complètement raison. Maintenant, laissez-moi vous dire la vérité, pour une fois. La vérité, c'est que monsieur Turcotte m'a fait promettre de ne rien dire, car il vous attend chez lui pour tout vous expliquer. Comprenez-moi! Un seul mot, et je me retrouve demain au bureau d'assurance-chômage, c'est terrible!

— Ça va, ça va, montre-moi ce qu'il y a dedans, fit Maurice en avançant toujours.

Mais il s'arrêta brusquement. Gilles Pellerin tenait un petit revolver tout brillant braqué sur lui:

— Veuillez m'excuser... je... je sais combien c'est désagréable, mais comprenez-moi... monsieur Turcotte vous attend... et il a tellement hâte de vous expliquer...

Maurice sauta dans un taxi et se fit conduire chez le député. Personne ne vint lui ouvrir. Il n'en fut pas surpris.

— Seigneur! qu'est-ce qui se passe? s'écria Julie en le voyant arriver à l'appartement.

Il ne répondit rien et se dirigea vers le téléphone.

— Évidemment, personne, murmura-t-il rageusement, et il raccrocha avec fracas.

— Mais veux-tu me dire ce qui se passe? reprit-elle, impatientée.

Maurice lui raconta sa journée. À mesure qu'il avançait dans l'histoire, Julie perdait ses couleurs. Quand il eut fini, elle se rendit à la salle de bain et revint avec un tube de pilules:

— Tiens, prends-en une, tu es nerveux à faire peur.

— Qu'est-ce que c'est que ça?

— Du valium.

— Tu es folle, non? Comme si c'était le temps de se droguer!

— Eh bien! je vais en prendre, moi, parce que je me sens défaillir. Qu'est-ce qui va nous arriver, maintenant?

— Bien fin qui le saurait.

Il se remit à composer. Au bout d'une heure, Julie alla se coucher. Elle l'appela plusieurs fois, puis s'endormit. Maurice se laissa tomber dans un fauteuil près du téléphone et s'endormit bientôt à son tour. À huit heures, il se réveilla en sursaut, se frotta les yeux et saisit de nouveau l'appareil. Ce fut madame Tremblay qui répondit. Elle lui annonça que le député serait de retour vers le milieu de l'après-midi. Oui, il avait bien couché à la maison la nuit dernière. Julie entra dans le salon, une tasse de café à la main et la déposa devant lui:

— Je vais aller le voir à ta place, dit-elle. Il va me recevoir, moi.

— Pas question. Je veux le rencontrer moi-même, ton vieux farceur.

Il voulut déjeuner mais il n'y avait plus de pain. En pénétrant chez *Aline Snack Bar,* Maurice vécut ce jour-là l'expérience la plus étrange de toute sa vie. Ses yeux tombèrent sur un exemplaire du *Journal de Montréal* placé sur un porte-journaux adossé au comptoir et il se vit en première page, les yeux écarquillés, une main levée, au moment d'entrer dans le salon du « client spécial » pour s'emparer du secrétaire. Au-dessus de sa tête planaient deux lignes menaçantes:

CET HOMME
VA COMMETTRE UN VOL

— Le boulanger n'est pas passé? demanda Julie.

— Fais ta valise, on sacre le camp d'ici.

Il consulta sa montre et se rendit au téléphone.

— Eeeeelô? fit une voix familière.

— Monsieur Turcotte?

— Lui-même pour vous servir!

— C'est Maurice.

— Hmmmm... faudrait me donner votre nom de famille, mon ami. Vous n'êtes pas le seul homme qui s'appelle Maurice, vous savez.

— Mais... Maurice Ferland, bon sang! Vous ne...

— Demeurez-vous dans le comté, jeune homme? Hmmmm... je regarde mes listes ici et je ne vois aucun Maurice Ferland. Évidemment, si je peux vous aider, je le ferai avec plaisir, comme disait la Bolduc, mais adressez-vous donc plutôt à votre député.

Maurice déposa le récepteur et jeta sur Julie un regard désespéré.

— Où t'en vas-tu? demanda-t-elle, affolée.

— Écoute: prends tous nos bagages, fous-les dans un taxi et trouve-nous une chambre dans le centre de la ville. À six heures tapant, je t'attendrai dans une cabine téléphonique près de la Bibliothèque nationale sur la rue Saint-Denis.

Il saisit des lunettes fumées qui traînaient sur une table, descendit l'escalier quatre à quatre et héla un taxi.

— 3635, Henri-Julien, dit-il d'une voix brisée.

— Oui, mmmossieur!

Il s'élança sur le perron et se mit à sonner frénétiquement. Comme on ne lui ouvrait pas, il poussa la porte.

— Qui est là? fit une voix dans la cuisine.

— Ah! bonjour... comment allez-vous? s'écria Gilles Pellerin, d'un air embarrassé.

La cuisine était encombrée de boîtes de carton. Selon toute apparence, on déménageait, et en vitesse. Il y avait même des assiettes sales dans une valise.

— On est tanné de son petit appartement? fit Maurice, sarcastique.

— Euh... oui... c'est ça, je suis tanné, très tanné. Le XXe siècle est tellement agité, n'est-ce pas? On finit par en perdre la tête. Les gens vont, viennent, changent d'emplois, se marient, divorcent, et tout et tout. Moi, je me contente de changer d'appartements. Il n'y a rien de mal à ça, n'est-ce pas?

Maurice l'observait en silence.

— Mais en fait, reprit Gilles en se troublant davantage, je vais vous avouer la véritable raison précise de mon départ: ce sont les coquerelles. Eh oui! depuis un mois, elles arrivent ici par milliers; je vis sous leur empire. Or un homme qui se respecte, n'est-ce pas, ne peut accepter de se plier aux ordres d'un insecte, même intelligent (car elles le sont). Aussi, j'ai décidé de déménager.

— Bien sûr, bien sûr, je comprends... Ce ne serait pas aussi à cause du *Journal de Montréal,* par hasard?

— Le *Journal de Mont...*

— Cesse de faire l'idiot, espèce de faux jeton, tu me comprends parfaitement.

— J'avoue que...

— Et ça, qu'est-ce que c'est? fit Maurice en saisissant une copie du journal qui traînait sur une caisse et en la lui braquant sous les yeux.

— Il y a…

— Il y a que tu vas venir avec moi au poste de police le plus proche, cria Maurice, et que tu vas leur raconter ta soirée d'hier! Compris?

— Non, non, je ne peux pas, bredouilla Pellerin, ne m'obligez pas à utiliser encore une fois… Quittez Montréal, mon pauvre jeune homme, quittez Montréal au plus sacrant, et j'essayerai de vous aider plus tard.

Maurice le regardait, impressionné tout à coup par la détresse qui se lisait sur son visage.

— Quittez Montréal, reprit l'autre d'une voix encore plus pressante, tout finira par s'arranger, je vous le promets. J'en parlerai à monsieur Turcotte.

Sa voix se brisa tout à coup:

— Je le sais, c'est une histoire terrible, ne croyez pas que je sois sans cœur; mon cœur bat comme celui de tout le monde, mais pour l'instant je ne peux rien pour vous, je vous le jure. Partez tout de suite, pendant que vous en avez encore le temps.

Il le saisit par les épaules et le pressa contre sa poitrine:

— Adieu, bonne chance. Tenez, prenez ce sac de bonbons, ça vous remontera le moral, qui sait?

Il lui tapota le dos et le reconduisit lentement à la porte.

— Je ne peux rien pour vous, réellement, croyez-moi, mais plus tard, dans six mois, écrivez-moi chez monsieur Turcotte.

Maurice se laissa pousser dehors; les paroles de Pellerin l'avaient comme vidé. Celui-ci ferma la porte, puis la rouvrit brusquement:

— Attendez… je vous… excusez-moi…, et il la ferma de nouveau.

Maurice descendit lentement les marches du perron; son sort lui était devenu tout à coup indifférent. Il s'éloigna sur le trottoir, sans trop savoir où ses pas le menaient. À l'intersection de la rue Marie-Anne, une auto-patrouille tourna le coin près de lui. Un des policiers le regarda, puis se pencha à l'oreille de son compagnon en le montrant du doigt. Maurice sentit comme un claquement de fouet dans son dos et se mit à courir de toutes ses forces. Une sirène se mit à mugir, il entendit des crissements de pneus: l'auto s'apprêtait à le poursuivre. Une formidable envie de pleurer le saisit à la gorge; ses poumons s'étaient rapetissés comme des dés à coudre; il enfila une ruelle et heurta de plein front un gros homme chargé d'une demi-douzaine de petits chiens. La ruelle se terminait en cul-de-sac sur une palissade; il sauta par-dessus (— Diable! je suis devenu acrobate!), tomba sur une corde à linge chargée de draps, traversa la cour, poussa une barrière et remonta une autre ruelle. Il n'eut que le temps de se jeter derrière un amoncellement de barils: l'auto-patrouille passait en trombe à côté de lui dans un fracas de poubelles renversées. Il attendit un moment, puis reprit sa course. Il n'avait plus envie de pleurer maintenant, mais de vomir. Il fila quelque temps sur un trottoir (des enfants se mirent à rire en le voyant), enjamba divers obstacles, se heurta le front à une poutre et déboucha finalement à l'arrière d'un terrain de stationnement. Un chauffeur de taxi ronflait dans son auto à cent pas de lui. Il se précipita vers elle, ouvrit la portière et se laissa glisser sur le siège arrière.

— Quoi! quoi! qu'est-ce qui se passe? s'écria le dormeur en sursautant.

Maurice se tenait immobile, la bouche béante, hors d'haleine. Le chauffeur l'examina quelques secondes. C'était un homme dans la cinquantaine, chauve, avec une barbe de plusieurs jours et un visage dur et malicieux.

— T'as du trouble, mon tit gars?

Maurice fit signe que oui. Un bruit de sirène se mit à grandir au fond de la rue.

— Couche-toi dans le fond, je vais t'arranger ça.

Une auto-patrouille passa devant eux à toute vitesse pendant que Maurice vomissait sur le plancher. Le taxi s'ébranla doucement.

— *Tiguedou, tiguedou sua slide,* chantonnait le chauffeur en mordillant sa pipe. Comment ça va, en arrière?

— Ça va, répondit Maurice d'une voix rauque.

— J'avais un beau-frère qui s'était monté une combine dans le port il y a deux ans. Il piquait des télévisions, des sets de chambre, toutes sortes d'affaires. Je l'ai souvent aidé quand la soupe était trop chaude.

Il garda le silence un moment, puis ajouta:

— Maintenant, chaude ou froide, il la déguste à Bordeaux et c'est pas sa femme qui s'en plaint!

Il chantonna encore quelque temps, puis se retourna brusquement:

— Vol à l'étalage?

— Non.

— Dans une banque?

Maurice secoua la tête.

— Bon, ça va, j'ai compris. Chacun dans son assiette, c'est là que se trouvent les meilleures patates. Où veux-tu que je te conduise?

— Sais pas.

— Ouais... Le mieux pour toi, c'est de te louer une chambre quelque part en attendant que les affaires se tassent. As-tu de l'argent?

— Oui.

— Parfait. Je vais te conduire à l'hôtel *Rialto* dans le bas de la ville. Je connais très bien le gérant, M. Sparker. C'est un cœur d'or. Il donnerait ses gosses à un impuissant si ça pouvait lui rendre service.

L'auto roula encore une quinzaine de minutes. Maurice suffoquait, recroquevillé sur le plancher, mais n'osait pas bouger.

— Tu peux te lever, on est rendu.

Il sortit de l'auto et contempla avec écœurement sa chemise maculée. Ils se trouvaient dans une remise pleine de vieux meubles et de caisses de bière. Le chauffeur lui montra du doigt une petite porte crasseuse pleine d'éraflures:

— C'est l'entrée de l'hôtel. Attends-moi ici, je vais t'arranger ça en deux temps trois mouvements. Vingt piastres pour la peine, est-ce que c'est trop?

Maurice mit la main dans sa poche et pâlit:

— Je... j'ai perdu mon portefeuille!

Il se mit à fouiller fébrilement ses vêtements.

— Je ne comprends pas... j'avais plus de deux cents dollars.

Il se précipita dans le taxi, glissa sa main dans tous les recoins, souleva le siège, inspecta ses poches encore une fois, puis revint vers le chauffeur et leva vers lui un regard accablé:

— Je n'ai plus un sou.

Son compagnon s'approcha de lui et d'un ton très posé:

— Tu sauras, mon crotté, que je fais pas la révolution gratis.

Puis il lui flanqua un formidable coup de poing sur la gueule, le traîna à son auto et alla le livrer au poste de police le plus proche.

VIII

Quand Maurice reprit conscience, il était affalé sur une chaise de métal dans une petite pièce dépourvue de fenêtre; une ampoule de 200 watts lui rôtissait le dessus du crâne. À chacun de ses côtés se tenait un policier; un troisième s'était assis devant une machine à écrire en face de lui et se fouillait laborieusement le nez en le regardant d'un air naïf. Maurice se passa la main sur le front; son visage ruisselait, sa chemise était trempée. Un homme en civil vint se placer devant lui, un verre d'eau à la main:

— Ça va, fiston? Tu peux me parler?

Maurice fit signe que oui. L'homme posa le verre à ses pieds et s'assit à califourchon sur une chaise tout près de lui. Il avait une cinquantaine d'années; ses cheveux grisonnants coupés en brosse, son visage carré, soigneusement rasé, son col immaculé et une petite bedaine élégante et discrète lui donnaient l'air d'un ancien militaire qui faisait de bonnes affaires dans les assurances.

— Alors, mon garçon, fit-il avec un grand sourire, tu vas

nous raconter tranquillement ta petite histoire et si tu te montres bien gentil, on va te donner de jolis bonbons.

Les policiers se regardèrent en souriant.

— Comment t'appelles-tu?

Pendant quelques minutes, tout alla bien. Maurice tombait de sommeil; il avait l'impression de remplir un formulaire de demande d'emploi. Le vendeur d'assurances lui mit sous le nez un exemplaire du *Journal de Montréal:*

— Te reconnais-tu sur cette photo?

Il fit signe que oui.

— Eh bien, Maurice, je sens qu'on va bien s'entendre. T'as l'air d'être un petit gars raisonnable et le juge saura en tenir compte. Le côté humain prime tout chez nous, ne l'oublie jamais. Ce n'était pas ton premier cambriolage, hein?

Maurice le regarda pendant quelques secondes. La respiration des policiers avait pris une lourdeur bovine. Alors ses mains devinrent moites et il commença à s'agiter:

— Je n'ai jamais fait de cambriolage.

— Ah non? Et comment appelles-tu ta petite visite d'hier soir?

— Hier soir je suis allé faire une saisie.

— Ah bon! Une saisie! Mais c'est très bien, ça. Et légal, par-dessus le marché. Une petite saisie par ci, une autre par là, et on finit par saisir pas mal de choses, hein, Maurice?

Celui-ci garda le silence. Alors le vendeur d'assurances se pencha vers lui et leurs nez faillirent se toucher:

— Une saisie pour qui, aurais-je l'honneur de vous demander, mon petit monsieur?

L'autre se recula un peu:

— Pour le député Turcotte.

— Tiens, tiens, tiens! comme c'est intéressant... et comment le connais-tu, le député Turcotte?

— Par sa nièce.

— Qui s'appelle?

— Julie Morel. Elle m'a présenté à son oncle la semaine dernière. Il possède une compagnie de finance et m'a demandé de faire une saisie pour lui avec un de ses employés.

— Qui s'appelle?

— Gilles Pellerin, 3635, rue Henri-Julien; mais il vient de déménager.

— Et je gage que tu ne sais pas à quel endroit?

— Non.

— Eh bien, Maurice, on va vérifier tout ce que tu viens de nous dire et on continuera notre petite jasette cet après-midi. Maintenant, écoute-moi bien, je vais te confier une chose très importante: t'es jeune, toi, t'as une belle petite face à la mode; je gage que tu ne détestes pas t'envoyer une jolie plotte entre deux draps, de temps à autre. Aussi tu dois tenir à la petite machine à boules que le bon Dieu t'a placée entre les cuisses, ou est-ce que je me trompe?

Il s'éclaircit la gorge:

— Lève-toi donc un peu, s'il te plaît.

Maurice se leva, tout étourdi de chaleur. Henri s'avança, lui descendit sa braguette et glissa une main dedans. Maurice laissa échapper un hurlement de douleur et retomba plié en deux sur sa chaise.

— Ça, Maurice, fit le vendeur d'assurances, ce n'est qu'un avertissement d'ami. Henri y est allé avec la main, et doucement encore, mais il connaît des recettes bien plus épicées.

Maurice voulut répondre, mais aucun son ne sortit de sa gorge. Tout le monde éclata d'un gros rire gras; le vendeur lui fit un signe de main amical et sortit de la pièce. On le conduisit dans une cellule. Il s'accroupit péniblement contre le mur et sombra dans une torpeur douloureuse. Une heure s'écoula. Un policier lui apporta une tasse de mauvais café et un sandwich au jambon enveloppé dans un vieux reportage sur Muriel Millard, et deux minutes plus tard on le ramenait dans la salle d'interrogatoires. Il se souviendrait de cette salle toute sa vie. Au fond, deux classeurs. Entre les deux, un lavabo crasseux. Sur le mur, un énorme calendrier, gracieuseté de la *Pharmacie Montréal,* qui représentait une grosse blonde hilare enfoncée dans un bain de mousse pudique. Par bonheur, un policier avait complété avec un minutieux réalisme les parties de son anatomie qui restaient submergées..

Le gardien le fit asseoir et sortit. Les policiers apparurent presque aussitôt.

— Bonjour, fiston, fit le vendeur d'assurances.

Il porta la main à sa bouche et rota:

— Scusez-moi. Bien mangé?

Maurice lui lança un regard haineux.

— Bon, bon, bon, j'ai compris: le sandwich au jambon datait de quinze jours encore une fois. Mais tout ça n'est qu'un détail, tu vas voir... J'ai une série de petites nouvelles pour toi. Premièrement: le député Turcotte n'a jamais possédé de compagnie de finance. Deuxièmement: il n'y a pas de Gilles Pellerin au 3635, rue Henri-Julien, mais un monsieur Tony Kosinec, qui demeure là depuis deux ans.

Maurice laissa échapper un rire sardonique.

— Troisièmement: on est allé faire un tour à l'appartement que tu occupais ces derniers temps et...

— Vous y avez trouvé un secrétaire et une peinture à l'huile.

— C'est ça, mon garçon, c'est ça. Mais il y avait autre chose aussi.

Il ouvrit une enveloppe pleine de débris carbonisés et la plaça sous le nez de Maurice.

—*Cute,* hein? C'est tout ce qui reste d'un gros paquet de feuilles qu'on a fait brûler dans la poubelle de ta cuisine hier. Bernard Gélinas vient de les identifier: c'était ses rapports de représentants de poll. Il avait le caquet plutôt bas, le candidat péquiste, car tu viens de lui piquer sa preuve. Comment, tu ne savais pas? Mais voyons, mon ami, tous les journaux en ont parlé; tout le monde sait qu'il vient de se lancer dans une contestation d'élection contre le député Turcotte, que tu aimes si peu. Or, pas de rapports, pas de preuves. Comment savoir qui a voté ou non sans la liste des représentants de poll? Tu n'avais pas pensé à ça, hein? C'est bien dommage, car les juges n'aiment pas beaucoup les petits garçons qui s'amusent dans les dossiers de procès. Et encore moins ceux qui poussent les infirmes dans les escaliers.

Il se tut et regarda Maurice en souriant.

— Le vieux Christ, murmura celui-ci d'une voix tremblante d'indignation, je comprends tout maintenant et je vois qu'il vient de te graisser par-dessus le marché. Je suppose maintenant que tu vas me fourrer la volée tant que je n'aurai pas signé de déclaration. Eh bien, je vais quand même essayer de ne pas la signer, mon gros, seulement pour vous faire baver toute la bande.

— Henri, as-tu entendu notre fin-finaud?

Une heure plus tard, Maurice sortait de la salle, la tête ballante, soutenu par deux policiers. Le vendeur d'assurances tempêtait derrière eux:

— Vous le mettez sans conestache à tout moment, les gars! Comment voulez-vous qu'on en tire quelque chose? Suivez un peu la loi, bon sang de Saint Ciboire!

Il y eut une autre séance le lendemain dans la matinée, mais Maurice leur fit tellement peur qu'on le transporta à toute vitesse à l'hôpital Saint-Luc. Vers onze heures, le lendemain matin, il somnolait dans son lit, plongé dans une tristesse brumeuse, lorsqu'un homme entra précipitamment dans la chambre, s'approcha du lit et lui donna une vigoureuse poignée de main.

— Bonjour, jeune homme, s'écria-t-il d'une voix saccadée, je me présente: maître Jacques Serpentin, de l'Assistance judiciaire. Enchanté.

Et il lui serra de nouveau la main. Maurice le regardait, ahuri. Maître Serpentin était un petit homme maigre, aux traits vaguement asiatiques; il avait les cheveux noirs, le front largement dégarni, et souriait à Maurice en ouvrant une bouche immense, aux dents luisantes, remarquable par une incisive sur laquelle on voyait une tache de carie imitant la forme de la France.

— Le juge Absalon Déom, qui est un de mes amis, un de mes très grands amis, dois-je dire, et devant qui vous comparaîtrez sous peu, vient de m'apprendre que vous n'avez fait appel à aucun avocat jusqu'ici et que vous ne semblez pas avoir les moyens financiers d'utiliser les services d'un disciple de Thémis, comme on dit dans le métier. Eh bien, je me suis permis, Maurice (vous permettez que je vous appelle par votre prénom, n'est-ce pas? Merci), de venir vous offrir ma modeste personne malgré toutes ses lacunes. De quoi s'agit-il au fait?

Maurice l'examinait d'un air méfiant:

— Qui me dit que vous êtes vraiment un avocat?

Maître Serpentin eut un large sourire et se frotta les mains:

— Bravo, Maurice, je vois que vous êtes un homme prudent. Je vais avoir beaucoup de plaisir à travailler avec vous. Bien sûr, vous demandez des garanties, quoi de plus normal? Cela se voit partout. Un chien trouve un os. Que fait-il alors? Il le renifle d'abord et le croque ensuite. Jamais l'inverse. Eh bien, en voilà des garanties!

Il déposa une serviette sur le lit et l'ouvrit. Un amas de papiers glissa sur les couvertures.

— Voilà une copie authentifiée de ma licence en droit, *Universitas Montis Regii,* 1950, et voilà ma carte de membre en règle du Barreau. Scrutez, scrutez, n'ayez pas peur. Je réponds de tout. Et enfin voici une formule officielle prouvant que je suis délégué vers vous par le Comité d'Assistance judiciaire. Et n'oubliez surtout pas, jeune homme, ajouta-t-il en montrant du doigt sa serviette gonflée, que ce qui entre là-dedans ne sort que dans mon coffre-fort. Du reste, à première vue, votre cas me semble assez grave. Vous ne pourrez pas vous défendre seul, et même si j'étais mauvais avocat (je ne vous défends pas de le supposer), j'en saurai toujours plus long que vous sur les méandres de la loi, comme on dit dans le métier. Certaines personnes, pour être franc avec vous, me trouvent bizarre et déplaisant. Je ne leur réponds rien. Mes causes gagnées parlent à ma place.

Maurice gardait le silence, de plus en plus interloqué.

— Bon, fit maître Serpentin après un moment, je dois au moins faire mon devoir ou, comme disent certaines personnes, prendre en charge mes responsabilités sociales. Vous savez sans doute que trois chefs d'accusation pèsent sur vous. Primo, *introduction par effraction,* article 306 du code criminel, qui vous rend passible d'emprisonnement à perpétuité; secundo, *destruction de titres,* article 300, qui vous rend passible de 10 ans, et enfin tertio — et non le moindre — *vol qualifié et extorsion,* qui d'après l'article 302 vous

63

condamne à l'emprisonnement à perpétuité une seconde fois, mais agrémenté cette fois-ci de la peine du fouet; et tout cela à condition que le père de monsieur Gélinas ne crève pas, ce qui vous mettrait sur le dos une accusation d'homicide volontaire. Que pensez-vous de ça?

Maurice se souleva dans son lit:

— Je n'ai jamais touché à son père! Il s'est jeté lui-même dans l'escalier!

— Vous avouez donc être l'auteur du vol simple. Je crois en effet que c'est une excellente attitude et que vous n'avez pas le choix de plaider coupable ou non.

— Mais je n'ai pas commis de vol non plus! protesta Maurice. C'est Jerry Turcotte...

— Je sais, je sais, j'ai votre dossier en main, je l'étudie soigneusement et soyez sûr que je scrute chaque mot. Mais, à propos, comment se fait-il que vous vous trouviez ici?

Maurice ricana:

— Manquerait-il des pages à mon dossier?...

— Mais encore?

— Est-ce qu'il faut vous faire un dessin? J'ai reçu le traitement, quoi.

— Précisément, précisément, vous abordez le sujet que j'allais toucher du doigt, si on peut dire. Je ne vous conseille pas de parler tout de suite de cette affaire devant le juge. Gardez cette histoire pour plus tard, quand le coin de la hache sera bien entré. Je connais leurs manies, vous savez. Les juges ont plus confiance dans les policiers qu'en Dieu lui-même et deviennent tout de suite ombrageux quand on porte une accusation contre les gardiens de l'ordre.

— Alors, selon vous, il faudrait cacher...

— Grands dieux! non! respectez mes oreilles d'avocat! il ne s'agit pas de cacher, mais de... différer, voilà le mot. Il suffit d'être opportun et on peut tout dire. Gagnez le juge à votre cause, et ensuite libre à vous de l'envoyer chier (excusez-moi), il va continuer d'aimer l'innocent qui est en vous. Mais d'aborder tout de suite ce sujet délicat, non, je ne peux vous le conseiller. D'autant plus qu'en portant tout de suite une accusation contre eux, cela retardera nécessairement l'enquête préliminaire et vous resterez plus de jours en prison en attendant votre procès.

— En prison…, répéta Maurice d'un air songeur.

— Allons, allons, soyez un homme. Votre affaire n'est pas si grave. J'essaierai de vous obtenir une libération sous caution, quoique, évidemment, je ne peux rien vous promettre. Regardez-moi… Regardez-moi, là. Bon! vous avez un ami devant vous. Ce n'est qu'un mauvais moment à passer. Comme dit le proverbe, l'hirondelle du printemps fait vite fondre les bancs de neige. Maintenant, je dois vous quitter, car vogue la galère, n'est-ce pas, il faut plus qu'un client pour vivre.

Après le départ de maître Serpentin, Maurice essaya de passer au crible les propos de l'avocat, mais sa confusion était extrême. Il s'endormit bientôt et fit un rêve. Il se trouvait chez *Da Giovanni* en train de manger un superbe spaghetti *jumbo-deux-boulettes*. Le spaghetti descendait lentement dans sa gorge et s'entassait peu à peu dans son estomac en répandant dans tout son corps un délicieux bien-être. Soudain, un phénomène étrange se produisit. Les bâtonnets se mirent à bouger devant lui et commencèrent à s'allonger. Ils débordèrent de l'assiette sur le plancher et se dressèrent autour de lui comme des serpents. Maurice s'était levé, épouvanté. Ils avaient pris maintenant une couleur métallique et formaient un cercle autour de lui. Maurice se mit à crier et se lança contre eux. Alors, il vit le Prince s'approcher lentement de la cage; il était en tenue de sport et portait des verres fumés:

— Voyons, mon cher, murmura-t-il en souriant, ne m'obligez pas à faire feu…

IX

Trois jours passèrent. Maurice pouvait maintenant marcher à peu près comme tout le monde. On le conduisit au Palais de Justice où il comparut devant un magistrat; à la demande de la Couronne, l'enquête préliminaire fut ajournée au 18 novembre, soit treize jours plus tard. Maître Serpentin présenta une demande de mise en liberté sous caution, mais le magistrat la rejeta « à cause du peu de probabilités que le prévenu se présente à son enquête étant donné son comportement antérieur ». L'avocat alla trouver Maurice et lui donna une tape dans le dos:

— Les temps se durcissent, mon garçon; il va bientôt falloir porter des mitaines en été. Mais gardez espoir quand même, j'ai pris votre affaire en main et je n'ai pas l'habitude de m'enduire les doigts de vaseline.

Dans l'auto-patrouille qui le conduisait au quartier général de la Sûreté du Québec, rue Parthenais, Maurice songea avec mélancolie qu'il était sans nouvelles de Julie depuis six jours et qu'il ne la reverrait sans doute plus jamais. La masse énorme du quartier général se dressa tout à coup devant lui. Un des policiers assis à ses côtés essaya de le réconforter:

— Faut pas prendre cet air-là, mon vieux. Tu vas être bien traité, ici.

— Ouais... pendant combien d'années?

L'autre haussa les épaules:

— Ah, ça... t'avais qu'à te tenir tranquille.

L'auto s'arrêta devant l'entrée principale. La partie inférieure de la façade était constituée d'immenses panneaux de verre, hauts d'une trentaine de pieds, à travers lesquels on apercevait un hall monumental, dallé de marbre et coupé de colonnes noires. L'édifice ressemblait à un gigantesque hôtel dans le goût du IIIe Reich. Maurice sortit de l'auto et se dirigea vers l'entrée, encadré par ses gardiens. A l'intérieur, trois policiers en civil trônaient à une grande table de marbre. On leur indiqua de se rendre à la salle 228. Là-bas, un commis aux allures militaires se joignit à eux et ils se rendirent au 7e étage. Un inspecteur les attendait dans une pièce exiguë, assis derrière un bureau chargé de paperasse et de cendriers. Le commis lui tendit une enveloppe; elle contenait les effets personnels de Maurice; on les lui avait confisqués le jour de son arrestation. L'inspecteur fit signe aux policiers de se retirer.

— Nom, prénom, date de naissance, demanda-t-il, d'une voix indifférente.

Il remplit une petite fiche, puis appuya sur un bouton. Un agent de la Sûreté du Québec entra dans le bureau, fouilla Maurice minutieusement et le conduisit dans une salle attenante. Là, on le pesa, on prit ses empreintes digitales, on le photographia. Il demanda la permission de téléphoner à ses parents, mais on la lui refusa. L'agent le fit ensuite passer dans une grande salle sans fenêtres, fermée à une de ses extrémités par une grille, et s'en alla. À part deux toilettes (sans siège ni couvercle) et un lavabo, la salle était complètement nue; les murs étaient d'un blanc terne et couverts de marques noires dans leur partie inférieure. Maurice fit les cent pas pendant quelques minutes, puis s'assit dans un coin. Il ne ressentait rien de particulier, à part une certaine difficulté à se concentrer. Une heure passa. La faim commençait à le harceler. Soudain, une porte s'ouvrit avec fracas et un policier apparut. Il lui fit signe de se lever et de passer dans la salle voisine.

— Tu vas te déshabiller au complet et mettre ton linge sur la table, les souliers y compris.

Maurice se troubla quelque peu, mais obéit. Le policier l'observait d'un œil impassible. Maurice roula son linge en paquet et le lui tendit.

— Sur la table, ordonna le policier.

Il se rendit à la table, puis se recula, les mains sur le sexe.

S'il avait eu un revolver, il l'aurait vidé sur l'homme qui se trouvait devant lui. Ce dernier examinait les vêtements avec une lenteur minutieuse; de temps à autre, il levait la tête et posait un long regard sur Maurice.

— OK, tit-poil, tu peux te rhabiller.

Ils suivirent un long corridor; loin devant eux, deux portes grillagées bloquaient le chemin; un policier dans une cage de verre était chargé de les actionner. La première porte s'ouvrit et se referma aussitôt derrière eux, puis ce fut au tour de la seconde. Au bout de quelques minutes, ils s'arrêtèrent devant un ascenseur. Une cage fermée à clef séparait le prisonnier de son gardien et du manipulateur. Le policier poussa Maurice dans la cage et l'ascenseur monta au 12e.

— Amuse-toi bien, lui dit-il en le quittant.

Un garde s'approcha de Maurice et lui ordonna de prendre une couverture dans laquelle on avait glissé deux draps, une taie d'oreiller et une serviette, et le conduisit à la section AD; il s'agissait de deux rangées de 24 cellules superposées qui faisaient face à une grande salle de douze pieds de largeur sur cent de longueur, où on avait disposé des tables dans le genre de celles qu'on retrouve sur les terrains de camping. Ils se rendirent à la mezzanine et s'arrêtèrent devant la cellule ADM22. Maurice voulut se retourner pour poser une question, mais la grille s'était déjà refermée sur lui avec fracas et le garde s'éloignait à grands pas. Il jeta un regard autour de lui. Combien de temps devrait-il vivre dans ce placard? À sa gauche se dressait un lit de fer sur lequel on avait posé une paillasse; dans un coin, on avait fixé au mur une armoire de métal; sur le mur opposé, une tablette haute; sous la fenêtre, une tablette de métal destinée aux repas, devant laquelle se trouvait un banc. L'ameublement était complété par un lavabo à boutons poussoirs et une toilette de porcelaine sans siège. En bas, le poste de télévision remplissait toute la salle d'une engueulade de cowboys ponctuée de coups de revolver. Maurice s'assit sur son lit, puis se leva et alla regarder à la fenêtre. Trois rangées de barreaux le séparaient de la vitre crasseuse; par surcroît de précaution, on l'avait obstruée de l'extérieur avec des plaques de métal. Malgré tout, il aper-

cevait un coin de la rue Ontario et une partie du Faubourg-
à-la-Mélasse. Il se retourna, déplia les draps et la couverture
et s'étendit sur le lit. Un va-et-vient bruyant commença à se
faire entendre. Des prisonniers sortaient de leur cellule pour
aller regarder la télévision, se chercher des revues, etc. Quelques-uns passèrent devant sa porte et lui jetèrent un coup
d'œil inquisiteur. Maurice ne voulait voir personne; il resta
couché, plongé dans une vague rêverie, puis s'endormit.
À 4 h 30, le bruit métallique des cabarets le réveilla. On
commençait à servir le souper dans la salle. Certains prisonniers retournaient manger dans leur cellule. Maurice sortit et
revint dans la sienne avec son cabaret. Il prit une cuillerée
de soupe; elle était fade comme de l'eau de craie. Il lutta
quelque temps contre un morceau de boeuf rempli de nerfs
gros comme des cigarettes, but une gorgée de thé et s'étendit
de nouveau sur son lit. Malgré le tapage continuel de la télévision et les ordres criés à tout moment par les haut-parleurs,
une torpeur profonde commença à l'engourdir. Il se réfugia
dedans avec une hâte frileuse. Bientôt, une lumière bleutée
remplaça l'éclairage cru des néons. La nuit commençait.
C'est alors que, subitement, il prit conscience de sa situation.
La peur lui traversa le corps comme une broche. Il tourna
dans son lit jusqu'à l'aube, le visage plein de larmes, s'api-
toyant sur lui-même, maudissant Jerry Turcotte et cherchant
avec désespoir un moyen de se tirer d'affaire. À six heures,
le remue-ménage du déjeuner le tira de son assoupissement.
Il mangea avec un peu plus d'appétit que la veille. Un gardien
passa devant sa porte. Maurice se leva:

— Pardon... est-ce que je pourrais téléphoner à mes
parents?

— C'est pas le temps, grogna l'autre en s'éloignant.

Il retourna s'asseoir, pensif. Qu'est-ce que pouvait bien
faire Julie en ce moment? Elle s'était sûrement rendue chez
son oncle. Est-ce qu'il l'avait reçue? Non, bien sûr. Le vieux
rat devait être parti en Floride en attendant que les affaires se
tassent. Et ses parents? Pourquoi n'étaient-ils pas venus le
voir à l'hôpital? Ils ignoraient sans doute qu'on avait dû
l'hospitaliser. Sa mère devait se trouver à Montréal chez une

de ses tantes; il la voyait, en train de se tordre les mains, les
épaules secouées de sanglots, pendant que son père, silencieux, s'envoyait des petits verres de cognac derrière la cravate en soupirant de temps à autre. Et maître Serpentin,
qu'est-ce qu'il faisait dans tout ça? Est-ce que tous les avocats avaient ces manières étranges?

Il se leva, enleva ses bas et ses sous-vêtements et les déposa dans le lavabo.

— ADM22, annonça le haut-parleur, t'es demandé au
parloir.

Le cœur battant, il se rendit à l'ascenseur. C'était sûrement
ses parents. Quelle scène ça ferait! Le gardien poussa une
porte et lui fit signe d'entrer.

— Vous voyez bien, je ne vous oublie pas, fit maître Serpentin en s'avançant vers lui, les bras tendus. Tenez, prenez
cette chaise. Nous allons préparer ensemble ce petit procès
et, avec un peu de bonne volonté, cela va devenir pour vous
une véritable source de distraction.

Il sortit des feuilles et les étala sur la table.

— Je ne vous cacherai pas, cependant, qu'il y a une ombre
au tableau, comme dans tout tableau, d'ailleurs, sinon comment faire ressortir les couleurs? Bref, il s'agit de ce vieux
monsieur que vous avez, comment dire, un peu secoué...

— Je ne l'ai *pas* « secoué »! s'écria Maurice avec indignation. Je vous le répète: il s'est jeté *lui-même* dans l'escalier! Restez chez vous, bon sang, si vous êtes venu ici pour
m'accuser! Je saurai m'adresser à quelqu'un d'autre.

— Mais non... au contraire, je n'ai jamais dit... voyons,
comprenez-moi... vous êtes innocent, c'est évident... mais
quand même, il faut voir la vérité en face: comment invoquer
le témoignage de ce bonhomme? Il se roule dans le coma
depuis lundi dernier. Les présomptions sont contre vous.
Et la vieillesse a fait de lui un homme tel qu'il ne faudrait
pas se surprendre de le voir décéder d'un jour à l'autre, par
exemple demain. Mais ceci n'est qu'un détail. Vous allez
me conter votre histoire du début à la fin. Tout est là.

Il posa le doigt sur une feuille, sortit sa plume et fixa Maurice. Une heure plus tard, il fermait sa serviette en disant:

— Je suis sûr maintenant que c'est lui le coupable, mais avouez avec moi que votre histoire ressemble à un mauvais roman policier.

— Je veux qu'il comparaisse en justice! Je veux qu'on l'interroge!

— Oui, oui, nous l'assignerons comme témoin, la loi l'oblige à comparaître. Nous... nous...

Il se leva brusquement:

— Je fais mon affaire de cet homme, s'écria-t-il avec une conviction soudaine. C'est un infâme criminel!

Il serra la main de Maurice et se dirigea vers la porte:

— Mais repompinez-vous le moral, mon garçon. Sortez de votre cellule, faites-vous des amis, lisez le *Sélection*, écrivez à vos parents.

— Pourquoi ne sont-ils pas venus me voir? s'écria celui-ci d'un air provocant. Ils sont sûrement à Montréal. Les avez-vous rencontrés?

— Bien sûr. Ils vont venir aujourd'hui. Votre mère ne se sentait pas très bien; elle a peut-être voulu se refaire un visage...

Quand Maurice revint à sa cellule, on commençait à servir le dîner. Il décida d'aller manger dans la salle avec les autres prisonniers et alla s'asseoir à la première place libre qui lui tomba sous les yeux. À sa droite, courbé au-dessus de son assiette, un jeune détenu au visage étonnamment rousselé engouffrait son dîner avec une énergie farouche.

— Salut, dit-il à voix basse, j'ai entendu parler de toi. Maurice se retourna, surpris.

— Je te connais, continua l'autre, les yeux toujours baissés. Ta photo a paru dans le *Journal de Montréal* la semaine dernière. Je m'appelle Marcil. Ton nom est Ferland, n'est-ce pas?

Maurice fit signe que oui.

— Viens me voir dans ma cellule après la sieste. Mezzanine, cellule 17.

Des rires s'élevèrent à la table voisine et une espèce de colosse, qui tournait le dos à Maurice, se mit à protester en agitant sa cuillère:

— Vous ne pouvez pas me comprendre! Je suis en prison pour des raisons intellectuelles, moi.

— Vive le pwette! lança une voix efféminée.

— Silence, là-bas, cria un gardien.

Le jeune rousselé se tourna vers Maurice:

— C'est notre poète officiel, expliqua-t-il en souriant. Il est un peu faible de la cabane, mais c'est un bonhomme assez drôle quand on ne le fréquente pas trop souvent.

Les détenus commencèrent à se lever de table. Deux minutes plus tard, la salle était presque vide. Derrière eux, le « poète officiel » finissait son repas tout seul en marmottant. Marcil se leva à son tour:

— A tantôt, fit-il en s'éloignant.

Maurice s'en revenait à sa cellule pour la sieste lorsque le haut-parleur annonça une seconde fois:

— ADM22, rends-toi au parloir.

— Bon. Cette fois-ci, je n'échapperai pas à la scène de larmes, pensa-t-il.

Et il eut envie de rester. Le gardien l'introduisit dans une salle adjacente à celle où il avait rencontré maître Serpentin. Une rangée de chaises séparées par de courtes cloisons faisaient face à une série de vitres antiballes percées d'un petit guichet grillagé. Maurice resta figé sur place. Derrière une des vitres se tenait Gilles Pellerin, revêtu d'un paletot crasseux, le visage rongé par le remords.

— Je... oui, c'est moi, fit Pellerin avec un sourire piteux. Je... j'ai pris la liberté de venir vous voir... Je suis désolé, c'est entièrement vrai, vous devez me croire... La vie est dure pour nous, pauvres malades; mais soyez sûr que le fait d'avoir ce léger défaut n'empêche pas le repentir, au contraire... C'est pourquoi je suis venu pour... en un mot, afin de vous remettre ceci...

Il sortit un portefeuille de sa poche et le déposa sur le bord du guichet.

— Mais... c'est mon portefeuille!

— En effet, vous avez raison... Il manque quelques billets; mais croyez bien que ceux qui restent m'ont demandé de durs sacrifices... Maintenant, permettez-moi de vous...

mes salutations, balbutia-t-il, et il s'éloigna rapidement. Maurice se tourna vers le garde:

— Il faut le retenir! C'est mon témoin… c'est un témoin important!

— Ah oui? Félicitations. Maintenant, tu vas retourner à ta cellule et on va ranger ton portefeuille avec tes effets personnels. Ça te fera un peu plus de bidous à ta sortie de prison.

— Mais il faut l'arrêter! Mon avocat doit l'interroger!

— C'est ça, c'est ça, on va s'en occuper. Maintenant, pousse-toi, ton parloir est terminé.

— Gilles Pellerin est venu me voir hier, s'écria Maurice à l'arrivée de maître Serpentin le lendemain avant-midi.

— Hein? fit l'avocat en sursautant. Un peu de sérieux tout de même. Pourquoi serait-il venu vous voir?

Il avait l'air très mécontent et farfouillait nerveusement dans sa serviette.

— Pour me remettre mon portefeuille.

— Quel portefeuille?

— Mais le mien, quoi! Celui qu'il m'a volé.

— Qu'est-ce que c'est que ça? Vous ne m'avez jamais parlé d'un vol de portefeuille.

— C'est que je viens de l'apprendre, ciboire! Je viens d'apprendre que c'est grâce à Gilles-Pellerin-qui-n'existe-pas que je n'ai pu payer mon taxi la semaine dernière, ce qui fait que je moisis aujourd'hui en prison.

Maître Serpentin se radoucit brusquement:

— Voilà ce qui s'appelle être malchanceux, il n'y a pas d'autres expressions. Il devrait être dans une salle d'interrogatoire en train de se faire secouer la salade, ce bonhomme-là… Mais j'en fais mon affaire, ne craignez rien. Quand je veux trouver quelqu'un, je suis comme un aimant dans de la limaille de fer, rien de moins. En attendant, j'ai une mauvaise nouvelle à vous annoncer: le vieux Gélinas est à l'agonie et la Couronne s'apprête à porter contre vous une accusation d'homicide volontaire. Mais non! ne prenez pas cet air atterré! Tant qu'il y a de la vie… vous savez le reste. Tenez, je vais vous raconter une anecdote. Il y a dix ans, un de mes amis, qui était facteur, rate un virage en automobile et le médecin doit lui amputer les deux jambes… Adieu le métier! Eh bien! aujourd'hui, il possède une machine à patates frites et fait de l'argent comme de l'eau… Vous voyez, il y a plusieurs façons de déjouer le malheur. Je vais aller examiner ce fameux portefeuille. Bon courage.

Maurice dîna à peine ce jour-là. Le sentiment d'oppression qui l'accablait depuis la veille ne cessait de grandir. Il avait l'impression qu'on coulait du ciment autour de lui et qu'il ne pourrait bientôt plus bouger un doigt. Julie savait sûrement où il se trouvait à présent. Pourquoi ne venait-elle pas le voir? Le jeune rousselé arriva dans sa cellule après la sieste. Il apportait des livres.

— Voyons, il ne faut pas se laisser aller comme ça, mon vieux; les barreaux vont t'entrer dans la peau et tu vas traîner ta prison avec toi jusqu'à la fin de tes jours.

Il déposa les livres sur une tablette.

— Pour l'instant, ces messieurs sont plus forts que nous. Mais ils ont pris un grand risque en nous permettant d'apprendre à lire. Les Romains étaient plus malins que ça avec leurs esclaves.

Maurice se dressa dans son lit:

— Quels messieurs?

Son compagnon ricana:

— Ils sont tellement connus qu'on finit par oublier leurs noms.

Il se mit à feuilleter les livres devant lui tout en le sondant à coup de questions adroites sur les raisons qui l'avaient amené en prison. Maurice répondait librement, sans se soucier qu'il ignorait tout de son interlocuteur. À mesure qu'il avançait dans son histoire, Marcil s'échauffait, son visage se durcissait, des jurons lui échappaient; puis il tomba dans une profonde rêverie. Maurice l'observait avec étonnement:

— Et toi, qu'est-ce que tu as fait pour te ramasser ici?

Mais il dut rester sur sa faim. Marcil lui parla vaguement de « collectes spéciales », de « redistribution des richesses », etc., mais ne s'aventura pas plus loin. Sa méfiance agaça Maurice:

— Mais enfin, on t'a arrêté pour terrorisme, ou quoi alors?

Il n'y a pas de honte à le dire.

L'autre se mit à rire et se leva:

— On s'en reparlera, mon vieux. Y a que ça à faire ici: lire et parler.

Le souper venait de se terminer. Maurice était resté dans la salle et regardait la télévision. Un gardien le toucha à l'épaule et lui tendit une enveloppe décachetée. Il reconnut aussitôt l'écriture de Julie:

Mon pauvre trésor,

C'est affreux ce qui t'arrive. Je ne dors plus depuis une semaine. Je suis retournée chez mes parents aussitôt que j'ai appris ton arrestation. Maman s'est montrée très gentille avec moi. Papa ne m'a presque pas posé de questions. La police m'a interrogée le lendemain. Ils se sont montrés très polis, trop même, et ils m'ont relâchée au bout d'une demi-heure. J'ai essayé de voir mon oncle toute la semaine; madame Tremblay m'a dit qu'il était parti en voyage; elle n'avait pas l'air d'en mener large, celle-là. Finalement, il est revenu à Montréal aujourd'hui. Je viens tout juste de lui téléphoner. Il a promis de me recevoir demain. J'ai essayé de te voir à plusieurs reprises, mais on me répondait toujours que « tu avais eu ton parloir ». Alors, je t'écris ce mot, en espérant qu'il va se rendre. Je reviendrai demain. Je t'embrasse très fort.

Julie

— L'amour transfigure votre visage, fit une voix au-dessus de lui.

Maurice leva la tête et aperçut le colosse qui avait fait un esclandre la veille pendant le dîner; debout devant lui, les bras croisés, il lui souriait avec bonhomie.

— J'ai dépassé la quarantaine, continua-t-il, et pourtant le spectacle de l'amour m'émeut encore. Me permettez-vous de m'asseoir près de vous?

— Bien sûr, répondit Maurice, un peu interloqué.

— Je me présente, pour éviter tout embarras: Henri-Gustave Platt, ou si vous aimez la couleur locale: Heinrich-Gustav Platt, poète professionnel. Tout le monde m'appelle le poète Platt. Un jeu de mots facile, comme vous voyez. Vous êtes arrivé ici il y a deux jours, n'est-ce pas?

— Trois, rectifia Maurice.

— Ah bon! excusez-moi. Nous autres poètes, nous voguons au-dessus des contingences, ce qui est normal, vu notre fonction dans la société. Pourrais-je vous demander votre nom?

Maurice était frappé par la bonté qui rayonnait sur le visage de cet homme étrange qui lui parlait avec volubilité, tout en jetant à tout moment des coups d'œil en biais sur sa lettre.

— Je suis venu m'asseoir près de vous, lui confia-t-il, parce que vous me sembliez la seule personne évoluée dans cette salle. Pourrais-je vous demander si vous avez assassiné quelqu'un, ou autre chose de ce genre?

— Non, répondit Maurice en souriant, au contraire, je suis ici par erreur.

— Par erreur? Comme c'est étrange! De quoi s'agit-il, si vous me permettez cette question?

Maurice lui fit un résumé de son aventure. Le poète Platt resta pensif un long moment.

— Merveilleux, absolument merveilleux, murmura-t-il enfin d'un air pénétré.

Il passa sa main sur son front dégarni:

— La poésie se trouve dans la vie, il suffit d'aller la chercher. La tragédie aussi, du reste. Êtes-vous intéressé à connaître la raison de ma présence ici?

Maurice fit un grand signe de tête.

— C'est par une sorte d'erreur monstrueuse également, mais d'un genre différent. Vous savez comme tout le monde, n'est-ce pas, que la poésie est une activité illégale?

— Non, je ne le savais pas.

— Elle l'est, je vous l'assure. La raison en est simple: c'est que nous avons reçu comme mission de dire la Vérité, si désagréable soit-elle aux oreilles. Cela fait mourir les gens de peur. Vous avez remarqué, j'en suis sûr, qu'on ne lit que les poètes décédés. La plupart des poètes vivants sont inconnus. C'est mon cas, d'ailleurs. Vous êtes-vous déjà demandé pourquoi?

— Euh… non, jamais, je dois dire.

— Eh bien! c'est très simple. On peut faire dire à un poète décédé ce que l'on veut: il n'est plus là pour défendre ses vers. Mais quand il s'agit d'un poète vivant, ce n'est plus la même chose: impossible d'interpréter ses poèmes n'importe comment, de leur faire glorifier les riches, par exemple, ou critiquer le transport en commun, car *il est sur place,* il entend tout, il peut rectifier les erreurs et même claironner la trompette de la vraisemblance, pour citer un de mes derniers poèmes. Vous savez que j'ai 42 ans et que j'ai déjà publié 17 fois à compte d'auteur?

— C'est merveilleux.

— Merci. Connaissez-vous *Souvenirs d'aujourd'hui?* C'est un de mes recueils les plus connus. Non, bien sûr, vous ne le connaissez pas. Mes recueils les plus connus ne sont pas beaucoup plus connus que les autres. Je suis encore vivant, voyez-vous, il n'y a rien à faire.

Maurice lui sourit:

— Heureusement que ça n'affecte pas votre inspiration.

— Ça ne l'affecte pas du tout. Aucun de mes recueils ne compte moins de 300 pages, c'est la pure vérité. C'est que j'écris selon les règles classiques, voyez-vous, et cela fortifie beaucoup l'inspiration. Mon dernier recueil, s'il avait paru, aurait compté 890 pages. Je ne le verrai sans doute jamais, soupira-t-il.

— Pourquoi?

— Parce que je vais peut-être mourir en prison, comme plusieurs de mes prédécesseurs. Savez-vous ce que j'ai fait?

— Non, vous ne me l'avez pas encore dit.

— J'ai volé, répondit le poète Platt, et il regarda Maurice d'un air rayonnant de satisfaction.

Maurice attendit la suite, mais son interlocuteur continuait de le regarder en souriant, un peu surpris, semblait-il, de ne pas avoir reçu de félicitations.

— Et qu'est-ce que vous avez volé? demanda-t-il enfin.

— Vous allez rire. Deux tonnes de papier.

— Deux tonnes de papier? Que vouliez-vous faire avec ça?

Le poète Platt prit un air condescendant et posa ses mains sur ses genoux:

— On voit que vous n'avez jamais édité à compte d'auteur. Certains de mes recueils m'ont fait maigrir de plus de vingt livres. Dans ces conditions, il faut trouver des moyens d'économiser ou s'acheter un cercueil, n'est-ce pas?

— C'est juste.

— Alors le soir où j'ai donné la touche finale à mon dernier recueil, *le Drame des insectes,* c'est une épopée lyrique, j'ai soupesé le manuscrit et... et j'ai tout de suite compris qu'il me tuerait si jamais je le faisais paraître. Or, je ne pouvais retrancher un seul vers sans rendre tous les autres incompréhensibles. En effet, ma poésie ressemble un peu au Chant de la Création, si vous me permettez de m'exprimer ainsi: chaque voix soutient toutes les autres; s'il en disparaît une, c'est le chaos d'avant la Genèse, vous comprenez? Il fallait donc que je fasse des économies. J'ai réfléchi dans ma chambre pendant quelques jours et finalement la lumière s'est faite en moi. Je suis monté à Saint-Jérôme, je me suis présenté aux papeteries Rolland et on m'a engagé comme gardien de nuit. Il m'a fallu beaucoup de temps pour choisir le papier qui me convenait, mais enfin, tout finit par se faire. Une bonne nuit, je me suis décidé. Je le sais, vous allez me dire que c'est illégal, mais nous autres, poètes, nous avons une attitude très particulière à l'égard des lois humaines, qui ne valent, comme vous le savez, que dans les circonstances ordinaires. Mon camion était chargé et j'étais sur le point de partir lorsqu'un gardien m'a vu. J'ai essayé de le convaincre, mais il ne voulait rien comprendre. Alors je me suis un peu fâché et on a dû le transporter à l'hôpital; mais il va beaucoup mieux à présent. Voilà. Ce n'est rien d'amusant, comme vous voyez.

Une sonnerie retentit. Les prisonniers devaient regagner leurs cellules. Le poète Platt lui tendit la main:

— Bonsoir, dormez bien. Je vous trouve très émouvant. Je ferai des vers sur vous.

X

Le lendemain fut une journée agitée. Maurice reçut la visite de ses parents. En l'apercevant derrière le grillage, madame Ferland porta son mouchoir à sa bouche et passa le reste de l'entrevue à étouffer ses sanglots et à sécher ses larmes. Monsieur Ferland montra plus de maîtrise. Mais sa voix assourdie et ses traits affaissés en disaient long sur la honte et la stupeur qui l'habitaient depuis plus d'une semaine.

— Quand avez-vous appris mon arrestation? lui demanda Maurice.

— Mardi dernier, par les journaux. Le lendemain matin, on arrivait à Montréal. Mais on poireaute chez ta tante depuis six jours. Ta mère a les nerfs à bout; elle ne tient plus que par les pilules. La police ne voulait pas qu'on te voie parce que t'étais « sous observation ».

— Oui, à l'hôpital.

Madame Ferland laissa échapper un gloussement de douleur et se mit à sangloter de plus belle. Son mari s'approcha de la grille:

— Dis-moi, Maurice, explique-nous ce qui se passe, je ne comprends plus rien. Est-ce que les journaux disent la vérité?

— Non, papa, ne te ronge pas les sangs pour rien, je suis innocent. Mais quelqu'un m'a tendu un piège à ours et je ne suis pas sûr de pouvoir m'en sortir tout de suite.

— De qui veux-tu parler?

Maurice se tourna vers le garde qui suivait la conversation d'un air imperturbable et se rapprocha du guichet:

— Je ne peux rien te raconter ici, tu comprends. Je te donnerai les détails plus tard.

— Ton père vient de s'acheter un skidoo, interrompit madame Ferland d'une voix larmoyante. J'espère que tu pourras venir l'essayer cet hiver.

Et elle se replongea dans son mouchoir. Maurice prit congé de ses parents au bout d'un quart d'heure. Jamais il ne les avait vus dans un état pareil. L'entrevue le laissa bouleversé. Sa haine contre Jerry Turcotte monta d'un cran.

À sa grande surprise, on le redemanda au parloir au début de l'après-midi. Cette fois-ci, c'était Julie. Elle était pâle, nerveuse, et tirée à quatre épingles, ce qui lui déplut. Elle s'informa de sa santé, le questionna sur son arrestation, l'interrogea sur son emploi du temps; Maurice lui répondait à contrecœur.

— J'ai rencontré mon oncle ce matin, dit-elle à voix basse. Maître Serpentin vient de l'assigner comme témoin. Il m'a dit... il m'a dit qu'il ne comprenait rien à toute cette affaire.

— Et tu l'as cru, bien sûr.

— Pourquoi me dis-tu ça? Je vois bien qu'il ment à tour de bras. Mais je ne saisis pas son jeu. Il m'a retenue chez lui pendant plus d'une heure; il n'arrêtait pas de me répéter comme il se sentait malheureux de tout ce qui t'arrivait et qu'il tenterait l'impossible pour t'aider.

— Le vieux Christ.

— Il m'a demandé si ton avocat avait contacté madame Tremblay. Je ne le savais pas. Il est convaincu qu'elle pourrait t'aider. Il m'a proposé un alibi. Maître Serpentin m'a déconseillé de le faire. C'est un jeu dangereux et, de toute façon, ma crédibilité ne sera pas très grande auprès du juge.

Maurice avait l'impression d'être emporté dans un tourbillon. Il échangea encore quelques mots avec Julie, puis regagna sa cellule. Le poète Platt vint aussitôt le trouver, une liasse de feuilles à la main.

— Vous m'avez beaucoup inspiré, s'exclama-t-il d'un air réjoui. J'ai dû travailler toute la matinée. Le résultat est encore bien imparfait, mais faites-moi le plaisir de lire quand même ceci.

Maurice réprima un mouvement d'impatience et prit les feuillets. Il s'agissait d'un poème en 113 quatrains intitulé:

À un jeune prisonnier

O jeune homme dans une prison
Le temps te semblera bien long,
Car ce temps est fait de minutes
Qui passent mieux en une hutte.

Mais espère sans te lasser
Le jour qui ne saurait tarder
Où tu pourras te prélasser
Au chaud soleil qui va t'arder.

Là, visages et frimousses jeunes
Te feront oublier tes jeûnes,
Ces lourds jours où la faim cruelle
Rapetissait ton écuelle.

Le poème se terminait par cette constatation mélancolique:

Eh oui! les biscuits-sodas
Sont moins secs que l'internat.

— « Biscuits » compte pour trois syllabes, fit remarquer le poète, comme au temps de Ronsard.

Il posa sur Maurice un regard anxieux:

— Comment le trouvez-vous? Ça vous plaît?

— Euh... oui, bien sûr, ça me plaît. Ça me plaît beaucoup. Vous êtes bien gentil d'avoir écrit tant de vers pour moi.

— Oh, ce n'est rien, vous savez. La semaine dernière, j'ai pondu un poème de six mille vers, alexandrins et trimètres alternant. C'est l'histoire d'une jeune fille pauvre qui apprend un jour que son fiancé piétine les jardins en son absence. Il s'agit d'une œuvre très symbolique, comme vous voyez. Mais permettez-moi... est-ce que l'on pourrait se tutoyer, comme entre amis?

— Bien sûr. J'allais le proposer, fit Maurice, qui sentait son cafard se dissiper.

Le poète Platt s'assit sur le bord du lit et déploya ses jambes.

— Je peux te l'avouer, maintenant que l'on se connaît un peu, souffla-t-il à l'oreille de son nouvel ami, la vie de prison me fait beaucoup souffrir. Mais par contre, elle a beaucoup affermi mon inspiration.

— Si tu veux un conseil, lui confia Robert Marcil pendant le souper, ne lis pas trop les vers du poète Platt. Tes journées ne suffiront plus.

— Il m'amuse beaucoup, moi, répondit Maurice, et Dieu sait si j'ai besoin de distractions ces temps-ci.

Marcil haussa les épaules:

— Alors, lis autre chose. Il faut savoir utiliser son temps mieux que ça. Je laisse la poésie et les beaux sentiments aux âmes sensibles et je m'occupe de la réalité, moi. Toutes ces platitudes ne valent pas un bon livre d'économie.

Maître Serpentin venait voir Maurice presque chaque jour. Il débordait d'un optimisme délirant, mais plus Maurice en cherchait les raisons, moins il les trouvait. Ses doutes au sujet de la compétence de l'avocat grandissaient à chaque rencontre. Pourquoi voulait-il retarder à tout prix la plainte qu'il avait décidé de porter contre les policiers qui l'avaient « interrogé »? Tantôt Serpentin affirmait que la preuve était presque impossible à faire, tantôt que cette plainte nuirait à ses chances d'acquittement. Dans les deux cas, Maurice n'arrivait pas à se faire une idée claire des explications qu'il lui fournissait dans un jargon judiciaire gonflé de précisions inextricables. Une peur horrible s'empara de lui: comment arriverait-il à se dépêtrer si cet imbécile, à force de maladresses, n'arrivait pas à prouver son innocence? Le jour même il écrivit à ses parents pour leur demander d'engager un autre avocat. Le lendemain, maître Serpentin le faisait appeler au parloir.

— Avez-vous perdu la boule, jeune homme? Qu'est-ce que cette idée de changer d'avocat à deux jours de l'enquête préliminaire?

— Et qui vous a dit que je voulais le faire? riposta Maurice.

— Voyons, voyons, vous savez comme moi qu'on ouvre toutes les lettres ici. Et heureusement! La prévoyance du législateur vous sert de garde-fou, voilà le mot! Mais qu'est-ce qui ne va pas? Vous n'avez plus confiance en moi?

— Je n'ai plus rien à vous dire. Mes parents s'occuperont de tout.

— Eh bien! je leur ai téléphoné, à vos parents, et ils ont déjà répondu à votre lettre avant même de l'avoir reçue.

Maurice resta muet un instant, puis il s'approcha de l'avocat, les dents serrées:

— Espèce de cervelle brouillée! c'est à peine si tu peux faire la différence entre un coupable et un innocent. Penses-tu que j'ai envie de finir mes jours en prison pour te permettre d'apprendre ton métier?

L'avocat resta éberlué. Puis il leva les bras au-dessus de sa tête et laissa échapper une sorte de hoquet:

— Psychose carcérale! Voilà les débuts d'une véritable psychose carcérale! Eh bien! jeune homme, vous êtes chanceux que je m'intéresse encore un peu à vous! Encore six mois de ce régime et votre santé mentale ne vaudra pas une poignée de garnottes!

Maurice ne répondit rien et sortit. L'avocat le fit appeler de nouveau le lendemain après-midi. Il se promenait de long en large, les mains derrière le dos:

— Votre enquête préliminaire débute dans moins de vingt-quatre heures. Je vous recommande d'avoir le visage reposé, des souliers luisants et de mettre beaucoup de vaseline dans vos paroles quand vous vous adresserez au magistrat. Je vous avertis: ça va être un dur moment. La Couronne va essayer de vous écrabouiller comme un morpion. Mais je suis là, vous avez des témoins, ayez confiance en moi, je suis né dans un milieu ouvrier. Quand viendra le moment de l'examen volontaire, je vous suggère de demander un procès avec juge seul. Eliminez le jury. Le simple piéton ne peut saisir les subtilités de votre cause.

L'enquête débuta le lendemain matin à dix heures. La salle d'audience se trouvait au onzième étage. On appela à la barre des témoins le chauffeur de taxi qui avait conduit Maurice au

Rialto, puis les deux policiers qui l'avaient pris en chasse et enfin un photographe de la section des enquêtes criminelles. Malgré les efforts désordonnés de maître Serpentin, il résulta de toutes ces dépositions une série de charges accablantes contre son client. Sur le coup de midi, le magistrat ordonna l'interruption de l'audience jusqu'à deux heures. Maître Serpentin mit sa main sur l'épaule de Maurice:

— Cessez de vous inquiéter. Tout à l'heure, je sors mes gros canons et on va perdre tout le monde dans la fumée. Que diriez-vous si je vous obtenais un non-lieu et qu'on vous libérait cet après-midi?

— J'en profiterais pour aller vous casser la gueule.

— Quelle froideur! s'exclama l'avocat. Pourquoi cette froideur?

— Parce que votre non-lieu, vous pouvez vous le glisser entre les deux fesses. Vous savez aussi bien que moi que vous ne l'obtiendrez jamais. Saintostie! je n'ai jamais ouvert un livre de droit de ma vie, mais je suis sûr que j'aurais procédé d'une façon moins stupide que vous! Même le juge en était surpris. Qu'est-ce que c'était que cette tirade sur « ma peur instinctive de la police » qui viendrait d'un coup que j'aurais reçu sur la tête dans mon enfance? Un cheval aurait trouvé mieux.

— Très bien. Si vous le prenez sur ce ton, l'examen volontaire n'en aura pas moins lieu quand même. En fait, que puis-je y faire?

Et sur ces paroles étranges, il quitta Maurice d'un air fort troublé. Il revint pour la séance de l'après-midi avec une demi-heure de retard et dans un état d'ébriété passablement avancé. L'audition des témoins se poursuivit. Maître Serpentin présenta sa demande de non-lieu, qui fut rejetée, et Maurice, contrairement à l'avis de son avocat, choisit un procès avec jury.

— Holà! qu'est-ce que j'entends? s'écria Serpentin. Mais vous êtes une véritable andouille garnie, mon ami!

Le juge le regarda sévèrement:

— Par égard pour votre profession, maître Serpentin, je ferme les yeux sur votre état actuel, mais à l'avenir je devrai exiger de vous plus de modération durant l'exercice de vos fonctions.

L'avocat fit une courbette:

— Je remercie Votre Honneur de sa bonté et je me permets de lui recommander un régime naturiste à base de varech qui la conservera longtemps à notre affection.

— La justice, c'est de la grosse fuck, déclara Marcil d'un ton péremptoire en se tournant vers Maurice. Ils s'étaient réunis dans la cellule du poète Platt après le souper.

— C'est de la grosse fuck parce que la société elle-même est une grosse machine toute fuckée qui s'est emballée un beau matin sans que personne n'ait jamais pu l'arrêter. Oh! bien sûr, elle a son tableau de contrôle, un tableau de contrôle énorme; ils l'ont même entouré de néons pour qu'on puisse le voir et l'admirer; mais le tableau ne contrôle plus rien; les boutons tournent dans le vide, les manettes sont des parures. C'est le moteur qui mène tout, sans le savoir, évidemment. La carcasse tremble, les prix montent, les salaires baissent, les riches s'engraissent, les pauvres maigrissent, mais défense d'en parler. D'ailleurs, c'est à peine si on a la force de se trémousser sur les engrenages pour éviter de se faire broyer. Et tôt ou tard, l'un après l'autre, on finit par perdre pied, et bonjour la visite!

Le poète Platt s'éclaircit la gorge, hésita un moment, puis fit remarquer d'une voix timide:

— Oui, bien sûr, l'image de la machine, voilà quelque chose d'ingénieux. Mais il reste tout de même, n'est-ce pas, que l'âme humaine est immortelle et que...

— Platt, je t'en supplie, laisse l'âme en dehors de ça, tu ne comprends pas ce que je veux dire.

— Au contraire, je comprends tout, répliqua le poète, fort vexé.

Robert Marcil se tourna vers Maurice:

— Moi, j'ai voulu la faire sauter, cette machine, mais je me suis comporté comme un petit cave, et me voilà en prison. Toi-même, sans le vouloir, tu t'es enfoncé jusqu'au cou dans un scandale politique et personne ne viendra te repêcher. Est-ce que le juge a fixé la date de ton procès?

— Oui, au quinze décembre, répondit Maurice d'une voix éteinte.

— Le sort l'a voulu ainsi, tu es devenu comme moi une particule hyperacide dans l'estomac de la société.

— Une machine et, maintenant, un estomac, soupira Platt.

— Mais malgré tout leur *Bromo,* continua Robert, le seul résultat qu'ils obtiendront jamais, c'est de te rendre plus acide encore. Ils n'ont jamais rien compris aux lois de la chimie sociale. Le jour où tu sortiras de prison, tu ne pourras jamais plus redevenir l'homme que tu étais, même en y travaillant toute ta vie. Tu obéiras à d'autres mobiles, et ceux-ci ne tendront qu'à une seule chose: l'éclatement de l'estomac, voilà. Notre avenir est dans l'éclatement de l'estomac. Que je tombe en cennes noires, si je me trompe.

Le poète Platt se leva brusquement et sortit.

— Il réagit toujours ainsi quand je m'échauffe un peu, fit Marcil. Avec sa tête de linotte, c'est le plus dangereux de nous tous. Il le sent parfois, et alors il a peur.

XI

— Tout le monde debout, s'il vous plaît, fit l'huissier d'une voix sonore.

Jeudi, le 27 décembre 1970, le juge Absalon Déom entra d'un pas rapide dans la cour 17 de l'ancien Palais de Justice de la rue Notre-Dame et monta à son siège en se grattant vigoureusement l'épaule gauche, car il venait d'attraper un coup de soleil en Californie; il enleva son tricorne et disposa d'un air grave des feuilles de papier devant lui pendant que l'huissier apportait un verre d'eau couvert de buée. Trois pieds plus bas, et lui tournant le dos, une sténographe installait un ruban de papier sur son appareil tandis que le greffier ouvrait et fermait des chemises en bâillant. Un peu plus bas encore, juste sous le banc des témoins, le procureur de la

Couronne, maître Aloysius Tropical, assis à son bureau en face du juge, se passait la main sur la figure, tandis que son confrère de la défense, le célèbre Serpentin, installé derrière lui, manipulait fiévreusement de la paperasse. Il leva la tête et fit un petit signe de la main à Maurice qui attendait dans le banc des accusés, menotté à un policier. Dans le fond de la salle, deux journalistes conversaient à voix basse tandis qu'un curieux, le nez en l'air, contemplait la splendeur victorienne du plafond.

Le juge inspecta une dernière fois ses papiers, puis regardant les deux avocats:

— Est-ce que nous sommes prêts à procéder au choix des membres du jury, messieurs?

Maître Tropical fit signe que oui et se leva. C'était une pièce énorme, tout en sueur, pourvue de petits yeux clignotants qui luttaient désespérément contre l'envahissement de la graisse; il portait constamment la main à la bouche pour étouffer une série de rots et de bâillements d'une surprenante variété; à le voir, on avait l'impression qu'il essayait de digérer du mastic ou une poignée de clous et s'en trouvait fort malheureux. Maître Serpentin se leva à son tour; d'un geste ample, il fit voler sa toge et se racla la gorge avec tellement de vigueur que la sténographe laissa échapper un cri.

— Je me permettrai, dit-il, de faire respectueusement remarquer à Votre Seigneurie que j'utiliserai sans pitié mon droit à la récusation péremptoire.

— Faites, faites, répondit le juge d'un air étonné.

Trois heures plus tard, malgré son avertissement, Serpentin n'avait récusé personne et le jury était formé; le juge suspendit alors la séance. A deux heures, le greffier, un jeune homme propret à lunettes de corne, mince et lisse comme un portefeuille, ouvrit un dossier, promena son index sur une feuille et se mit à lire l'acte d'accusation. Quand il eut terminé, maître Tropical, plus suant et rotant que jamais, fit appeler le premier témoin. Maurice ne put réprimer un mouvement de surprise quand il vit apparaître, introduit par l'huissier, M. Aristote Christofaccis, son ancien patron de *Maple Leaf Valet Service*. À la demande de maître Tropical,

M. Christofaccis décrivit brièvement la façon dont Maurice l'avait quitté, puis se retira, non sans avoir jeté un long regard désapprobateur sur l'accusé. Le procureur fit appeler un second témoin. L'ancienne logeuse de Maurice s'approcha de la barre, prêta serment, puis d'une voix nasillarde et pointue, toute coupée de toussotements nerveux, elle raconta comment Maurice lui avait signifié son congé deux mois plus tôt. Maître Serpentin se leva et demanda à la contre-interroger:

— Pourriez-vous me dire, madame, ainsi qu'à messieurs les jurés, si mon client, pendant tout le temps qu'il est demeuré sous votre toit, vous a fait subir quelque brutalité, dommage moral, vols de petits objets, déchirures dans les fauteuils ou autres avanies?

La logeuse le regarda un moment, stupéfaite, puis fit signe que non.

— Il ne me payait pas régulièrement, mais, en gros, je n'ai jamais eu à me plaindre de lui jusqu'au jour de son départ.

— Merci.

Maître Tropical demanda qu'on appelle un troisième témoin. La porte s'ouvrit et Maurice vit apparaître, violemment endimanché, l'air à la fois intimidé et retors, le chauffeur de taxi qui l'avait livré à la police. Après le serment d'usage, maître Tropical s'approcha de lui en se dandinant:

— Monsieur Blondeau (il rota), auriez-vous l'obligeance de raconter à la Cour... pardon, excusez-moi, dans quelles circonstances vous avez fait la connaissance de l'accusé?

Le chauffeur s'éclaircit la gorge, regarda ses mains un instant, puis se lança dans une description si mensongère de sa rencontre avec Maurice que celui-ci bondit de son siège:

— Il ment, Votre Seigneurie! Jamais je ne lui ai dit que je venais de commettre un vol, c'est lui qui suppose...

— Je vous demanderais de garder le silence, monsieur. Votre avocat a tous pouvoirs pour contrôler les dires des personnes qui viennent à cette barre. Si vous avez une communication à lui faire, il ira vous trouver.

Serpentin était déjà près de lui, un sourire mielleux aux lèvres.

— Mon bon ami, qu'est-ce qui ne va pas? dit-il à voix basse.

— Mais ne le voyez-vous pas? Il est en train de se parjurer! Jamais je ne lui ai parlé de vol! Mais par contre, il m'a raconté lui-même bien des choses, souvenez-vous-en!

Ils échangèrent encore quelques mots, puis maître Serpentin retourna à sa place et, au moment de s'asseoir, tendit la main vers Maurice en lui montrant son pouce et son index arrondis. Celui-ci haussa les épaules rageusement. Aussitôt que maître Tropical eut terminé, Serpentin se leva et s'approcha du témoin:

— Vous savez comme moi, monsieur Blondeau, que les douze personnes que vous avez sous les yeux ne sont pas, pour reprendre partiellement une ancienne expression de Gérard Filion, d'anciens vendeurs de corsets qui fréquentent la cour par *oisiveté*. Alors, pesez vos déclarations. Mon client affirme (et c'est mon devoir, n'est-ce pas, de le croire absolument) que jamais, à aucun moment, il ne vous a parlé d'un prétendu vol qu'il aurait commis ou de quelque autre méfait, mais qu'au contraire, écoutez-moi bien, c'est plutôt *vous* qui lui avez parlé d'un certain beau-frère… Excusez ma franchise: avez-vous déjà participé à une « combine » dans le port de Montréal?

— Objection, Votre Seigneurie, s'écria Maître Tropical.

Il regarda Serpentin d'un air ahuri et s'épongea le front en soupirant bruyamment.

— Maître Serpentin, déclara le juge, je vous ferai remarquer que cette cour n'est pas un cirque et que vous devez changer immédiatement vos façons d'agir.

— Je demande humblement pardon à Votre Honneur pour toute parole échappée de ma bouche qui aurait eu le malheur de lui déplaire. Non seulement j'ai conscience que cette cour est tout le contraire d'un cirque, mais je suis même persuadé que l'auguste présence de Votre Seigneurie transformerait le cirque le plus bruyant en une cour des plus solennelles.

Un léger murmure courut parmi les jurés.

— Alors, procédez, je vous prie, répondit le juge, exaspéré.

— Monsieur Blondeau, reprit l'avocat, mon client affirme qu'il ne vous a jamais fait la plus petite allusion à un vol quelconque, mais qu'au contraire il a gardé le silence pendant tout le trajet, étant donné l'état minable de son tube digestif. Que pensez-vous de cela?

— Je peux vous dire deux choses en tout cas, répondit le chauffeur d'une grosse voix vulgaire: tout le temps qu'il a été dans mon auto, il avait peur que la police le voye, et quand il est sorti il a refusé de me payer en disant qu'il n'avait pas son butin sur lui.

— Mais où est-il, ce butin?

— Tout ce que je peux vous dire, répéta le chauffeur d'un air obstiné, c'est qu'il n'avait pas son butin sur lui et qu'il avait peur que la police le voye.

— Disparaissez de ma vue! hurla Serpentin, vous ne comprenez rien à rien! Mais n'oubliez pas, mon brave, lança-t-il au moment où le chauffeur franchissait la porte, je peux vous faire revenir ici n'importe quand, que vous soyez en congé, chez le dentiste… ou dans le port de Montréal!

— Maître Serpentin, coupa le juge, je vous demande pour la dernière fois…

— Que Votre Seigneurie me pardonne ces façons cavalières; mais je lui ferai respectueusement remarquer que la recherche de la vérité ressemble parfois à la cueillette de l'ananas, dont la carapace épineuse ne recouvre pas moins…

— Au témoin suivant, s'il vous plaît!

Maître Tropical poussa un profond soupir et demanda qu'on fasse venir Bernard Gélinas, ex-candidat du Parti québécois dans le comté de Lafleur. C'était un homme de complexion vigoureuse, frisant la quarantaine, vêtu avec une simplicité presque négligée; il avait les traits tirés et paraissait fort troublé par toute cette histoire.

— Vous demeurez bien, lui demanda maître Tropical après avoir porté la main à son ventre, puis à sa bouche, au numéro 647 de la rue Tanguay?

— Oui, monsieur.

— Est-il exact qu'à la date du 27 octobre dernier vous aviez installé ou fait installer dans une pièce du rez-..., pardon, de-chaussée de votre maison un dispositif, veuillez m'excuser, de sécurité, constitué par un appareil photographique muni d'une lampe-éclair qui se déclenchait automatiquement dès qu'une personne ouvrait la porte de cette pièce — qui était le salon, je crois?

— C'est exact.

— Ce dispositif (il prit une grande inspiration, porta la main à sa bouche et ses joues se gonflèrent comme des ballons), ce dispositif, dis-je, était-il en état de fonctionner dans la nuit du 27 octobre?

— Il était installé en permanence.

— Pourrais-je me permettre de vous demander..., de vous demander pourquoi vous l'aviez installé?

— J'ai, chez moi, certains objets de valeur, des souvenirs de famille et des papiers importants que je veux protéger.

— Avez-vous remarqué la disparition de quelques-uns de ces objets dans la nuit du 27?

— Oui. Cette nuit-là, des documents particulièrement importants ont disparu de chez moi, ainsi qu'un secrétaire et une peinture à l'huile.

— A combien estimez-vous toutes ces... choses?

— Oh! c'est difficile à dire. La peinture en question n'a pas une valeur énorme. C'est avant tout un souvenir de famille. Le secrétaire vaut peut-être cent dollars. De toute façon, je suis rentré en possession de ces biens. En ce qui regarde les documents, cependant, j'ai subi une perte irremplaçable, que je ne peux évaluer.

— Pourquoi?

— Comme vous le savez, il s'agissait de l'ensemble des rapports qu'avaient rédigés mes représentants de poll le jour de l'élection; ces listes constituaient l'élément de preuve essentiel d'une contestation d'élection que mon parti avait résolu de présenter devant les tribunaux.

— Reconnaissez-vous ceci? fit maître Tropical en exhibant une enveloppe remplie de débris de feuilles à demi carbonisés.

Bernard Gélinas les examina un instant.

— Il s'agissait bien de nos listes, fit-il avec un sourire amer.

— Bien. Maintenant, dites-moi, monsieur Gélinas … à quel moment avez-vous revu votre …, excusez-moi, père, le soir du vol?

— Vers onze heures, une heure après le vol environ.

— Est-ce que votre père, ce soir-là, vous a révélé certains faits relativement à l'af- …, l'affaire qui nous occupe?

— Non. Il était dans un état de confusion mentale beaucoup trop avancé pour me parler de quoi que ce soit.

— Voulez-vous dire qu'il était incapable de parler?

— Il pouvait parler. Mais ce qu'il disait n'était pas intelligible.

— N'avez-vous pas retenu (il s'épongea le front avec un mouchoir) certains mots, certaines expressions, un bout de ph … rase?

— Non.

— Je vous remercie.

— Pas de questions, fit maître Serpentin.

Maître Tropical exhiba alors plusieurs copies de la photo de Maurice qui avait paru dans le *Journal de Montréal* et les fit circuler parmi les membres du jury. Un photographe attaché à la section des enquêtes criminelles se présenta à la barre une seconde fois et fit un rapport sur l'authenticité du négatif qui avait servi à produire les photos. Puis, ce fut le tour du médecin qui traitait le père de Bernard Gélinas.

— Veuillez, s'il vous plaît, décrire à la Cour l'état de la victime, demanda maître Tropical, en tournant la tête de tous les côtés comme s'il manquait d'air.

— Il est plutôt grave. Sans parler de certaines coupures profondes et de plusieurs ecchymoses et tuméfactions, mon patient souffre d'un violent traumatisme crânien qui semble avoir affecté principalement le lobe frontal. L'état du malade nécessiterait évidemment une intervention chirurgicale, mais son grand âge rend la chose délicate. Pour l'instant, nous préférons le garder sous observation.

— Est-ce que les facultés (oumphe… pardon) mentales du malade sont affaiblies?

— Très affaiblies.

— Définitivement?

— Je ne saurais dire. Il se trouve actuellement dans une sorte d'état semi-comateux, caractérisé par un délire presque continuel et une grande agitation.

— Est-ce que vous l'avez entendu tenir des pro-o-pos … intelligibles?

— Ses propos sont en général incohérents.

— Toujours?

— Je ne l'ai jamais entendu tenir de propos cohérents, si vous voulez.

— Se peut-il, docteur, que cet état semi-comateux, comme vous dites, ne se soit établi que plusieurs minutes après l'accident?

— C'est possible.

— Bien. Dites-moi, et c'est là ma (pfiou!)… dernière question: est-ce que toutes ces blessures que vous venez de nous décrire auraient pu être causées par des… actes de brutalité?

— Objection, Votre Seigneurie! s'écria Serpentin. Voilà ce qui s'appelle faire japper le chien en le tirant par la queue!

— Objection rejetée, maître Serpentin. La question du représentant de la Couronne est tout à fait pertinente. Vous devriez suivre son exemple.

Un murmure courut une seconde fois parmi les membres du jury. Le docteur contemplait le micro d'un air perplexe:

— Indubitablement, dit-il, ces blessures sont le résultat d'un choc violent. Mais il ne m'appartient pas de vous dire si ce choc a été causé par des actes de brutalité.

— Je vous remercie, fit maître Tropical.

Serpentin se leva d'un bond:

— Docteur, votre science m'a fait oublier l'austérité du tribunal. Mes salutations à madame.

Et il se rassit.

— Pas d'autres questions? fit le juge.

— Pas que je sache, répondit-il en haussant les épaules.

Maître Tropical fit alors appeler un des policiers qui s'étaient rendus sur les lieux du vol dans la nuit du 27 octobre et lui demanda de lire son procès-verbal. En voici l'extrait principal:

« La victime dit qu'elle revenait de la toilette en chaise roulante — car elle ne peut se déplacer d'aucune autre façon différente (*sic*) — lorsqu'elle entendit « un petit bruit en bas »; elle crut que c'était monsieur Guindon, un voisin, qui venait mettre du charbon dans la fournaise tous les soirs. La victime dit qu'elle était surprise d'entendre monsieur Guindon à cette heure-là, vu qu'il venait toujours vers onze heures précises (*resic*) et que la victime disait qu'il était aux alentours de dix heures. Alors la victime se rendit en chaise roulante près de l'escalier et appela monsieur Guindon. Elle vit au pied de l'escalier un jeune homme plutôt mince qui la regardait d'un air menaçant. Il tenait un meuble dans ses bras et autre chose aussi, que la victime n'a pu identifier. Alors le jeune homme « est monté dans l'escalier, s'est glissé derrière la chaise roulante et l'a poussée dans l'escalier. »

— Ils ont menti! hurla Maurice en bondissant de son siège. Le procès est paqueté! Je comprends tout maintenant!

— Un mot de plus, coupa le juge, et je vous condamne pour outrage au tribunal.

— Calma, calma, amico mio, lui souffla Serpentin à l'oreille. N'oubliez pas que je suis avec vous. Imaginez que vous êtes dans une petite chambre douillette avec vue sur le parc et n'en sortez pas. C'est une figure de style, je le sais, mais soyez sûr que je confondrai ces misérables dans mon plaidoyer.

— Mais faites venir le policier qui a écrit cette cochonnerie-là! Vous voyez bien qu'il s'est parjuré à tour de bras!

— Comptez sur moi. Je ferai venir son arrière-grand-père, s'il le faut.

Maurice lui lança un regard qui lui glaça les oreilles, et détourna la tête. Maître Tropical s'adressait au juge:

— Je ne vois pas pourquoi on fait tout ce fla-fla, Votre Seigneurie. Nous avons là un rapport assermenté rédigé par deux officiers de la Justice, rapport qui cite les paroles mêmes de la victime...

— Qui par un effet de la tourloupette, coupa Serpentin, est tombé dans le coma deux minutes plus tard.

— Si la défense veut con... tes-tester la véracité de ce rapport, je lui en laisserai tout le loisir.

— Nous entrons *tout juste* dans la civilisation des loisirs, mon cher confrère. Vous allez avoir du fil à retordre, je vous le promets!

Le juge poussa un soupir excédé. Maître Tropical regarda le plafond d'un air désespéré, puis demanda au greffier de lire le procès-verbal qu'on avait dressé lors de la perquisition de l'appartement de Maurice au lendemain de son arrestation. Maurice l'écouta sans broncher. Une avalanche d'apathie venait de l'emporter loin de la salle; il roulait dans la ouate, les yeux fermés, insensible, indifférent. Alors maître Tropical déclara qu'il n'avait plus rien à ajouter et l'audience fut remise au lendemain matin. Serpentin alla trouver son client, mais celui-ci quitta la cour sans même le regarder.

À dix heures quinze le lendemain, Serpentin, affublé d'une toge immense qui lui donnait l'air d'une sorte de mariée sinistre, joignit les mains, fit craquer ses jointures d'une façon retentissante, et se lança dans la défense de son client. Il interrogea d'abord les deux policiers qui avaient rédigé le procès-verbal où était consignée la déclaration du père de Bernard Gélinas, mais ne put rien tirer d'eux. La même chose se produisit avec ceux qui avaient effectué la perquisition. Malgré tout, il continuait d'afficher un air triomphant et lançait des clins d'œil à tous moments vers le banc des accusés. Julie Morel fut alors appelée à la barre. Elle était pâle, nerveuse et le maquillage enlaidissait ses yeux agrandis par l'insomnie. En arrivant dans la salle, elle jeta un regard affolé à Maurice, mais il ne sembla pas la remarquer. Maître Serpentin la fixa en souriant pendant quelques instants, puis, d'une voix extraordinairement doucereuse, lui demanda:

— Je vais vous poser une question, Julie, qui vous rappellera sans doute plusieurs romans d'Agatha Christie, ceux du début en particulier…

Il prit une grande inspiration et, s'avançant d'un pas:

— Depuis combien de temps, dites-moi, Julie, connaissez-vous mon client?

— Depuis deux mois.

— Deux mois. Deux longs mois… Dites-moi, Julie, quelle était la nature de vos rapports avec lui?

— Nous… nous vivions ensemble, quoi.

— Concubinage?

— Si vous aimez ce mot-là.

— Le mot n'est rien, tout est dans la chose. La noblesse d'un baiser rachète bien des péchés.

Le juge s'agita:

— Au fait, maître Serpentin.

— Tout de suite, tout de suite, Votre Seigneurie. Dites-moi, Julie, pendant les deux longs mois où vous avez con… vécu avec mon client, fut-il parfois question de vols, faux chèques ou autres questions de ce genre?

— Non, jamais, bien sûr.

— Vous a-t-il déjà battue, giflée, privée de nourriture, forcée à mettre des vêtements d'hommes et ainsi de suite?

Julie le regarda d'un air stupéfait, et fit signe que non.

— Messieurs les jurés, s'écria l'avocat en se retournant vers eux avec un grand geste, vous avez sous les yeux un cas bien curieux. Voici un homme, mon client, qui vit avec une femme pendant deux mois, deux longs mois de vie commune, et il ne lève pas le petit doigt sur elle *une seule fois*. Et pourtant, du jour au lendemain, le même homme pousse un infirme dans un escalier. Ne trouvez-vous pas cela coriace? Je le sais, vous allez me dire qu'ils sont jeunes, que la passion brûle en eux sans faire de fumée, mais je…

— Vous ferez votre plaidoyer plus tard, maître Serpentin, coupa le juge. Avez-vous d'autres questions?

— Aucune autre. Je désire maintenant interroger monsieur Jérôme Turcotte, député du comté de Lafleur.

Un silence pesant tomba soudain sur la salle. Serpentin se tourna vers Maurice:

— N'oubliez pas la chambrette, lui dit-il à voix basse.

Celui-ci ne leva même pas la tête. Après ses éclats de la veille, il paraissait abruti et contemplait ses souliers d'un air somnolent. Jerry Turcotte apparut, revêtu d'un complet noir, les cheveux soigneusement lissés, et s'avança vers la barre avec toute la dignité que lui avait laissée l'ingurgitation d'une demi-bouteille de Beefeater. Malgré ce puissant adjuvant, son menton tremblait encore un peu. Serpentin ajusta longuement les plis de sa toge et un sourire menaçant parut à ses lèvres:

— Est-ce que vous connaissez mon client? lui demandat-il avec brusquerie.

— Grâce au *Journal de Montréal,* j'ai l'honneur de le connaître.

— Mais à part ce journal?

— Je l'ai rencontré deux fois à mon bureau.

— Dans quelles circonstances?

— Dans des circonstances très simples, car je suis un homme plutôt modeste, étant originaire de la population, dont je profite de l'occasion pour la saluer ainsi que tous ceux qui ont bien voulu lors du dernier scrutin...

— Veuillez vous contenter de répondre aux questions, demanda le juge.

— Pourriez-vous préciser ces circonstances?

— Certainement. Monsieur Ferland sort avec une de mes nièces, Julie, depuis quelque temps. Elle me l'a présenté au début d'octobre en me demandant de lui trouver de l'ouvrage, car il chômait.

— Lui en avez-vous trouvé?

— Je lui ai donné de l'argent en attendant de pouvoir le faire. J'ai le cœur comme ça. C'est un trait que je tiens de mon père.

— À quelle date *précise* sont-ils venus vous trouver?

— Le 22 octobre, je crois.

— À quelle date l'avez-vous revu pour la deuxième fois?

— Deux ou trois jours plus tard, je ne me rappelle plus au juste.

— Le 25?

— Exactement.

— De quoi a-t-il été question durant cette rencontre?

Jerry Turcotte avala sa salive et répondit, le plus fermement qu'il put:

— De bien des choses. Il m'a demandé, entre autres, si je pouvais lui prêter une camionnette pour le lendemain.

Tous les regards se braquèrent sur Maurice qui ne semblait pas avoir entendu.

— Et que voulait-il en faire?

— Je ne le lui ai pas demandé. Je ne fais pas de différence entre la vie privée des gens et, par exemple, leur caleçon, sauf votre respect.

— Lui en avez-vous prêté une?

— Oui, je lui ai prêté la mienne.

— Vous avez une camionnette?

— Eh oui .

— À quoi vous sert-elle, si vous me permettez cette question?

— Je vous permets tout. Je m'en sers pour transporter des colis, de la marchandise, n'importe quoi, car j'ai le bonheur de faire partie du monde des affaires.

— Vous en servez-vous pour faire des saisies?

— Des saisies? Quelles saisies?

— Des saisies concernant, par exemple, un secrétaire et une peinture à l'huile.

— Permettez-moi de vous répondre que je déteste la peinture à l'huile, qui est l'ancêtre de la télévision, à ce qu'on m'a dit, et que lorsque je saisis des secrétaires, ce ne sont pas des meubles. Excusez-moi. C'est une farce plate comme j'en fais trop.

— Ne possédez-vous pas, pourtant, une compagnie de finance? Mon client affirme que vous lui avez demandé de faire une saisie au domicile du plaignant pour une compagnie de finance qui vous appartenait.

— Je prends note de cette affirmation, s'écria maître Tropical d'une voix triomphante, ou plutôt de ces... aveux!

Jerry Turcotte se pencha vers maître Serpentin:

— Je ne suis peut-être pas suffisamment instruit (bien que j'aie suivi plusieurs cours du soir), mais, sauf votre respect, ce que votre client affirme ressemble, à mon avis, à du pâté chinois, ni plus ni moins. Je ne possède même pas un classeur de compagnie de finance.

— Mais vous savez comme moi qu'on peut en posséder une tout en n'en possédant pas. Pensez au cas de Benjamin Franklin et aussi à d'autres cas.

— Je n'arrête pas d'y penser, je vous assure.

— Connaissez-vous un homme du nom de Gilles Pellerin?

Jerry Turcotte réfléchit un instant. Sa pomme d'Adam, affolée, courait entre son menton et son col de chemise.

— Oui, j'en connais un. De nom seulement. C'était un parent de ma femme. Il est mort au début de la Première Guerre mondiale. Une chute dans un escalier, si ma mémoire est bonne.

— C'est le seul que vous connaissez? Mon client affirme que vous en connaissez un autre.

— Eh bien! dites à votre client que c'est le seul, mais que je comprends très bien, par contre, les embarras de sa situation. Aussi, je demanderais au juge d'utiliser beaucoup de clémence à son égard, car, soit dit entre nous, avouons qu'il est mal pris en christ.

— Le tribunal sait ce qu'il a à faire, fit le juge. D'autres questions, maître Serpentin?

— Pour ma part, continua Jerry Turcotte, qui semblait au bord d'une crise nerveuse, je lui souhaite bonne chance et bonne santé et soyez sûrs que je ne tiendrai pas compte une seconde de ces petites tentatives malhonnêtes pour se sauver en salissant les gens, car je suis convaincu qu'elles viennent d'un bon cœur et que...

— Je n'ai plus d'autres questions, fit maître Serpentin en se frottant les mains d'un air satisfait. Je désirerais maintenant interroger madame Aldéa Tremblay, ménagère de carrière.

Madame Tremblay apparut, tremblante, le teint livide, jetant des coups d'œil de tous côtés comme si elle avait craint que les murs ne s'écroulent sur elle.

— Vous avez, paraît-il, une importante communication à faire à la cour? fit l'avocat d'une voix assourdissante.

Elle fit signe que oui.

— J'espère que vous avez pesé chaque mot que vous allez prononcer. Les circonstances qui nous entourent présentement possèdent un caractère de gravité beaucoup plus accentué que celles d'« une partie de cabane à sucre », pour employer une expression de votre langage. Une phrase, un simple mot lancés à tort et à travers dans cette enceinte pourraient avoir des conséquences incalculables pour mon client comme pour *vous*.

Un moment s'écoula.

— Eh bien! qu'attendez-vous? allez-y! rugit-il. Connaissez-vous mon client?

— Il était... il était très gentil, balbutia madame Tremblay.

Elle vacilla, demanda la permission de s'asseoir, puis se ravisa:

— Je... je n'ai rien d'autre à dire. Je voudrais me retirer.

— Voilà ce qu'on appelle « une bonne personne », remarqua Serpentin d'une voix suave en la regardant s'éloigner. Votre Seigneurie, je suis prêt à faire mon plaidoyer n'importe quand.

— Vous le ferez cet après-midi, décida le juge qui suspendit l'audience sur-le-champ.

Le réquisitoire de maître Tropical fut bref et porta comme un coup de canon. Selon lui, l'affaire était simple; il s'agissait d'une histoire classique de vol qualifié. Les antécédents de l'accusé montraient clairement que le vol et l'utilisation de la violence étaient pour lui des pratiques familières et que s'il ne possédait pas de casier judiciaire, cela était dû uniquement à la bonne volonté des personnes qu'il avait lésées. Mais l'affaire que la Cour avait présentement sous les yeux dépassait de loin en gravité tout ce que l'accusé avait fait jusqu'ici. Au moment de commettre son crime, ce dernier se trouvait en chômage. Le travail semblant être pour lui un fardeau insupportable (dont il se libérait parfois de la manière que l'on sait), il décide un beau matin de subvenir à ses besoins par des moyens plus expéditifs. Abusant de la générosité de l'oncle de sa maîtresse, il lui emprunte une camionnette avec l'intention claire et nette de commettre un vol, sans tenir compte du risque de discrédit qu'il fait courir à un membre de la députation parlementaire, cette catégorie de citoyens si vulnérable face à l'opinion publique. Puis, il s'introduit le soir même dans la demeure du plaignant; il ne semble pas connaître grand-chose de ce dernier, si l'on tient compte du fait que l'inculpé ignorait la présence d'un invalide à l'intérieur du logis. Il s'empare d'un secrétaire, qu'il n'arrive pas à crocheter mais qu'il soupçonne de contenir une forte somme d'argent, puis d'un tableau, qu'il croit de grande valeur. Au moment de quitter les lieux, il aperçoit un invalide en haut d'un escalier. Sans même réfléchir aux conséquences de son geste (cela, la Couronne le concède), l'inculpé s'élance vers ce témoin gênant, cherche à le faire taire, et n'y arrivant pas, le précipite du haut de l'escalier, le blessant peut-être mortellement. Puis il se rend à toute vitesse chez lui avec son « butin » (comme il l'appelle), force le secrétaire et n'y trouve que des papiers pour lui sans valeur. Il les brûle aussitôt et se console en se disant qu'il finira bien par vendre le meuble et le tableau. Sur ces entrefaites, on l'arrête. Mais la malice de l'accusé n'a pas encore donné toute sa mesure. Avec un rare cynisme, il décide de parer les coups de la justice en se servant de la réputation de son bienfaiteur. Il s'invente un complice que la défense, malgré tous ses efforts, n'a pas encore réussi à faire sortir des brumes du néant, et monte une histoire compliquée de compagnie de finance où il ne réussit à montrer que deux choses: sa maladresse et son manque total de conscience.

Considérant tous ces faits et le tort sans doute irréparable que l'accusé venait de causer à un vieillard déjà accablé par mille souffrances, maître Tropical demandait à la Cour la peine maximale prévue par la loi.

Maître Serpentin se leva vivement de son siège et se rendit près de Maurice:

— Je déteste la vantardise, lui souffla-t-il à l'oreille, mais comment vous cacher que vous êtes sur le point d'entendre la plaidoirie du siècle?

Puis il promena longuement son regard autour de lui, se caressa deux ou trois fois les joues et commença son discours ainsi:

— Messieurs les membres du jury, j'envie votre sort. Oui, je l'envie! Au lieu d'àvaler des tasses de mauvais café, de vérifier des factures ou de bâiller devant notre télévision nationale, vous avez la possibilité aujourd'hui, seuls entre tous les citoyens de ce pays, de sauver un innocent, que j'ai le bonheur d'avoir moi-même comme client. En effet, quelle est la faute commise par ce jeune homme? D'être fier! Je m'explique. Reportons-nous au mois dernier: le voici qui bat le pavé à longueur de journée, sans travail, sans argent et bientôt sans semelles. Les occupations que notre société lui a proposées jusqu'ici ne conviennent pas à son cerveau délicat dont les engrenages, pour bien tourner, ont besoin de l'huile parfumée de l'idéal. Mais il faut vivre, direz-vous. Concession, voilà bien un mot à la mode! Mon client est trop fier pour concéder. Voilà son seul tort. Que fera-t-il? Se laissera-t-il crever de faim? Pourquoi pas? L'honneur vaut bien un décès, comme disait feu Napoléon. Mais mon client reste insensible à des propos aussi stupides, car… oui! car l'amour habite son cœur! Amour! Amour! ont crié des milliers de poètes sur tous les continents. Je ne puis citer tous leurs vers, évidemment, et cela serait inutile, car vous avez pu voir, comme moi tout à l'heure, l'objet de sa flamme. Charmante jeune fille! Grâce aux questions que je lui ai posées, vous avez pu admirer les mouvements de son gracieux visage, certaines rondeurs, quelques aperçus, le début d'un geste, je n'insiste pas, la beauté étant d'essence vaporeuse. Vous comprendrez alors que mon client n'était pas d'humeur à mourir. Au contraire! Alors, il continua de vivre. Jusqu'ici, où est le crime? Sur ces entrefaites, son amie lui présente un de ses oncles; c'est le distingué député du comté de Lafleur. Cet homme qui était à la barre tout à l'heure, comment s'est-il comporté? Les usages de la Cour vous défendent de répondre, je le sais; aussi je le ferai à votre place:

cet homme, cet élu du peuple, s'est comporté en bienfaiteur, juste, compatissant, semant le bien autour de lui. Rien d'étonnant alors à ce qu'il offre d'aider mon client et son amie. Il leur donne de l'argent; il leur loue un appartement; il essaye de leur trouver du travail. Mais le travail est rare. Malgré tous les efforts du Pouvoir, l'inflation gobe les profits, les cheminées d'usines fument à peine, on se cogne partout contre les chômeurs. Mon client est donc forcé de vivre aux crochets de son bienfaiteur. Acceptera-t-il cette condition? Vous le connaissez, il est trop fier, voilà son seul tort. Jusqu'ici, où est le crime? Alors il décide un soir de voler pour subvenir à ses propres besoins. Voler, direz-vous? Quelle horreur! J'en conviens: le moyen est répréhensible, mais le motif est noble. De grâce, messieurs les membres du jury, pensez au motif. Combien de vols commet-on chaque jour dont le seul but est d'aller se faire griller les fesses en Floride, passez-moi l'expression. Mon client n'est pas de cet acabit: il vole par fierté, il vit par amour. Voilà son seul tort. Je demanderais maintenant à la Cour une attention toute spéciale, car à partir de ce point-ci, l'affaire se complique singulièrement et mon confrère de la Couronne n'a rien fait pour l'éclaircir, loin de là! Je ne veux pas parler du vol. Un voleur est un voleur et mon client en est un, pourquoi le cacher? Je veux plutôt parler de ce pauvre infirme qui a dévalé un escalier en chaise roulante. Triste sort! J'aurais deux remarques à faire au sujet de cette personne. D'abord, comment pouvons-nous croire au témoignage d'un vieillard qui, au moment où je vous parle, se prend peut-être pour le fondateur de l'empire ottoman ou l'inventeur de la vaseline? Secondement, essayons, si vous le voulez bien, de voir quelle sorte d'homme il était avant son terrible accident. De toute évidence, la vie lui pesait. L'âge s'ajoutant aux infirmités, l'ennui à l'immobilité forcée, ses plaisirs n'étaient plus constitués que d'anciennes photographies jaunies; les dimanches n'avaient pas de fin et les six autres jours de la semaine leur ressemblaient. La mort à ce moment-là se présente avec des couleurs attrayantes. Mais vous connaissez comme moi les conséquences de cette sorte de mort un peu trop « voulue »: les assurances partent en fumée; l'homme d'affaires, en effet, n'aime pas qu'on se substitue au doigt de Dieu. Or ce vieillard, ne l'oubliez pas, possède un fils accablé de problèmes financiers. Eh oui! les tribunaux coûtent cher aux candidats battus qui veulent à tout prix les honneurs de la députation. Que faire? se demande alors le pauvre infirme. Je vois d'ici les larmes amères qui coulent sur son visage. Mon cœur bat avec le sien, mais ma tête, elle, est sans pitié, car Justice doit être faite! Voici qu'arrive alors ce fameux soir du 27 octobre. Dois-je parler du reste? Vous avez tout deviné. Quelle meilleure occasion pouvait-il y avoir, en effet, de maquiller un suicide en meurtre et de quitter cette vallée de larmes tout en laissant à sa progéniture un somptueux compte en banque? Je n'accuse pas ce vieillard, messieurs. Le désespoir l'avait accablé, l'amour paternel l'avait aveuglé. Mais alors, qu'on n'accuse pas mon client! Messieurs les membres du jury, vous allez peut-être penser que mes suppositions ne sont que bavardages intempestifs et roucoulements printaniers. Mais peut-il en être ainsi quand un raisonnement se moule à ce point à la réalité? Me voilà rendu maintenant au terme de mon parcours. Il m'a été agréable d'éclaircir cette affaire en votre compagnie et je n'ai qu'un souhait à vous présenter: que vous veniez tous prendre une bière avec mon client et moi-même à l'hôtel *Iroquois,* qui se trouve à deux pas d'ici.

Maître Serpentin rejeta ses cheveux en arrière d'un geste qui fit claquer la manche de sa toge et s'assit, triomphant. Les jurés se regardaient les uns les autres, médusés. Maurice se leva et fit signe à son avocat d'approcher.

— Oui, mon cher client? fit-il en lui mettant la main sur l'épaule.

— Espèce de clou rouillé, penses-tu que je ne vois pas clair dans ton jeu, maintenant? Je connais l'homme qui te donne ton grain tous les matins.

L'instant d'après, Serpentin roulait sur le plancher, le nez transformé en fontaine.

— Je ne porterai pas plainte! Je ne porterai pas plainte! criait-il pendant qu'on s'emparait de Maurice qui invectivait le juge d'un air dément.

On l'expulsa de la cour. Le juge Déom fit ses recommandations aux membres du jury et leur fit observer qu'ils trouveraient profit à méditer sur la scène qui venait de se dérouler. Vingt minutes plus tard, on ramenait Maurice. Le président du jury se leva et prononça un verdict de culpabilité. Maurice fut condamné à quatre ans d'emprisonnement. On le fit monter dans un panier à salade qui le conduisit à Saint-Vincent-de-Paul. Quelques semaines plus tard, le poète Platt et Robert Marcil venaient le rejoindre.

XII

Trois jours après son incarcération, un garde réveilla Maurice au milieu de la nuit et lui fit signe de s'habiller. Après avoir suivi durant plusieurs minutes un réseau compliqué de corridors humides et d'escaliers mal éclairés, ils arrivèrent dans un bureau luxueux où les attendaient deux personnes; le garde referma la porte et se posta dans le couloir. Maurice demeurait immobile, stupéfait.

— Surpris de me voir ici, hein? s'exclama Jerry Turcotte en s'avançant. Eh bien! on dira peut-être que j'ai une tête de cochon, mais au moins j'ai le cœur à la bonne place. Permets-moi de te présenter le gouverneur de la prison ici même en personne.

Le gouverneur se leva en souriant et offrit une cigarette à Maurice, qui la refusa. C'était un homme dans la cinquantaine, replet, avec une moustache en brosse et un nez de boxeur.

— Qu'est-ce que vous me voulez? demanda Maurice d'une voix sourde.

— Ton bien, mon ami, répondit Turcotte, ni plus ni moins que ton bien, *cross my heart*.

Maurice fit mine de s'en aller.

— À ta place, je resterais ici. Il ne faut pas chier sur le nanane dans la vie, car on n'est pas sûr d'en manger tous les jours. Je suis venu te faire une offre. En fait, fit-il en se retournant vers le gouverneur, ce n'est pas moi qui la fais, mais monsieur, ici, qui a de l'éducation, de la compréhension et tout ce qu'il faut pour démêler le vrai du faux dans les petites affaires compliquées.

Le gouverneur s'était rassis et souriait à Maurice d'un air paternel.

— Écoute, mon ami, continua le député, laisse-moi te dire deux mots et tu verras que ce n'est pas de la pisse de jument qui me coule dans les veines. Voilà. Ou plutôt voici. Si tu voulais bien oublier cette petite histoire qui t'a tellement nui et qui peut te nuire encore beaucoup, crois-moi, monsieur le gouverneur ainsi que certains de ses amis que j'ai pris moi-même la peine d'aller voir en personne, sont prêts à faire raccourcir ta peine. N'est-ce pas, monsieur le gouverneur?

— Avec une bonne conduite, répondit celui-ci d'une grosse voix bourrue, tout est possible. Nous aimons mieux pardonner que punir.

— Seulement, mon tit gars, reprit le député en baissant un peu la voix, il va falloir que tu joues le jeu. Je ne veux pas que mon bon cœur me retombe sur la tête, comprends-tu?

Il fouilla dans sa serviette:

— J'ai apporté des papiers ici que je te demanderais de me signer comme un grand garçon, et ensuite, monsieur le gouverneur et moi-même...

— Des papiers à signer? fit Maurice en s'approchant.

Turcotte n'eut pas le temps de parer le coup. Maurice avait saisi un cendrier sur le bureau et le lui avait lancé en plein visage. Le garde fit irruption dans la pièce; Maurice reçut un coup de genou en plein ventre et s'écroula sur le plancher.

— Très bien, mon tit gars, balbutia le député en pressant un mouchoir trempé de sang contre sa joue, t'as pas fini de sucer les barreaux de ta cellule, prends ma parole.

Le gouverneur l'aida à sortir de la pièce; il épousetait

nerveusement son habit couvert de cendres et répétait sans arrêt:

— Jeune fafouin! Jeune fafouin sans cervelle!

Trois ans plus tard, Maurice connaissait dix-huit nouvelles façons de se masturber. Sous l'influence de Robert Marcil, il était devenu un amateur féru d'histoire et de science politique, et grâce au poète Platt un patient lecteur de poèmes-fleuves; quelques semaines après son arrivée, il obtint la permission de travailler à l'atelier de ferblanterie de la prison, ce qui lui permit de se faire un peu d'argent. Julie vint le voir quelques fois au début de sa détention, mais ils ne trouvaient plus rien à se dire. Quelque chose s'était détraqué dans le mécanisme délicat de leurs relations; Maurice lui demanda un jour de ne plus revenir et de l'oublier. Il recevait la visite de ses parents tous les quinze jours, mais leur écrivait rarement. Il dormait mal, mangeait mal, se procurait régulièrement de l'alcool par l'intermédiaire d'un gardien et traversait des crises de cafard écrabouillantes. Seule la présence de Robert Marcil, du poète Platt et de quelques autres adoucissait un peu sa peine, bien qu'il s'engueulât souvent avec eux.

Deux mois après son emprisonnement, un nommé Giacomo Roncarelli fit son apparition à Saint-Vincent-de-Paul; c'était un caïd de 280 livres, profondément engagé dans la quarantaine, spécialiste du vol d'automobiles sur une grande échelle; il vit Maurice et le trouva joli. Le lendemain, il lui faisait parvenir deux pots de tabac; le jour suivant, ce fut un jeu de cartes pornographiques et un flacon de cognac, puis un rasoir électrique et une tourtière encore toute chaude avec frites et sauce *barbecue;* Maurice, qui avait été informé de la sorte de cadeau qu'il serait obligé de faire en échange de toutes ces gâteries, les refusa, mais ne put s'empêcher de goûter à la tourtière (la première en trois ans). Le lendemain matin, Roncarelli le fit appeler à sa cellule. Il fit la sourde oreille. Une vie d'enfer commença alors pour lui. On lui volait ses effets, on le bousculait dans les couloirs, personne ne lui adressait plus la parole; ceux qui osaient subissaient le même sort que lui. Un jour à l'atelier, un prisonnier trébucha « par mégarde » en passant près de lui et lui fit une entaille au côté avec une paire de ciseaux. Mal lui en prit, car il se retrouva à l'infirmerie avec une blessure à la gorge et plusieurs contusions. Maurice passa 72 heures au « trou » et en ressortit avec une série d'impressions inoubliables. Sur ces entrefaites, Roncarelli fut transféré de prison et on laissa son « protégé » tranquille. Le poète Platt mit l'histoire en vers:

> Honneur à toi, ô jeune chevalier en tôle
> Qui, plutôt que d'endurer de ces tours non drôles,
> A préféré trancher presque au complet la gorge
> D'un de ces sots dont toutes les prisons regorgent.

Ce fut sa dernière œuvre d'envergure en prison, car il obtint peu après sa libération conditionnelle.

— Je ne sais pas où je vais être quand tu sortiras, dit-il à Maurice en le quittant. Mais fais paraître une petite annonce dans le *Montréal-Matin* et le lendemain, je frapperai à ta porte.

— Quand ils sont sûrs de nous avoir brisé les reins, observa Robert Marcil, ils nous laissent partir avec plaisir. Notre place peut ensuite servir à d'autres.

— Ils ne lui ont sûrement pas brisé l'inspiration, en tout cas, répondit Maurice en souriant.

Robert haussa les épaules et se mit à ricaner.

Maurice avait jaugé depuis longtemps les véritables talents littéraires du poète, mais cela ne l'avait pas empêché d'apprécier sa compagnie; Platt possédait un cœur d'or et, malgré ses airs tragiques, un optimisme indestructible. Robert Marcil, lui, l'avait toujours considéré comme une espèce de fou encombrant. Cependant, malgré ce désaccord, l'influence de Marcil sur son ami grandissait constamment. Ils avaient d'interminables discussions, lisaient énormément, et souvent les mêmes livres, dont le choix dépendait la plupart du temps de Robert; Maurice subissait la lente métamorphose qui fait d'un malheureux incapable de comprendre son sort un autodidacte révolté. Sa lucidité se transformait en frustration et celle-ci servait d'aiguillon à sa curiosité intellectuelle, par un processus où le masochisme le disputait à la soif de comprendre. C'est ainsi que sont bien des Québécois.

Maurice questionnait souvent Robert Marcil sur sa vie passée, mais, chaque fois, son ami lui répondait de façon évasive et changeait de sujet. Un jour, Maurice perdit patience et lui fit remarquer qu'il était bien beau d'avoir des idées de fraternité universelle et de vouloir casser le cou à l'injustice sur tous les continents à la fois, mais que cela ne rimait pas à grand-chose si on se méfiait de tout le monde, y compris de ses amis.

— Je n'aime pas beaucoup parler de ma vie, lui répondit Robert. Ça me donne l'air d'un braillard qui s'imagine avoir reçu tous les malheurs du monde sur la tête.

— Tu ne cours pas ce risque-là avec moi répliqua Maurice, sarcastique.

— Eh bien! voilà, puisque tu y tiens. Mon histoire commence avec des parents pauvres, comme dans *la Porteuse de pain*. Ils ont fait trop d'enfants, évidemment. En faire un seul, c'était déjà un luxe. Ils en ont fait six. J'étais le quatrième. Mon père était cultivateur dans une espèce de trou qui s'appelle Val-Limoges, tout près de Mont-Laurier. Es-tu déjà allé là-bas? Non? Ça va un peu mieux maintenant, depuis que le gouvernement a décidé d'inscrire tout le monde sur le Bien-être social. De toute façon, quand j'ai eu cinq ans, mes parents ont décidé de déménager à Montréal. C'était au milieu de la guerre. La Crise était passée. Les usines manquaient alors d'ouvriers. Nous sommes d'abord restés chez un de mes oncles à Rosemont, car mes parents n'avaient même pas assez d'argent pour se payer un loyer. Puis mon père a loué un taudis de quatre pièces dans le quartier Saint-Henri. Il s'était trouvé de l'ouvrage dans une fonderie, la *Canada Steel,* une très grosse affaire à l'époque. Il a travaillé là-bas vingt et un ans bien comptés. Pour un salaire minable, évidemment, sinon la *Canada Steel* aurait fait faillite et tous les actionnaires seraient morts de faim. Pour l'aider, ma mère prenait des travaux de couture à droite et à gauche; malgré tout, il y avait des jours où on devait se priver de viande parce que le compte d'épicerie avait trop monté. Je me souviens de mon père, à ce moment-là, comme d'un homme plutôt joyeux. Il était fort comme un cheval et passait son temps libre (c'est-à-dire quelques heures par semaine, car on travaillait six jours sur sept à l'époque, et dix heures par jour) à s'occuper des loisirs de la paroisse. Les choses ont vraiment commencé à se gâter quand il est tombé malade. J'avais douze ans, à peu près. Au début, ce n'était que de légers malaises, une sorte de courbature générale, un peu de difficulté à bouger. Mais son mal s'est aggravé rapidement. Le médecin du quartier essayait de nous rassurer, sans conviction. Un jour, ma mère a voulu en avoir le cœur net et elle est allée le trouver à son bureau. Quand elle est revenue à la maison, j'arrivais de l'école. Mon père était à l'usine. Elle nous a pris à part, mes deux sœurs et moi, et nous a annoncé que mon père était très malade, qu'il souffrait d'une sorte de paralysie incurable et qu'il devrait bientôt cesser de travailler; elle nous a demandé de nous montrer très gentils avec lui, même s'il s'emportait souvent depuis quelques mois. Cela se passait au début des années soixante. L'assurance-maladie était encore bien loin, évidemment. Mon père a pu continuer à travailler pendant presque deux ans. Il ne voulait pas lâcher, et je le comprends! Mais le jour où il a dû s'aliter, ça été la déroute. Il est devenu une sorte d'hôpital vivant spécialisé dans presque toutes les maladies et, entre autres, dans une sorte d'asthme terrible. Quand il avait ses crises tout le monde tremblait. Enfin, passons. Comme touche finale à mon petit tableau, je vais te raconter une anecdote. Un jour (il était invalide depuis six ou sept ans; ma mère devait le nourrir à la cuiller) il a été pris d'une quinte de toux tellement forte qu'on a dû faire venir le médecin. Eh bien! sais-tu ce qu'on a trouvé dans les mucosités qu'il venait de cracher?... De la limaille de fer. Un dernier cadeau de la *Canada Steel*.

Maurice demeura silencieux quelques instants.

— Est-ce qu'il est mort longtemps après?

— Penses-tu! On ne quitte pas notre bonne vieille terre comme ça.

— Et toi, qu'est-ce que tu faisais pendant ce temps-là?

— Ma mère m'avait placé dans un collège, qui était tenu par les Oblats. Je leur ai joué le coup classique de la vocation religieuse, style je-me-sens-appelé-depuis-l'âge-de-sept-ans, et je les ai quittés avec un B.A. dans mes poches. La belle affaire! Qu'est-ce qu'on peut faire dans la vie avec un B.A.? Il aurait fallu que je m'inscrive à l'université. Je n'avais pas un sou. Et, d'ailleurs, je n'en avais pas le goût. Alors, je me suis mis à travailler, comme toi, comme bien d'autres.

— À quel endroit?

— Oh! je changeais continuellement de jobines. Je me suis retrouvé un beau jour plongeur au restaurant *Donn's*, sur la rue Sainte-Catherine. Y es-tu déjà entré? C'est un vrai petit chef-d'œuvre. Le type parfait du faux restaurant chic. Les murs sont recouverts de panneaux de velours pourpre « à l'espagnole » et de miroirs encadrés de faux bronze; on enfonce dans le tapis jusqu'aux chevilles; il y a assez de lustres au plafond pour éclairer toute la ville de Montréal. Les portiers ressemblent à d'anciens tueurs en habit de soirée. Et on vous sert là-dedans du mauvais café à 0.40 la tasse, mais avec deux soucoupes par client; les sandwichs arrivent sur la table avec une poignée de chips, une touffe de persil, trois feuilles de salade, et une facture de $1.50. Un restaurant de riches pour pauvres, quoi! Et, au milieu de tout ça, imagine trois patrons, tous gros et gras, rouges et mûrs, toujours en train de japper après les serveuses traitées comme des chiens, tandis que les cuisiniers suent en arrière à $60 par semaine et envoient la moitié de leur paye à leur vieille mère en Grèce. Je pourrais t'en parler longtemps. J'ai travaillé là-bas presque un an. Deux fois par semaine, j'allais suivre des cours du soir à l'université de Montréal (tu comprends que le goût de l'étude m'avait repris!). C'est là que je me suis fait des amis et que tout le reste à suivi, les bombes et tout. Voilà. Maintenant, je te tire ma révérence, et salut.

Son histoire impressionna vivement Maurice. Lui qui s'était toujours senti l'homme le plus malheureux du monde, il en connaissait maintenant un que la vie avait encore moins comblé. Et il devinait tous les autres, cachés dans l'ombre, par milliers, que leur faiblesse, leur naïveté, leurs pauvres envies de bonheur, maintenaient dans une situation dégradante. Il revoyait les grosses femmes bourrées de cellulite qui se berçaient en bâillant sur leur balcon, un Coke à la main, et les ouvriers pleins d'odeurs fortes qui s'engueulaient dans les tavernes, les yeux injectés de sang, le visage déjà flétri à trente ans. L'immense pitié qu'il ressentait pour lui-même s'étendait peu à peu à tous ces gens, un peu malgré lui.

Plusieurs mois passèrent. Robert Marcil se montrait moins méfiant avec lui et travaillait comme un nègre à « parfaire son éducation ». Maurice croyait le connaître sous toutes les coutures, mais il se trompait. Un soir, après s'être minutieusement préparé, Robert Marcil réussit à s'évader, sans que son compagnon se soit douté une seconde de son projet. Pendant une semaine, il s'attendit à le voir réapparaître, l'air plus obstiné et renfermé que jamais, mais on ne le revit jamais. À partir de ce moment, Maurice fut plongé dans une solitude à peu près totale. Ses parents alarmés le voyaient de semaine en semaine s'aigrir et se durcir davantage, sans pouvoir rien y faire.

XIII

Il est sept heures du matin. Quoique bien des gens soient déjà levés à Montréal, un coin de ciel continue d'afficher sans vergogne son mauvais goût et demeure rose-bonbon. L'air est humide et sucré, comme il arrive souvent au mois d'avril. Maurice vient de poser le pied sur un trottoir pour la première fois depuis longtemps. Il s'avance, d'un pas hésitant, ne sachant trop quoi faire de tous ces coins de rues qui lui font des signes contradictoires. Il s'éloigne de Saint-Vincent-de-Paul avec $8.45 en poche et bien résolu à ne pas se montrer chez ses parents avant belle lurette. Et pourtant, il se sent comme un petit garçon de six ans; le souvenir de sa première visite à Montréal lui revient brusquement; sa grand-mère est mourante à l'hôpital, il marche en tenant son père par la main et regarde toutes ces maisons, toutes ces autos, ces milliers de jambes qui vont et viennent autour de lui. Il se sent étourdi, désemparé, et n'arrive pas à comprendre comment font tous ces gens pour retrouver leur maison à la fin de la journée. Un autobus surgit au coin de la rue et s'arrête devant lui. Maurice y monte.

Le prix des billets a dû augmenter, pense-t-il en présentant un dollar au chauffeur.

Eh! oui, le prix des billets a augmenté. Par contre, l'autobus, lui, n'a pas changé. Et les gens, *comme autrefois*, ne vous regardent même pas quand vous avancez dans l'allée. Et le chauffeur, *comme autrefois*, annonce les rues de la même voix ennuyée. Maurice s'assoit, jette un coup d'œil autour de lui, se tourne vers la fenêtre; son trouble diminue peu à peu, sa respiration se libère, il étend ses jambes, se cale dans le siège et promène de nouveau son regard dans la rue; la ville se réveille en grognant dans la lumière bleuâtre du matin; elle ressemble à un vieux fêtard qui vient de passer la nuit sur la corde à linge et essaye de défriper son pantalon taché et son veston plein d'accrocs avant d'aller somnoler au bureau. Maurice la contemple avec un ravissement ému; une envie impérieuse s'éveille en lui; une envie qui l'a torturé des centaines de fois en prison quand il pensait au jour de sa libération. Aujourd'hui, il peut enfin l'assouvir. Il se lève, tire le cordon et descend au coin du boulevard Crémazie et de la rue Saint-Laurent. *Autrefois*, le dimanche matin, quand il demeurait en chambre, son plus grand plaisir était de se lever à l'aube et d'aller déjeuner au restaurant d'en face. L'odeur du bacon grillé, le bavardage étouffé des serveuses, le goût des rôties trempées de café au lait, se mariaient avec le calme étrange de la ville et le plongeaient dans une extase d'ermite. Mais pour l'instant, le voilà planté sur un bout de trottoir, contemplant une horde d'automobiles filant devant lui comme si elles étaient toutes conduites par Steve McQueen. Il hésite encore, jette un dernier coup d'œil à la ronde, se rend d'une traite jusqu'au trottoir d'en face, puis descend lentement la rue Saint-Laurent. Soudain, *l'apparition* jaillit devant lui, derrière une vitrine, ondulant mollement comme une danseuse orientale qui aurait pris du librium:

DEUX ŒUFS AVEC BACON
TOASTS — CAFÉ — CONFITURES
7 HRES — 11 HRES AM: 0.85

L'établissement où chatoie cette aguichante affiche se nomme le *Restaurant des Trois Frères*.

Quand Maurice en ressort, il a pris, coup sur coup, deux déjeuners et laissé stupidement deux dollars de pourboire. Cette avalanche d'œufs, de bacon, de rôties aux confitures et de café au lait l'a raccroché d'un coup au temps réel. Non, ils n'ont pas vraiment réussi à le déraciner malgré ses années de prison; il pense à Julie, au poète Platt, à la chambre qu'il devra se trouver ce soir. Soudain, venant du plus creux de lui-même, l'image de Jerry Turcotte, vêtu d'un complet Florida jaune-pêche, une bouteille de bière à la main, le nez rouge comme un morceau de foie cru, les yeux vides et pétillants — *Cert'nment! Cert'nment! On va s'occuper de toi!* apparaît dans sa tête comme une image de cinérama et le remplit d'une haine profonde, sereine et efficace qui ronronne dans son ventre comme un moteur bien huilé.

Il était debout devant l'entrée du restaurant, encore plongé dans ses pensées, lorsqu'une jeune fille tenant une pile de journaux dans ses bras s'approcha et lui demanda doucement:

— Est-ce que vous croyez au retour du Christ après la consommation des siècles?

Maurice la regarda, étonné. Elle était toute jeune, dix-sept ans à peine, menue et très jolie. De longs cheveux noirs tombaient droit sur ses épaules en luisant discrètement. Elle le regardait avec de grands yeux candides, humides de bonne volonté.

— Non, je n'y crois pas, répondit-il.

Elle lui sourit avec bienveillance:

— En ce cas, est-ce que vous accepteriez que je vous offre ce journal où l'on explique comment se fera son retour?

Et elle lui tendit un exemplaire de *Réveillez-vous!*

— Merci, fit Maurice.

— Est-ce que vous accepteriez que je vous en parle quelques instants, le temps qu'il vous plaira?

— Bien sûr, ça m'intéresse beaucoup, répondit Maurice, dont l'ardeur religieuse augmentait de seconde en seconde.

Les voilà qui marchent en discutant de la possibilité que le Christ revienne sur terre d'ici le prochain hiver.

— Il va réapparaître dans peu de temps, déclare Blandine, car la violence éclate partout, les larmes et le sang coulent jusque dans notre pays. Or les larmes, le sang et la violence sont des signes de la venue du Christ; la Bible nous le répète plusieurs fois. Le croyez-vous?

— Oui, bien sûr, mais je me sens un peu fatigué. Que diriez-vous d'aller prendre un café quelque part?

Blandine Moineau hésite:

— C'est que j'ai beaucoup de journaux à distribuer et que...

— Mais peut-être que le Christ, répond Maurice avec un sourire malicieux, n'a pas voulu que vous rencontriez d'autres personnes que moi aujourd'hui. Peut-être que c'est à moi seul que vous devez faire du bien aujourd'hui.

Blandine reste silencieuse et réfléchit profondément.

— Venez avec moi, dit-elle, je demeure tout près d'ici.

Elle occupe une toute petite chambre sur la rue Tolhurst, près d'un grossiste en matériel de bureau.

— Le quartier est laid, ajoute-t-elle, mais les loyers sont bas et après six heures, tout est silencieux. Est-ce que vous demeurez loin d'ici?

— Je ne demeure nulle part. Je sors de prison.

Blandine Moineau se retourne brusquement. Une grande joie l'envahit. Oui, le Christ a voulu qu'elle rencontre cet homme aujourd'hui et qu'elle lui fasse du bien.

— Vous n'avez pas de parents? lui demande-t-elle en souhaitant ardemment qu'il n'en ait pas.

— Mes parents demeurent au Lac Saint-Jean et je ne veux plus les voir.

Elle a de la peine à contenir sa joie.

— Et pas d'argent?

— $3.85, pas un sou de plus.

Elle lève discrètement les yeux au ciel:

— Merci, merci, Jésus.

Ils montent l'escalier qui mène à sa chambre. Elle loge au quatrième étage.

— Vous allez demeurer chez moi tant que vous n'aurez pas trouvé d'emploi. Et je vais vous donner de l'argent.

Ce disant, elle ouvre la porte. La pièce est toute petite, mansardée, avec une immense fenêtre ornée de rideaux jaunes par où se déversent des flots de soleil. Les murs sont recouverts d'un papier-tenture bleu pâle. En face de la porte, une immense reproduction du saint suaire de Turin fixe les visiteurs et semble leur dire:

— De grâce, les amis, remontez-moi le moral!

Sous la fenêtre se trouve le lit orné de coussins; à côté, une petite chaise et une table où elle prend ses repas. La table est recouverte d'une nappe à fleurs bleues sur laquelle trône une immense Bible, près d'un pot de violettes africaines. Une demi-cloison sépare la cuisinette de la chambre. Le

116

plancher de bois franc, recouvert de trois carpettes, brille comme un sou neuf. Un fauteuil décoloré se dresse dans un coin près d'une bibliothèque vitrée. Blandine y dépose ses journaux.

— J'ai un sac de couchage et des couvertures de laine, dit-elle. Je dormirai dedans et vous pourrez coucher dans mon lit. Avez-vous faim? Je vais vous faire à manger.

Elle papillonne dans la chambre, sourit à Maurice, déplace des objets, babille; elle est ravie de la bonne idée qu'a eue le Christ de lui faire rencontrer un si joli jeune homme. La voilà devant l'évier en train de laver une casserole pour faire chauffer de la soupe. Maurice l'observe depuis un moment; il avale sa salive et s'approche d'elle à pas feutrés, l'enlace doucement et la fait pivoter. Elle se raidit un peu, mais ne proteste pas. Il pose les lèvres sur sa joue, ses yeux, sa bouche, envahi par un trac immense qui lui enlève presque tout son plaisir.

— Comme ça fait longtemps! Est-ce que je vais pouvoir?

Blandine l'enserre de plus en plus fortement; elle le couvre de baisers, sa main se promène sur son visage et son cou.

La soupe bout sur le poêle avec un petit bruit mélancolique. Bientôt, en effet, elle ne sera plus que vapeurs inutiles. Et pendant que trois ans de continence forcée prennent fin dans les consolations de la religion, le vieux rentier qui habite la chambre d'à côté délace une de ses bottines et frappe contre le mur en grommelant:

— Salope! Fille de vie! Pas capable de laisser le vieux monde tranquille! Va te faire mettre ailleurs si tu ne peux pas te retenir!

— Peux-tu me prêter un peu d'argent, Blandine? demande Maurice en repoussant son assiette. Il faut que j'aille placer une annonce dans le *Montréal-Matin* avant trois heures.

— Bien sûr, fait-elle en souriant.

Elle se rend à sa garde-robe, ouvre un carton, en tire une petite boîte de fer-blanc et revient avec un billet de dix dollars.

— Merci beaucoup.

— Ce n'est pas moi qu'il faut remercier, répondit-elle d'un air grave.

Il s'habille et l'embrasse. Elle lui tend une clef:

— Je ne serai probablement pas ici quand tu vas revenir. Il faut que je finisse de distribuer mes journaux avant la nuit.

Le lendemain matin vers dix heures, quelqu'un donne un formidable coup de poing dans la porte de la chambre.

— Qui est là? s'écrie Blandine en se dressant dans son lit.

— Un poète, madame, fait une voix sur le palier.

Maurice saute du lit et enfile son pantalon à toute vitesse.

— J'arrive, crie-t-il au poète, tout joyeux.

Blandine s'est recouchée, les couvertures ramenées au menton; elle regarde Maurice, un peu effrayée.

— Habille-toi, je vais lui parler sur le palier.

Il court ouvrir la porte.

— Ah! mon pauvre ami! s'écrie le poète en ouvrant les bras.

Ils se donnent une longue accolade, échangent quelques mots en riant, les larmes aux yeux, puis Blandine vient les retrouver.

— Mes hommages, mademoiselle, fait le poète en s'inclinant profondément devant la jeune fille tout intimidée.

Elle l'invite à entrer et se retire dans la cuisinette pour préparer le café.

— Eh bien! qu'est-ce que tu fais à présent? demande Maurice à son ami.

— Hé quoi! la même chose que toujours, répond le poète avec un large sourire. Depuis ma sortie de...

Il s'interrompt, jette un coup d'œil à Blandine.

— ... enfin, depuis quelque temps, j'ai publié trois recueils.

— Ah oui? Et avec quel argent?

— Avec le mien, soupire-t-il, comme d'habitude. Je travaille comme gardien de nuit chez *Kraft* à Lachine. J'ai beaucoup de loisirs là-bas, parmi les fromages. Alors, comment repousser l'inspiration quand elle se jette à notre tête, pour ainsi dire? J'ai aussi une autre source de revenus (il s'agit plutôt d'un filet pour être exact), je travaille à la pige pour la collection *Chefs-d'œuvre éclairs*. Tous les quinze jours, on me remet un roman de Balzac, de Zola ou de n'importe qui, et je dois le réduire à 5,000 mots, et tout ça pour $30. C'est un salaire de famine, je le sais, mais, au moins, je fréquente les beaux esprits.

Blandine verse le café et s'assoit un peu à l'écart; elle écoute le poète, tout ébahie. Platt louche à tout moment de son côté. À son air, on voit bien qu'elle lui a fait bonne impression. Bientôt, il n'y tient plus et se tourne carrément vers elle:

— Permettez, mademoiselle, qu'en hommage à votre beauté je récite un court poème de mon dernier recueil.

— Eh bien! mon vieux, s'écrie Maurice en riant, il n'y a pas à dire, tu pratiques la galanterie du Grand Siècle!

Platt se cambre sur sa chaise et prend son inspiration; son visage devient solennel:

DIFFORMITÉ

Un homme orné d'un nez énorme
Se promenait en soupirant
Songeant que sa nasale forme
L'empêchait, las, d'être un amant.

Chaque femme qu'il approchait
Pour lui donner un doux baiser
Vite au ciel s'envolait,
Embrochée par son nez.

Etc., etc.

— Eh bien! qu'est-ce que vous en pensez? demande-t-il, dix minutes plus tard.

— C'est... très bien, balbutie Blandine.

— Je vous dédicacerai un recueil. Il y a cet autre poème aussi, qui est une sorte de méditation sur un des plus grands maux du siècle:

Nuit. La neige molle tombe et tombe,
Elle s'amoncelle sur le sol,
Elle s'amoncelle sur la tombe
De la victime de l'alcool.

Maurice tambourine sur la table. Il n'ose pas interrompre son ami, qu'il n'a pas vu depuis trois ans et dont il contemple avec tristesse les traits un peu vieillis. Blandine fixe le poète avec des yeux immenses, tout en se demandant si la grâce de Dieu va lui permettre de retenir indéfiniment ses bâillements. Mais Platt s'arrête enfin, enchanté par son public; il décide de payer le dîner et descend chercher une pizza.

— Mais c'est du véritable soleil d'Italie en pâte! s'exclame-t-il, la bouche pleine.

— Dis-moi, Platt, où demeures-tu présentement? demande Maurice.

— Au carré Saint-Louis, rue Laval. Viens chez moi. Je te dédicacerai mon dernier recueil. L'invitation s'adresse également à vous, mademoiselle, bien entendu.

— On va partir tout de suite, si tu veux. J'ai à te parler. Je reviendrai te voir, ajoute-t-il en se retournant vers Blandine.

Il lui caresse la main, avale une dernière bouchée et se lève.

— Pourquoi ne veux-tu pas qu'elle vienne? lui demande Platt dans l'escalier.

— J'ai à te parler.

Quelques instants plus tard, Blandine descendait silencieusement derrière eux. Elle les regarda s'éloigner au bout de la rue d'un air mélancolique. Platt faisait de grands gestes en montrant les édifices. Elle attendit qu'ils disparaissent, laissa échapper un profond soupir et remonta lentement chez elle. Le saint suaire la regardait, plus déprimé que jamais. Blandine s'agenouilla devant lui et se mit à prier, puis, se relevant d'un bond, elle enleva sa robe et ses sous-vêtements et se caressa doucement contre lui. Au bout d'un moment, un long frisson lui secoua les épaules. Elle s'étendit alors sur son lit et s'endormit aussitôt, un sourire triste aux lèvres.

XIV

Quand Maurice eut fini de lui décrire son projet, le poète Platt avala sa salive à plusieurs reprises, incapable de parler.

— Mais... mais... c'est insensé... c'est très dangereux! balbutia-t-il au bout d'un long moment.

— C'est dangereux, répliqua Maurice, mais très faisable si nous prenons nos précautions. Vois-tu, Platt, il m'a volé trois ans de ma vie, et il doit me les restituer.

— Mais comment restituer du temps, mon ami? Le temps est une substance abstraite, transitoire, impalpable. Certains astrologues l'appellent la Rose de la Vie. Moi-même, dans un de mes poèmes, je l'ai nommé le Citron éphémère, car il est souvent amer, hélas! et passe vite.

— Bon! voilà que tu te perds encore dans tes idées!

— Pardon, je suis loin de m'y perdre, répliqua Platt, offusqué. Nous autres, poètes, voyons des réalités qui vous échappent à vous, citoyens ordinaires, et c'est pourquoi...

— Platt, quand il m'aura remis la somme que j'ai l'intention de lui demander, tu verras que ça se rattrape, du temps. L'argent, c'est un raccourci. Et j'en ai besoin d'un. Et j'ai besoin de toi pour réussir.

Platt secoua la tête:

— Je ne peux pas t'aider. Je ne suis qu'un écrivain et non mille autres choses. D'ailleurs, je ne veux pas retourner en prison.

Maurice garda le silence pendant quelques instants, puis se composant un air grave, il se leva et se dirigea vers la porte:

— Dans ce cas, déclara-t-il, je m'étais trompé sur ton compte. Salut.

Il tourna la poignée.

— Reste! s'écria le poète en s'élançant vers lui pour le retenir. Très bien! Tu as gagné! Je ferai tout ce que tu voudras. J'imprimerai de la fausse monnaie, je volerai des bornes-fontaines, je poignarderai des religieuses, s'il le faut. Est-ce que ça te suffit?

Maurice sourit:

— J'ai surtout besoin d'argent. En as-tu?

— J'ai 3,987 exemplaires de *Soupirs dans l'espace*, plus 6,400 différents autres recueils. J'ai $3.27. Je gagne $54.80 par semaine. Voilà tout ce que j'ai.

— Il me faut de l'argent, reprit Maurice, beaucoup d'argent.

— Combien?

— Deux mille dollars, plus une automobile, plus des armes, plus deux autres gars pour m'aider.

— Où trouver tout ça? soupira le poète. Aussi bien chercher des éventails au pôle Nord.

Ils continuèrent à discuter très tard dans la soirée, sans rien trouver. Maurice coucha chez son ami ce soir-là, malgré la répugnance que lui inspiraient les piles d'assiettes sales qui s'élevaient ici et là avec des odeurs étranges, et les chaussettes pleines de sueur qui traînaient dans toutes les pièces.

Le lendemain, il se réveilla à sept heures, l'estomac tiraillé par la faim. Il ouvrit la porte du réfrigérateur. À part une vieille pomme de salade qui achevait de pourrir dans son jus, les tablettes étaient vides. Les armoires regorgeaient de spaghetti et de pois secs, mais il n'y avait rien pour les apprêter. Le poète Platt ronflait dans sa chambre minuscule, encombrée d'invendus. Maurice décida d'aller déjeuner chez Blandine, s'habilla et sortit. En se dirigeant vers la station de métro, il passa devant une cabine téléphonique. Une impulsion le saisit. Il se précipita dans la cabine et se mit à consulter fébrilement le bottin.

— Est-ce que je pourrais parler à Julie? demanda-t-il, le cœur battant.

Une voix de femme lui répondit qu'elle ne demeurait plus chez ses parents depuis deux ans; après avoir longuement insisté, il apprit qu'elle habitait maintenant New York, où elle suivait un cours en traduction simultanée. Non, personne ne savait quand elle reviendrait.

122

— Petite putain! marmonna-t-il en raccrochant violemment le récepteur, tu viens de me sortir de la tête pour longtemps.

Blandine le reçut en robe de chambre, une tasse de café à la main. Elle se considéra comme choyée par le ciel quand Maurice lui demanda à déjeuner. Pendant qu'elle s'affairait dans la cuisinette, il se mit à lui décrire son séjour en prison. Elle avait le dos tourné et gardait le silence. Quand elle vint lui porter son assiette, ses yeux étaient pleins de larmes.

— Le Christ nous aime parfois d'une façon bien cruelle, murmura-t-elle d'une voix tremblante, mais son amour est une bénédiction.

Maurice avala l'omelette à toute vitesse et, cinq minutes plus tard, le vieux rentier avait de nouveau délacé sa bottine.

À cinq heures, il descendit s'acheter *La Presse* et se mit à parcourir les offres d'emploi. Il avait fait des calculs. Il lui fallait un minimum de $2,500 pour réaliser son projet. Personne ne pouvait lui prêter l'argent. Blandine était aussi pauvre que le poète Platt; il ne voulait pas s'adresser à ses parents. Restait le vol, mais c'était là un moyen hasardeux. Alors, il travaillerait et se vengerait du député avec ses économies. Il encercla trois offres d'emploi et, le lendemain, dès sa première entrevue, on l'engageait comme manutentionnaire dans une maison d'édition de Ville d'Anjou, au salaire de $51.80 par semaine. Son travail commençait immédiatement. On lui accordait une demi-heure pour dîner. Il en profita pour calculer le nombre de semaines qui lui seraient nécessaires pour amasser ce fameux $2,500. Le total lui mit les larmes aux yeux.

— Jamais je ne pourrai attendre tout ce temps-là, dit-il au poète Platt en soupant chez lui ce soir-là.

Son ami le regardait d'un air peiné:

— Comment procéder sans argent? soupira-t-il en essuyant ses doigts sur un coin de nappe. Sans argent, une mère ne peut même pas allaiter son enfant, du moins longtemps... Je... je vais retarder la parution de mon prochain recueil, proposa-t-il courageusement.

— Cela nous donnerait combien?

— Je ne sais pas, $250 peut-être.

— Alors, ce n'est pas la peine, Platt, je trouverai bien un autre moyen.

— Les petits ruisseaux font pourtant les grandes rivières, remarqua le poète d'un ton sentencieux.

Maurice se creusa la tête pendant trois jours sans rien trouver. Il était presque résolu à demander l'aide de ses parents lorsque la chance lui sourit. En revenant de son travail un soir, il se trouva nez à nez avec madame Tremblay dans un wagon de métro.

— Bon saint Joseph! Que..que faites-vous ici? bafouilla-t-elle, le visage cramoisi.

Son sac à main glissa sur le plancher. Maurice la regardait avec un large sourire:

— Votre patron se porte bien, j'espère?

— Doux Jésus..très bien, oui, très bien. Depuis quand êtes-vous... sorti?

— Depuis une semaine.

— Une semaine! Tout ce beau temps de perdu! A-t-on idée? Heureusement, vous êtes encore jeune.

— Encore un peu.

Elle regardait à gauche et à droite, d'un air agité, pour voir si on les écoutait.

— Je... je veux vous parler dans le particulier, souffla-t-elle en le prenant par le bras.

— Ah oui? Et à quel sujet?

— Je ne peux rien vous dire ici, voyons. Soyez bon, je vous en prie, et venez chez moi.

— Sûrement pas. Je l'ai assez vu, lui, vous ne trouvez pas?

— Mais non, mais non, reprit-elle, de plus en plus nerveuse, pas chez lui, chez moi, dans ma maison; je demeure sur la rue Beaubien.

Le métro s'arrêtait. Elle le prit par la taille et l'entraîna dans la foule.

— Venez avec moi, je ne vous ferai pas de mal, bien au contraire! Je vous le jure sur la tête de ma pauvre mère défunte!

Madame Tremblay habitait une minuscule maison de briques à deux étages, plantée au milieu d'un carré de pelouse encombré de saules pleureurs, paradis des araignées; une clôture de broche à poules, haute de cinq pieds, entourait complètement la propriété et lui donnait un aspect campagnard quelque peu étrange. Maurice remarqua que la maison penchait curieusement vers l'arrière. Madame Tremblay poussa une vieille barrière grinçante et ils pénétrèrent bientôt dans la cuisine. C'était une pièce qui ressemblait beaucoup aux cuisines d'autrefois, avec ses murs vert pâle, ses armoires gratte-ciel, son évier double où l'on aurait pu prendre un bain, son réfrigérateur jauni, astiqué comme s'il devait partir en parade, et son immense poêle à deux ponts. Elle lui tira une chaise.

— Ayez la bonté de vous asseoir. Je vais tout vous expliquer.

Elle s'assit en face de lui et se croisa les mains sur les genoux, dans un geste de religieuse.

— Je veux essayer, dit-elle, dans la mesure du possible, de vous dédommager pour le mal que je vous ai fait.

— Quel mal m'avez-vous fait?

— J'étais au courant de tout, mon pauvre monsieur, me comprenez-vous? De tout. Il ne me cache jamais rien. Quand il parle, c'est comme si j'étais sourde. Si je n'avais pas failli à la grâce, je serais allée trouver le juge et c'est lui qu'on aurait mis en prison à votre place.

— Il vous avait intimidée, je suppose?

— Intimidée? Intimider n'est pas le mot, Seigneur Doux Jésus! Quand il a vu que je ne me gênais pas pour critiquer ses façons d'agir, il a menacé de faire maltraiter mon mari à Saint-Jean-de-Dieu, où on n'est déjà pas en paradis, je vous assure; puis il a menacé de faire brûler ma maison et même de me faire arrêter... pour complicité! Comprenez-vous ça? La veille du procès, j'ai dû passer la nuit chez lui et il m'a fait répéter mon témoignage jusqu'aux petites heures du matin. Et je ne vous parlerai pas de quelle façon il se comporte avec moi depuis toujours. Vous rougiriez si une personne de mon âge et de ma condition vous racontait des choses pareilles.

Aussi, je le crains comme le diable en personne, et il le sait et on dirait que ça lui plaît et que c'est pour cette raison qu'il me protège, moi et mon pauvre mari.

— Pourquoi ne partez-vous pas?

— J'accomplis mon devoir d'épouse, répondit-elle en baissant les yeux. Il est un peu fou, vous savez, son humeur change comme le vent. À onze heures, il me donne des coups de pied au derrière et à onze heures cinq, il m'appelle à son bureau et m'offre un chèque de cinq cents piastres « pour mon pauvre mari ». Depuis son entrée là-bas, vous ne pouvez vous imaginer tout le bien qu'il lui a fait, et de toutes les façons; mais il serait capable de le faire mourir à petit feu si jamais je quittais mon emploi.

— Je le déteste, murmura Maurice entre ses dents.

— Il ne faut pas parler ainsi, mon petit monsieur, le Christ en croix a souffert bien plus que vous et moi ensemble, et pourtant il a pardonné. La haine engendre le malheur, et jamais autre chose. Y avez-vous songé?

— Oh, pour y songer, j'ai eu amplement le temps!

— Est-ce que vous travaillez, présentement? lui demanda-t-elle avec des larmes dans la voix.

Maurice haussa les épaules:

— Si on veut. J'ai une jobine. Cinquante dollars par semaine.

— Je veux réparer ma faute, dit-elle avec force en lui prenant la main. Que voulez-vous que je fasse pour vous? Avez-vous besoin d'argent?

Maurice la regarda, interdit.

— Je peux vous donner de l'argent, reprit-elle, pressante. Ah! je le sais, l'argent, ce n'est pas la jeunesse, mais ça console un peu de vieillir. De combien avez-vous besoin?

— Ce n'est pas vous qui devriez m'en donner, c'est lui.

— Mais il ne vous donnera jamais un sou, mon pauvre petit monsieur, mettez-vous ça dans la caboche une fois pour toutes! C'est encore beau que vous ayez pu sortir de prison. Eh oui! je la connais l'histoire du cendrier, vous savez. Les pommiers pousseront les racines en l'air avant qu'il vous donne une miette de pain. C'est ainsi. Du reste, c'est son argent que je vais vous donner, ce n'est pas le mien. Allez, combien voulez-vous?

Maurice hésita.

— Il me faut... beaucoup d'argent, dit-il enfin.

— Combien? Cinq mille piastres? Six mille? Toutes mes économies sont à vous.

Maurice la regardait, incrédule.

— Venez avec moi, fit-elle en se levant.

Ils montèrent au deuxième étage. Madame Tremblay se rendit au fond d'un corridor et poussa une porte qui donnait sur une chambre immense, plongée dans la pénombre. Maurice crut distinguer des rangées de pots remplis d'une substance brune, vaguement luisante.

— Mais entrez, fit-elle en se retournant vers lui.

Elle pressa l'interrupteur. Il resta cloué sur le seuil, le souffle coupé. Des rangées de tablettes couvraient les murs jusqu'au plafond, chargées de pots de cennes noires, de ces pots énormes que les charcutiers empilent dans leurs vitrines pour faire admirer leurs piments tordus et leurs cornichons géants. Il y en avait peut-être mille, peut-être plus; leur poids énorme faisait plier les tablettes, le plancher lui-même en était incurvé. Madame Tremblay allait et venait dans la pièce, toute rouge de fierté:

— Y a de l'argent là-dedans, mon petit monsieur, croyez-moi!

— Mais pourquoi tous ces pots? La maison va s'affaisser!

— Elle tiendra le coup. En trente ans, elle a eu le temps de s'habituer, vous savez. D'ailleurs, j'ai fait installer des madriers de soutien dans la pièce d'en dessous. La maison s'est un peu inclinée vers l'avant depuis deux ans, mais les *spécialisses* m'ont assurée que je n'avais rien à craindre.

— Pourquoi gardez-vous tout cet argent en cennes noires?

— Par bon sens, monsieur. Je ne suis plus qu'une vieille femme, je ne pourrai pas toujours travailler et mon mari aura besoin de soins jusqu'à sa mort; alors il me faut des réserves. J'ai quinze mille dollars ici. Qui peut me les voler? Qui peut me les brûler? Qui peut me les dévaluer? Personne.

Une barre de cuivre sera une barre de cuivre jusqu'à la fin du monde. Mon argent court moins de danger ici qu'à la banque. Je n'avais pas 17 ans quand j'ai commencé à garder mes sous dans un pot. Au début, c'était une sorte de jeu. Mais ensuite, la vie m'a fait comprendre. Maintenant, je ne suis plus qu'une vieille femme, mais j'ai quinze mille dollars et je peux vous aider, je peux réparer ma faute. Combien voulez-vous?

Maurice sentait les larmes lui monter aux yeux.

— Je ne veux rien, répondit-il à voix basse.

Elle le saisit par les épaules et le secoua durement:

— Comment, vous ne voulez rien! Espèce de petit niaiseux! On veut lui rendre justice et il fait la fine gueule. Est-ce que vous vous rendez compte de votre situation? Quand on a un casier judiciaire, trouver un bon emploi c'est plus difficile que de manger de la tarte aux pommes, mon jeune monsieur! Vous allez prendre ce que je vous donne, sinon je vous jette par la fenêtre, et je vous lance tous mes pots par la tête!

Maurice arriva en trombe chez le poète. Platt était assis dans la cuisine avec un grand jeune homme maigre, pâle, chauve et laid, en train de dévorer un immense sandwich aux oignons crus; son haleine empestait toute la pièce.

— Platt! j'ai trouvé! j'ai trouvé ce qu'il nous fallait!

— À la bonne heure! Laisse-moi te présenter à mon cousin Honoré-Félicien Paradis.

Honoré-Félicien se leva avec un large sourire et lui serra longuement la main.

— Il est muet, souffla le poète. On a dû lui enlever les cordes vocales à cause d'un cancer. Par contre, c'est une fine oreille.

Honoré-Félicien Paradis, que tout le monde (en son absence) surnommait le Cancéreux, était âgé de vingt-cinq ans. Quatre ans plus tôt, il s'était inscrit à l'Université de Montréal en pharmacie et faisait de brillantes études lorsque la maladie l'obligea à tout abandonner. Depuis lors, il vivotait tant bien que mal d'une pension d'invalidité et d'un petit héritage que ses parents lui avaient laissé. Maurice n'osa pas protester lorsqu'il se leva pour les suivre chez madame Tremblay; il l'observa plusieurs fois à la dérobée dans le métro; le Cancéreux portait régulièrement un mouchoir à ses lèvres, l'examinait en soupirant et le replaçait dans sa poche. Le reste du temps, il souriait aimablement, suivait la conversation ou contemplait les jeunes filles qui se trouvaient dans le wagon.

— Enfin! voilà un garçon raisonnable, s'écria madame Tremblay en serrant Maurice dans ses bras. Je vais vous préparer à souper; ensuite, nous roulerons nos rouleaux. Il faut qu'ils servent à ton avenir, lui dit-elle en le tutoyant tout à coup. As-tu des projets?

— Je veux m'ouvrir une librairie, répondit Maurice qui s'était préparé à cette question.

— Une librairie? C'est bien, ça. Voilà un commerce distingué. Je te donne cinq mille dollars, et je te défends même de penser à les refuser. Si tu en manques, viens me voir, c'est le bon Dieu qui te l'ordonne.

Le poète Platt, fort comme un bœuf, transportait quatre pots à la fois. Maurice se contentait d'un seul et trouvait l'escalier raide. Le Cancéreux assemblait les rouleaux avec une habileté de caissier. Madame Tremblay, qu'on avait mise au courant de son état, le gavait de lait au miel chaud.

— C'est suprême pour la gorge, affirmait-elle d'un air impératif.

Malgré ses manières un peu brusques, elle n'avait rien d'une femme autoritaire; c'est le plaisir qui la rendait ainsi. le plaisir de faire du bien et de briser la monotonie de ses vieux jours.

À deux heures du matin, on avait roulé $790.50 et tout le monde tombait de sommeil. Madame Tremblay leur offrit l'hospitalité pour la nuit. Malgré ses protestations visuelles, le Cancéreux hérita de son lit, tandis qu'elle se contentait d'un vieux divan, après avoir installé Platt et Maurice sur des lits pliants.

— À quelle heure voulez-vous que je vous réveille? leur demanda-t-elle.

— Le plus tard possible, répondit Maurice.

— Tu ne travailles pas demain matin?

Maurice fit signe que non:

— Ce n'était pas un bon emploi. Et d'ailleurs, il faut bien que je m'occupe de cette librairie, après tout.

Le surlendemain, vers trois heures de l'après-midi, un camion de la Brink's s'arrêta devant la maison, au grand étonnement de tous les voisins. Le chargement dura une heure. On aurait cru que le camion allait s'enfoncer dans la rue.

— Il tire sur ses derniers milles, remarqua le chauffeur en démarrant; je serais pas surpris qu'il nous lâche en route.

En arrivant près d'une succursale de la *Banque Royale,* rue Beaubien, il passa par mégarde dans un trou et brisa un amortisseur. Le gérant de banque leva les bras en l'air et refusa de changer plus de quatre cents dollars. Il leur fallut se rendre à une douzaine d'établissements avant de pouvoir vider leur cargaison. L'essieu arrière était chauffé à blanc; une traînée de fumée noire s'allongeait derrière le camion.

— C'est pas grave, dit le chauffeur à Maurice, ils le feront réparer. Sont riches. Transportent ça à longueur d'année, de l'argent.

À cinq heures, Maurice ouvrait un compte à la caisse Saint-Robert-de-la-Servitude. Platt l'attendait dans la rue avec le Cancéreux.

— Eh bien! mon vieux, on est prêt pour l'action, maintenant, s'écria Maurice en lui flanquant une vigoureuse claque dans le dos.

Le poète voulut protester contre ces façons cavalières, mais une violente quinte de toux l'en empêchait. Le Cancéreux, qui marchait derrière eux, souriait d'un air entendu. Il avait tiré ses conclusions depuis longtemps.

— Messieurs, je vous invite à venir vous restaurer chez moi, fit le poète, en espérant que Maurice se chargerait des frais du repas.

Celui-ci déclina l'invitation, car il avait une course à faire.

— Ah bon! fit l'autre, et sa mine s'allongea.

— Pendant que j'y pense, reprit Maurice, n'oublie pas de remettre ta démission chez *Kraft,* car on a du pain sur la planche, je t'assure.

— Mais il faut que je gagne ma vie, moi! objecta le poète, de plus en plus dépité.

Maurice les regarda d'un air bravache:

— Cessez de vous inquiéter, je m'en charge de vos petites vies.

Sur ces mots, il les quitta et se rendit à l'appartement de Blandine. Elle était absente. Deux jours par semaine, elle travaillait comme secrétaire chez un importateur de pacotilles orientales de la rue Saint-Laurent.

Quand elle rentra, Maurice dormait. Elle laissa glisser sa robe sur le plancher en couvrant son ami de regards amoureux et se glissa contre lui. Il se réveilla aussitôt, d'excellente humeur.

— Ah! Seigneur... Seigneur! soupirait-elle d'une voix défaillante, la tête plongée dans son oreiller qui lui semblait doux comme les blancs nuages où les anges posent leurs pieds immaculés.

Ils dormirent un peu, puis Maurice la réveilla:

— Blandine, dit-il, j'aimerais que tu viennes avec moi demain pour m'aider à choisir un appartement.

— Un appartement? Pour qui?

— Pour moi.

Son visage s'attrista:

— Tu ne te trouves pas bien ici?

— Mais oui, voyons. Mais j'aurai bientôt besoin d'un appartement beaucoup plus grand.

Elle le regarda, intriguée, puis se leva et commença à préparer le souper, pendant qu'il s'étirait dans le lit en bâillant. Le repas terminé, ils se rendirent chez le poète Platt, qu'ils trouvèrent en pleine crise d'inspiration.

— Laisse tes papiers, lui dit Maurice, on s'en va rendre visite à madame Tremblay.

— Impossible, répondit le poète, je dois terminer le prologue de mon prochain recueil. Écoutez-moi ça. Il s'avança au milieu de la cuisine, un paquet de feuilles raturées à la main:

> *Le jour est mort. Déjà le soir*
> *Tombe sur nous, car il fait noir.*
> *Le vieux gardien, plein de frayeur,*
> *Voit apparaître la noirceur.*
> *Il marche dans les corridors,*
> *Parfois au sud, parfois au nord,*
> *Ou bien alors, d'après les salles,*
> *Selon un sens occidental.*

Madame Tremblay les reçut en robe de chambre, le visage luisant de crème de nuit:

— Sapristi! qu'est-ce qui vous amène à cette heure-ci?

— Excusez-moi, madame, fit Maurice, je ne croyais pas que vous étiez déjà au lit. On reviendra demain.

— En voilà une idée! Entrez tout de suite, je suis dans un courant d'air.

Maurice lui présenta Blandine.

— Elle est jolie comme tout, votre amie, déclara la bonne femme en souriant. Je suis sûre qu'elle fera une bonne libraire.

Elle les fit asseoir au salon et revint avec du café et des biscuits secs. Maurice lui parla quelque temps de son projet de librairie, puis, mine de rien, se mit à la questionner sur les habitudes de Jerry Turcotte, ses amis, les endroits qu'il fréquentait, pendant que le poète Platt, assis dans un coin, griffonnait dans un calepin et comptait sur ses doigts. Emportée dans un flot de récriminations contre son patron, elle lui fournissait tous les renseignements qu'il voulait.

— Mais pourquoi me posez-vous toutes ces questions? lui demanda-t-elle tout à coup.

— Comme ça, par curiosité.

— Une grande entreprise, déclara le poète d'un air mystérieux, nécessite des moyens adéquats.

Madame Tremblay s'approcha de Maurice et lui mit la main sur l'épaule:

— Si j'étais à votre place, j'oublierais ce pauvre homme et je ne penserais qu'à rebâtir ma vie.

— Contrôle tes élans, Platt, fit Maurice en revenant au carré Saint-Louis. Si jamais elle devine quelque chose, tout est foutu.

— Bon, ça va, ça va.

— Demain matin, tu viendras avec moi, on va aller faire une promenade du côté de chez Turcotte pour vérifier si notre bonne dame dit toujours la vérité.

— Je ne savais pas que faire la révolution était si désagréable, marmonna le poète d'un ton maussade.

Blandine les écoutait, perplexe; plusieurs fois, elle fut sur le point de les questionner, mais une crainte obscure la retenait. Il était presque une heure lorsqu'ils arrivèrent sur la rue Laval. Assis dans l'escalier, le Cancéreux leur faisait signe de la main.

— Il ne se couche donc jamais? fit Maurice en l'apercevant.

— Il vient souvent me voir la nuit quand son mal l'empêche de dormir. Alors, je lui lis des poèmes.

— Voilà un acte d'humanité, observa Maurice d'un air malicieux.

Le Cancéreux s'avança vers eux en souriant. Sous les rayons du réverbère, il semblait plus pâle que jamais.

— Alors, ça ne va pas, mon vieux? lui demanda le poète avec bonhomie.

Le Cancéreux porta la main à sa gorge et, sans quitter son sourire, fit un signe d'impuissance. Blandine fouilla dans son sac à main:

— Je crois qu'il me reste des pastilles contre la toux, dit-elle. Est-ce que je peux vous en offrir?

D'un geste gauche, il en accepta une, la laissa échapper, se pencha et la mit dans sa bouche. Platt les fit entrer.

— Pourquoi ne parle-t-il pas? souffla Blandine à l'oreille de Maurice.

Il lui glissa quelques mots à voix basse. Elle porta brusquement les mains à sa bouche.

— Qui veut du thé? demanda le poète en bâillant.

Ils s'attablèrent dans la cuisine et la conversation se mit à rouler sur le projet de Maurice. Le poète Platt gesticulait:

— Comment enlever quelqu'un sans la moindre petite arme?

— Des armes? fit Maurice. Rien de plus facile à trouver.

— Des carabines, oui, j'en conviens, mais il faut des mitraillettes, des grenades, peut-être même une petite bombe ou deux. Che Guevara le conseillait, en tout cas.

— Bon, te voilà encore parti en ballon!

Le Cancéreux se leva, fit un geste d'apaisement à leur intention, les salua et sortit.

— Parfois le mal le laisse, remarqua le poète d'une voix pleine de pitié. Il court alors dormir un peu. C'est un triste sort, soupira-t-il, que de vivre sur la croûte terrestre.

Tout le monde était fatigué; Maurice et Blandine se levèrent à leur tour.

— Dormez bien, lança Platt sur le seuil de la porte. Quant à moi, ajouta-t-il en brandissant des feuilles, ma nuit commence à peine.

Lorsqu'ils furent seuls dans la rue, Blandine se retourna vers Maurice:

— Dis-moi: qu'est-ce que vous préparez au juste?

— Je voulais t'en parler depuis longtemps, mais je ne trouvais pas les mots.

Et d'une voix mal assurée, il se mit à lui décrire son projet.

Blandine resta songeuse un long moment.

— Est-ce que tu veux m'aider? lui demanda Maurice.

— Le Christ nous défend la violence, répondit-elle gravement. Il nous recommande la prière et la persuasion.

— Est-ce que tu crois que j'arriverai à persuader Jerry Turcotte de réparer le mal qu'il m'a fait?

— Sans la prière, répondit Blandine en regardant droit devant elle, la persuasion ne peut rien.

— Dans ce cas, je crois qu'il vaut mieux nous quitter, car je suis sur le point de faire des choses qui vont te déplaire.

Blandine se tourna vers lui, les yeux pleins de larmes, lui serra la main et continua de marcher en silence. Maurice s'arrêta:

— Est-ce que tu me permets d'aller coucher chez toi?

— Bien sûr, dit-elle d'une voix éteinte.

Et elle se pressa contre lui avec une fougue qui lui amena aux lèvres un sourire malicieux.

Il s'endormit en se couchant. Blandine se rongeait les ongles près de lui et fixait le plafond. Plusieurs fois durant la nuit, elle se leva doucement, en prenant garde de le réveiller, et alla s'agenouiller devant le saint suaire; mais elle avait beau prier et se tordre les mains en soupirant, le Ciel gardait pour lui ses consolations.

XV

Le lendemain, il se réveilla vers neuf heures. Blandine dormait encore, la tête enfouie sous un oreiller. Il s'habilla sans bruit, se rendit à la porte et jeta un long regard sur son amie. Un coin d'épaule, quelques mèches de cheveux noirs, c'était peut-être la dernière image qu'il emporterait d'elle à tout jamais. Il sortit rapidement et se rendit à l'appartement du poète Platt, qui le reçut avec des yeux gonflés de sommeil et une gueule pas trop réjouie.

— Tiens, fit Maurice, pour les dépenses de la journée.

— Mais c'est beaucoup trop excessif! s'exclama le poète, ravi, en contemplant la poignée de dollars que Maurice venait de lui glisser dans la main.

Un enthousiasme extrême s'empara de lui:

— Je démissionne par téléphone! Ainsi, nous pourrons travailler tout de suite à notre... projet.

— C'est ça, mon vieux, démissionne, fit Maurice d'un ton quelque peu sarcastique.

Après avoir déjeuné au restaurant, ils se rendirent dans le nord de la ville jusqu'aux abords de la rue Sauriol, où demeurait Jerry Turcotte.

— Avant tout, lui recommanda Maurice, il faut éviter

de se faire remarquer. Il n'a sûrement pas oublié mon visage.

— Oui, convint le poète, car:

> *Celui que l'on remarque*
> *Laisse partout sa marque.*

Et il se hâta de griffonner ce distique dans son calepin. Si Maurice ne pouvait approcher de la maison du député, Platt ne le pouvait guère non plus; dans ce quartier résidentiel, un flâneur aussi bizarre aurait infailliblement attiré l'attention. Il fallait trouver un endroit discret. Trois rues plus loin, au sud de Sauriol, s'élevait une maison de rapport de six étages d'où l'on voyait parfaitement la maison du député. Ils s'y rendirent. Pendant que Maurice s'occupait de louer un studio au cinquième étage, Platt allait acheter une longue-vue, des crayons et du papier.

— Tu ne dois pas quitter la fenêtre une minute, lui ordonna Maurice. Note tout ce que tu verras d'intéressant, en prenant bien soin d'indiquer l'heure. Je reviendrai te voir au milieu de la soirée.

L'enthousiasme du poète fit une chute à pic:

— Est-ce que je devrai faire ça longtemps?

— Une semaine ou deux, le temps qu'on connaisse ses habitudes et les gens qui viennent chez lui.

Pendant que Maurice attendait l'ascenseur, une pensée lui vint à l'esprit: si tous ces préparatifs n'étaient qu'une vaste blague, un projet farfelu qui le ferait sombrer dans le ridicule?

— Non, répondait une petite voix haineuse et obstinée au fond de lui, il le faut, il le faut.

Il décida de se rendre dans le nord-est de la ville et de visiter les appartements à louer qui se trouvaient à proximité de la rivière des Prairies. À sept heures, ses souliers étaient devenus des chambres à supplices, et son estomac, un bain d'acides, mais il venait de dénicher un appartement convenable sur la rue Monselet.

— Are you married? lui demanda le propriétaire.

— Euh… non, monsieur.

— Then, why do you want to rent a five room apartment?

Listen, I don't want a bunch of students here, my boy. They break everything and don't pay their bills.

Maurice calma sa méfiance en lui payant séance tenante quatre mois de loyer; M. Giordano le reconduisit jusqu'au vestibule et ouvrit lui-même la porte, enchanté d'avoir pu si facilement augmenter son loyer de $12 par mois. Maurice se rendit alors chez un revendeur de la rue Craig et s'acheta un appareil-photo et un téléobjectif, puis alla rejoindre le poète. Il le trouva en train de ronfler sur un divan, entouré d'une quantité incroyable de boîtes de carton où traînaient des restes de mets chinois.

— Eh bien! c'est comme ça que tu surveilles? s'écria-t-il en lui donnant un coup de poing dans les côtes.

Le poète se dressa comme un ressuscité, les yeux écarquillés:

— Je... je... j'ai dû m'étendre... je me sentais incommodé.

— Incommodé? Je serais mort, moi, espèce de cochon, si j'avais avalé la moitié de ce que tu viens de t'envoyer dans le fond de la panse.

Son visage devint écarlate:

— Je... je ne permettrai pas... Quand on veut des yeux perçants, il faut se nourrir adéquate...

— Des yeux perçants... As-tu pris des notes, au moins?

— Les voici, répondit l'autre en se levant d'un bond; mais il se mit à chambranler et porta la main à son front:

— Pfiouou! fit-il d'une voix bizarre, ça tourne...

Il s'avança péniblement vers la fenêtre, saisit une liasse de feuilles sur une table et la tendit à Maurice, puis se précipita à la salle de bains.

À défaut de persévérance, Platt apportait beaucoup de minutie dans son travail. C'est ainsi qu'en parcourant les feuilles, Maurice apprit que le député Turcotte était venu et reparti quatre fois durant l'après-midi; qu'il était accompagné d'un homme dont la description prenait cinquante lignes; qu'ils avaient transporté trente-deux colis, classés selon la forme, la couleur et la grosseur; neuf personnes avaient sonné à sa porte (suivait le nombre de secondes qui s'étaient écoulées avant qu'on leur ouvre); trois autos avaient ralenti devant la maison; une quatrième s'était presque arrêtée, puis elle était repartie en pétaradant; suivait une longue série d'hypothèses sur l'origine et la signification de ce bruit, avec une conclusion en trois points. Pendant ce temps, madame Tremblay avait secoué différentes pièces de tissus sur le perron arrière (liste en annexe), puis elle avait longuement frotté les vitres d'une fenêtre donnant sur la rue, en regardant fixement un point invisible; le poète Platt avait étudié les mouvements de sa main en essayant d'y déceler un code, mais sans succès. Maurice leva les yeux au plafond, excédé, jeta les feuilles sur la table et s'occupa d'installer le téléobjectif. Platt revint dans le salon, les traits tirés, mais visiblement soulagé. Il se recoucha sur le divan et ses ronflements emplirent de nouveau la pièce. À huit heures, personne ne s'était présenté chez le député, personne n'en était sorti; la maison semblait vide. Maurice s'approcha du divan.

— Lève-toi, Platt, on s'en va.

Ils marchèrent dans la rue en silence. Maurice était perdu dans de sombres réflexions. Le poète laissait échapper de grands soupirs, portait la main à sa bouche, rotait, et soupirait encore.

— *Vanitas vanitatum,* marmonna-t-il en jetant un regard dégoûté sur la vitrine d'un restaurant chinois.

En arrivant au carré Saint-Louis, ils aperçurent le Cancéreux qui tirait une petite voiture chargée d'une grosse caisse de bois.

— Qu'est-ce que tu nous apportes là, mon vieux? lui cria Maurice.

Le Cancéreux agita la main et porta un doigt à ses lèvres. Platt s'approcha et voulut soulever la caisse:

— Ventredieu! c'est du concentré de pesanteur, ma parole! Qu'est-ce que tu as mis là-dedans, mon cousin?

Le Cancéreux riait à gorge déployée en émettant un petit gargouillis sinistre. Maurice et Platt transportèrent péniblement la caisse jusqu'à l'appartement du poète et la déposèrent sur la table de la cuisine. Platt arracha le papier brun qui la recouvrait. Le Cancéreux les observait avec un sourire amusé; il s'approcha de la fenêtre et tira le store. Platt alla chercher un marteau et, après de longs efforts, réussit à arracher le couvercle. Une exclamation jaillit de sa bouche.

— Saint Ciboire, murmura Maurice au bout d'un moment, où as-tu pris ça?

Le poète était devenu blanc comme un drap et s'appuyait légèrement sur la table en essayant de prendre un air dégagé.

— As-tu dévalisé une caserne? reprit Maurice en soulevant avec précaution une des mitraillettes.

Le Cancéreux haussa les épaules.

— Tu peux te ramasser en tôle pour un sacré bout de temps avec ça. Y as-tu pensé?

L'autre sortit un crayon de sa poche, griffonna quelques mots sur un morceau d'emballage et le tendit à Maurice:

« *La prison ou l'hôpital, c'est du pareil au même.* »

— Tu es sûr que personne ne t'a vu, au moins?

Il fit signe que oui, s'approcha de l'évier et avala triomphalement un grand verre d'eau.

— Notre prudence devra égaler celle du vautour, conclut Platt d'une voix étranglée.

Lorsque Maurice se mit au lit quelques heures plus tard, Blandine Moineau, à l'autre bout de Montréal, remontait lentement l'escalier qui conduisait à sa chambre. Elle arpentait les rues depuis le début de l'après-midi, en proie au plus cruel tourment de son existence. Cinq fois, elle était allée se jeter à genoux dans une église afin de fléchir sa conscience et de faire cesser le déchirement qui la torturait; à présent, les bedeaux venaient de fermer toutes les portes, lui coupant l'accès à la présence directe de Dieu. Elle fouilla longtemps dans son sac à main à la recherche de sa clef, puis s'arrêta et appuya son visage contre la porte. Deux grosses larmes, pareilles à des limaces transparentes, quittèrent sa joue et glissèrent lentement sur la peinture verte, jetant de minuscules lueurs tremblotantes. Quand elles s'enfoncèrent à regret dans le plancher poussiéreux, Blandine s'était laissée tomber sur son lit et pleurait à fendre l'âme.

Peu à peu, un sang noir et visqueux commença à l'envahir, semant le désordre et le désespoir partout en elle. C'est alors que se produisit un événement extraordinaire. Bien qu'elle eût le visage profondément enfoui dans son oreiller, Blandine sentit une lueur dans son dos, une lueur très douce qui lui ordonnait de se retourner. Elle se releva lentement et s'assit sur le bord de son lit. Juste en face du réfrigérateur, entouré d'un halo lumineux qui faisait comme une petite grotte autour de lui, Jésus la regardait en souriant aimablement. Il avait les bras tendus vers le ciel, comme à son habitude, mais son habillement était tellement inusité qu'elle écarquilla les yeux et fut incapable de parler pendant un moment.

— Seigneur Jésus, dit-elle enfin, pourquoi avez-vous mis un maillot de bain?

Une légère expression de contrariété passa sur le visage du Christ:

— Ne trouves-tu pas que je suis mieux ainsi? Moi aussi, je fais partie du XXe siècle, après tout. Je commence à être tanné de moisir dans les chapelles avec ma tunique de fifi.

— Excusez-moi, Seigneur, répondit Blandine en rougissant, c'est la surprise qui m'a fait parler ainsi. Maintenant que je suis remise, je trouve que vous avez un joli petit bedon.

Le Christ eut un rire rempli de bienveillance:

— Il ne faut pas exagérer, Blandine, c'est un bedon bien ordinaire. Mais venons-en au fait. J'ai entendu tes prières cet après-midi et je suis venu t'éclairer avant qu'il ne soit trop tard. Écoute-moi bien: Maurice marche dans la bonne voie. *Parmi les larmes et les soupirs, ce garçon ouvre des sentiers nouveaux*. Retiens bien cette phrase. Tu dois l'aider, je te l'ordonne du haut du ciel.

À ces mots, il disparut. Une heure plus tard, Maurice entendit vaguement un bruit de sonnerie au milieu de son sommeil. Il sortit une main des couvertures, envoya rouler le réveille-matin et se replongea la tête dans l'oreiller. Un corps tout frais se glissa contre lui et deux mains se mirent à lui caresser les cheveux.

— C'est moi, souffla Blandine en l'embrassant, je suis venue t'aider, c'est Jésus qui me l'ordonne.

— Jésus qui l'ordonne? marmonna Maurice à moitié endormi. Faut... acheter des conserves demain... beaucoup... de boîtes de conserves.

— Je les achèterai avec toi, répondit-elle, le visage ruisselant de larmes.

Elle se pelotonna contre lui et se perdit dans une douce rêverie. Peu à peu, le sommeil la gagna et elle rêva toute la nuit à des montagnes multicolores de boîtes de conserves.

XVI

À huit heures, le lendemain matin, le poète Platt fut tiré de son sommeil par les vers suivants:

Un homme sans âge contemplait dans la glace
L'ulcère dégoûtant qui lui servait de face.

Il saisit un calepin sur sa table de nuit et les transcrivit sur-le-champ.

— Voilà un bon début de journée, dit-il en déposant sa plume.

Il sauta de son lit, lança une de ses pantoufles au plafond, puis décida de préparer un copieux déjeuner pour tout le monde (en temps normal, il détestait faire la popote) et de lire ensuite des vers à table. Il se dirigea en sifflotant vers la chambre de Maurice, avec l'idée d'ouvrir la porte et de lui crier, d'une voix toute parisienne:

— Holà, les potes! on roupille encore sur le grabat?

Ce qu'il vit sur ledit grabat le cloua sur place. Il rougit d'une façon effroyable, sortit de la chambre à toute vitesse et s'enferma dans la salle de bain; planté devant le lavabo, il ouvrait et fermait le robinet d'eau chaude, complètement ahuri. Maurice se mit à frapper à la porte:

— Hey, Platt, as-tu pris racine dans les toilettes?

— Je ne sortirai pas d'ici tant que vous ne serez pas partis.

— Quoi? Qu'est-ce qui se passe? C'est à cause de ce que tu as vu tout à l'heure?

— Oui.

— Écoute, Platt, tu n'es plus un enfant. T'avais seulement qu'à frapper avant d'entrer. Ce n'est tout de même pas notre faute si...

— Je ne tiens pas à fréquenter les gens qui pratiquent l'amour bestial.

— L'amour quoi? Varlope de sybole! veux-tu me dire quelle folie t'est encore entrée dans la tête!

Suivit une longue discussion où il apparut que la conception que Platt se faisait de l'amour équivalait à un mélange de platonisme mystique et de continence absolue. Finalement, les paroles de Maurice et l'odeur de bacon grillé eurent raison de son obstination; rouge comme un coq et d'une humeur massacrante, il sortit de la salle de bain et se rendit à la cuisine.

Le déjeuner se prit en silence. Blandine était moins intimidée que stupéfaite par le comportement du poète; elle ne cessait de le regarder à la dérobée tandis qu'il mangeait à toute vitesse, la tête plongée dans son assiette. Maurice les observait tous deux en riant sous cape. La dernière bouchée avalée, il fixa le programme de la journée. Platt irait de nouveau se poster à l'observatoire de la rue Duquette, mais cette fois-ci, au lieu d'utiliser une jumelle et de griffonner des notes interminables, il se contenterait de prendre des photos, en notant l'heure de chaque prise. Maurice lui expliqua longuement le fonctionnement de l'appareil. Platt hochait la tête sans dire un mot.

— Quant à toi, continua-t-il en se retournant vers Blandine, tu feras porter des provisions à l'appartement que j'ai loué hier. Pendant ce temps, j'essayerai de dénicher une automobile usagée. Il ne restera plus qu'à élaborer un plan et attendre.

À midi, Maurice venait de faire « le « best buy » du

siècle » (selon le vendeur, en tout cas) en achetant une Chevrolet 1961 Sedan quatre portes pour $1,835. Il passa au bureau d'enregistrement et se rendit à l'appartement de la rue Monselet. Blandine s'était bien acquittée de sa tâche; les armoires, le réfrigérateur et la dépense débordaient de provisions.

— Viens voir ma nouvelle bagnole, dit-il en la prenant par la taille et en l'entraînant vers la fenêtre.

Un frisson la saisit. Elle se pressa frileusement contre lui:

— Ça va se produire bientôt? lui demanda-t-elle avec un sourire crispé.

— Oui, bientôt. Tu as un peu peur, hein?

Sa figure devint grave:

— Non, pas du tout. Quand on suit les ordres de Jésus, la crainte ne peut pas habiter nos cœurs.

— Il t'a vraiment donné un ordre, Jésus? demanda Maurice d'un ton quelque peu railleur.

— Mais oui, fit-elle, Pourquoi me poses-tu cette question?

— Comme ça, pour rien.

Il se mit à lui caresser les cheveux.

— Qu'allez-vous faire de lui? demanda-t-elle tout à coup en se dégageant.

— De Turcotte? Ce sera à lui de décider.

Elle voulut ajouter quelque chose, mais se ravisa.

— Qu'est-ce que tu allais dire?

— C'est que... c'est que Jésus m'a révélé autre chose hier.

— Ah oui? Et quoi donc?

— Que... que s'il mourait, nous mourrions tous avec lui.

Maurice fronça les sourcils:

— Il devrait se mêler uniquement des affaires du ciel, ton Jésus; la terre a trop changé depuis son départ.

Blandine le regarda, scandalisée, mais ne répondit rien.

Le poète Platt avait pris 78 photos et mourait d'envie de voir les résultats. Son enthousiasme était revenu, plus brûlant que jamais:

— Je croyais que la poésie était la seule corde de mon

âme, mais je pense en avoir découvert une deuxième!

Quelques heures plus tard, ils étaien¹ tous attablés dans un restaurant chinois en train d'examiner les photos. Maurice fut en mesure de faire trois constatations: 1—Le député Turcotte menait une vie trépidante et semblait brasser beaucoup d'affaires; 2—À en juger par la binette de ses acolytes, lesdites affaires devaient se traiter mieux à l'ombre qu'en plein soleil; 3—Une de ces binettes appartenait à Gilles Pellerin, qui n'avait pas changé d'un poil.

Il prit une photo et l'approcha de ses yeux.

— Voilà sûrement la plus réussie, jubila le poète.

On voyait le député de trois quarts, le col défait, la bouche fendue comme celle d'une baleine, une main dans la poche de son paletot, l'autre cachée derrière un bonhomme dont l'expression laissait croire qu'il venait de recevoir une formidable claque dans le dos.

— Il a un peu engraissé, murmura Maurice au bout d'un moment, mais on va bientôt lui faire retrouver sa taille de jeune homme.

Blandine le regardait en cillant, les oreilles pleines de battements de cœur.

— La nourriture qui ne se change en action se transforme très vite en un pesant plastron, remarqua le poète, la bouche pleine de *fou yang tchung*.

Le souper terminé, on se lança dans une longue discussion sur l'utilité de surveiller la maison du député après 8 heures. Platt protestait avec vigueur. Finalement, le Cancéreux lui toucha le bras, sortit un jeu de cartes et lui fit signe qu'il l'accompagnerait. Le poète accepta alors de regagner son poste, non sans s'être plaint à plusieurs reprises qu'on lui laissait « la tâche aride de l'arrière-garde ». On se donna rendez-vous chez lui pour dix heures et Maurice se rendi¹ avec Blandine chez madame Tremblay. Sa réserve d'argent fondait à une telle vitesse qu'il avait décidé de la regarnir un peu.

Madame Tremblay avait encore son manteau sur le dos quand elle leur ouvrit la porte. Un sourire chaleureux mit en branle toutes les rides de son visage:

— Entrez, entrez, je pensais justement à vous.

Elle les fit asseoir dans la cuisine et, malgré leurs protestations, leur servit du sucre à la crème, du café, des biscuits, un gâteau. Jamais elle ne leur avait paru aussi vieille; la fatigue de la journée lui avait arrondi les épaules et mis des boulets aux jambes. Elle s'attabla avec eux et se mit à boire à petites cuillerées le bol de bouillon de poulet qui constituait son souper. Ce faisant, elle bombardait Maurice de questions sur sa future librairie. Celui-ci mentait aussi vite qu'il le pouvait, sous le regard étonné de Blandine, et guettait le moment propice pour faire sa petite manœuvre.

— Dans ce genre de commerce, soupira-t-il enfin, les démarrages sont lents, mais les dépenses vont vite.

— Est-ce que tu manquerais d'argent? lui demanda madame Tremblay en levant la tête brusquement.

— Non... Je n'irais pas jusqu'à dire..., je peux tenir encore assez longtemps...

Elle eut un sourire triomphant:

— En haut! lui ordonna-t-elle en levant le doigt vers l'escalier, vite, en haut! Les pots de cornichons sont là.

Maurice se sentait un peu dégoûté de lui-même, mais ne se fit pas trop prier. Après l'avoir longuement remerciée, il convint de revenir le lendemain soir pour rouler d'autres cennes.

— Voilà une chose de faite, se dit-il, essayons d'en régler une autre.

Mine de rien, il orienta la conversation sur le député. Ce fut chose facile. Madame Tremblay avait le cœur gros et ne demandait pas mieux que de le vider. Ce jour-là, Jerry Turcotte s'était montré particulièrement fécond en agaceries sadiques.

— Vers dix heures, dit-elle, quelqu'un sonne à la porte; je vais ouvrir; c'était lui. Sans me dire un mot, il me jette dans les bras une espèce de petite bête diabolique à grandes oreilles qui déchire ma robe avec ses griffes, me mord la main et se sauve dans la maison. C'était trop pour mon cœur: je tombe dans les pommes. Quand je reviens à moi, c'est

pour m'entendre dire que je devrai m'occuper de cette créa-
ture affreuse jusqu'à trois heures de l'après-midi.

— Qu'est-ce que c'était? Un renard? Un raton laveur?

— Une sorte de renard du Sahara, je crois, laid comme
un dépotoir, et fourbe! ah! mais fourbe! Il appelait ça un
phaneuf.

— Vous voulez dire un fennec, sans doute.

— Oui, peut-être.

— Que voulait-il en faire? demanda Blandine.

— Je ne me pose plus ce genre de questions depuis longtemps, ma pauvre petite fille. De toute façon, je l'ai eu dans
les jambes jusqu'au souper. Plus je criais, plus il courait. La
maison est sens dessus dessous; on marche dans la crotte
partout; il n'y a pas une patte de meuble sans marque de
dents. Mais je ne veux pas vous importuner avec mes petits
malheurs, fit-elle en s'interrompant tout à coup. Chacun
doit porter sa croix, n'est-ce pas? Tout ça n'est rien en comparaison de ses *parties* de fin de mois.

— Ses *parties* de fin de mois? reprit Blandine.

— Ah! ma pauvre enfant! Je ne veux pas te salir les oreilles avec des récits de débauche, car c'en est, et de la plus
pure espèce. S'ils se contentaient de boire de la bière, je me
serais sans doute habituée, bien que le nombre de caisses
augmente à chaque fois. Mais ces filles qu'ils font venir! Et
ces vues qu'ils se montrent dans la cave! Seigneur Dieu!
C'est une véritable abomination de l'Esprit du mal! Les
frissons m'en passent dans le dos! Et le lendemain matin,
quand je reviens chez lui, c'est pour trouver tout le monde
en train de ronfler sur le plancher au milieu des bouteilles
et j'ai deux jours de ménage sur les bras avant que la maison
reprenne un peu d'allure.

Les yeux de Blandine se remplirent de larmes:

— Où trouvez-vous la force de rester avec un homme
pareil?

Madame Tremblay poussa un profond soupir:

— Dans les consolations de la religion, ma fille... Si le
bon saint Joseph m'abandonnait, je ne sais ce qui m'arri-
verait... Je vais souvent à l'Oratoire pour lui demander

conseil, et j'en connais plus d'un qui lui doit la vie, et beaucoup plus parfois... Mais tout de même... après tant d'années de souffrances...

— Seriez-vous membre des *Amis du Frère André?* demanda Maurice en voyant qu'elle était sur le point de pleurer.

— Depuis vingt-deux ans, mon cher monsieur, et je n'ai
jamais manqué une seule réunion, sauf une fois, où je
m'étais étiré des ligaments en faisant une chute dans un
escalier. Aussi, ne venez jamais me rendre visite le mercredi
ou le vendredi soir, je suis à l'Oratoire.

La conversation continua ainsi quelque temps, puis Maurice s'aperçut que sa bienfaitrice clignotait des yeux; sa voix
était devenue rauque, elle avait des distractions. Les bien-
faits du lit allaient bientôt l'emporter sur le plaisir qu'elle
avait de les voir. Ils se levèrent et prirent congé. En se dirigeant vers la porte, Maurice aperçut un trousseau de clefs
sur une table et le glissa discrètement dans sa poche.

— Son âme n'a presque pas été touchée par le péché, remarqua Blandine pendant qu'ils s'éloignaient sur le trottoir.

— Tant mieux. Ça va nous permettre d'en commettre
de plus gros.

En arrivant à l'appartement du poète, Maurice constata
avec surprise qu'il n'y avait pas de lumière. Sa montre marquait pourtant dix heures trente. Ils s'assirent sur le perron.
Une heure plus tard, personne ne s'était encore montré.

— Est-ce qu'on ne devrait pas aller se coucher? proposa
timidement Blandine. Ils sont sûrement retenus quelque
part.

Maurice lançait tellement d'injures contre la sainte Divi-
nité et ses objets sacrés qu'elle commençait à se sentir
coupable de n'avoir rien fait pour l'arrêter. A huit heures, le
lendemain matin, il se présentait de nouveau chez le poète.
Personne ne vint ouvrir. Il tourna autour de l'appartement
toute la matinée, mais en vain. Sa colère avait fait place à
une vive inquiétude. Une journée passa; il était convaincu
qu'on les avait dénoncés. Ses soupçons se portèrent aussitôt
sur le Cancéreux. D'où sortait-il, celui-là? Il ne connaissait
même pas son adresse. Et ces fameuses cordes vocales, est-

ce qu'elles étaient vraiment coupées? Il se reprocha amèrement d'avoir été si peu méfiant. Le lendemain, au début de l'après-midi, il convainquit Blandine de déménager sur-le-champ; ils se louèrent un minuscule trois pièces dans un demi sous-sol sur le boulevard Gouin, en face de la rivière des Prairies. De la cuisine, on ne voyait que du gazon et des bancs de parc. Blandine était ravie. Maurice avait la mort dans l'âme. Il n'osait plus sortir; il craignait même de téléphoner à madame Tremblay; et pourtant, il n'arrivait pas à s'expliquer qu'on ne l'ait pas arrêté le soir de la disparition de Platt et de son cousin. Deux jours passèrent. Au matin du troisième, il se rendit dans un restaurant en face du carré Saint-Louis; par la vitrine on apercevait l'appartement du poète. Coup sur coup, il y envoya trois taxis. À chaque fois, les chauffeurs, après avoir sonné en vain, repartaient furieux. Il se perdait en suppositions, mangeait à peine et passait la nuit à faire les cent pas en vidant des bouteilles de bière. Et s'il n'y avait pas eu de délation? se demanda-t-il. S'ils étaient vraiment retenus quelque part, comme l'avait supposé Blandine? Ils avaient peut-être essayé de communiquer avec lui. Mais comment? Le lendemain matin, il se rendit à une épicerie, située près de l'ancien appartement de Blandine, et acheta une douzaine d'exemplaires du *Journal de Montréal*. Il arrêta un gamin dans la rue et lui offrit $2 pour jouer un tour à un ami. Il s'agissait de se faire passer pour camelot et de se rendre à une certaine adresse avec une clef que Maurice lui donnerait. Une fois là, il n'avait qu'à pénétrer dans le vestibule, ouvrir une boîte aux lettres, prendre le courrier, le glisser dans un journal et l'apporter. Maurice l'attendrait dans son automobile. Le gamin accepta et partit en courant. Dix minutes s'écoulèrent. Maurice se trémoussait sur son siège, l'œil aux aguets, le cœur battant; par précaution il avait mis le moteur en marche. Il commençait à flairer quelque chose de louche et songeait même à partir lorsque le garçon surgit au coin de la rue, l'air triomphant. Il lui tendit une lettre avec la clef et demanda son argent.

— Hey! monsieur, qu'est-ce que je fais des journaux? cria-t-il en voyant Maurice s'éloigner.

148

— Espèce de petit niaiseux, rends-moi-les, je vais les revendre, lança l'épicier en s'avançant sur le perron.

Maurice stationna quelques rues plus loin et déchira l'enveloppe. Son intuition l'avait bien servi. C'était un mot du poète Platt.

À Saint-Paul-de-Joliette
Renommé pour son beau site
Se trouve une très coquette
Machine à patates frites.
Aux douze coups de midi
On voit la belle Rita
Qui dans son corsage gris
Étale ses doux appas.
O passant, ne sois pas rogue:
Achète-lui un hot dogue.

— Ma foi, il est devenu fou, murmura-t-il après avoir lu à plusieurs reprises ces vers stupéfiants. Une heure plus tard, il arrivait à Saint-Paul. Il aperçut aussitôt sur le bord de la route un autobus d'un bleu criard qu'on avait transformé en comptoir-lunch après lui avoir enlevé ses roues et l'avoir monté sur des blocs de ciment. Sur le toit s'élevait une enseigne-néon: *Chez Rita Patates*. Un store métallique bloquait l'ouverture du comptoir. Il consulta sa montre; elle marquait dix heures et quart.

— Presque deux heures à attendre, soupira-t-il. Pourvu que cet imbécile arrive à temps.

Il stationna l'automobile juste en face de l'ancien autobus et inspecta les alentours. L'endroit semblait désert. La maison la plus proche se trouvait à un demi-mille. Il se cala dans son siège, croisa les bras et attendit. Vers onze heures, la faim commença à le tenailler. Il fouilla dans le coffre à gants, y trouva une vieille barre de chocolat déjà entamée, mordit dedans et cracha le morceau par la fenêtre.

— Même pas de journal, grommela-t-il. J'aurais dû en garder un.

Il sortit de l'auto et se mit à faire les cent pas, mais rentra aussitôt, car il avait peur d'attirer l'attention. Une grosse femme apparut sur la route et se retourna vers lui, intriguée.

— Midi trente et il n'est pas encore arrivé! Ah! le gros dindon! il veut me faire crever de faim! Je vais lui en organiser un carême, moi.

Vers deux heures moins le quart, la grosse dame repassa devant l'auto; elle tenait par la main un petit garçon tout effarouché et l'observa avec plus d'insistance encore. Maurice était affalé de faiblesse sur son siège; les tripes lui gargouillaient jusqu'aux oreilles; ses paupières se fermaient malgré lui; mais en même temps, il sursautait au moindre bruit. Un petit vieux à casquette de feutre s'approcha de l'auto:

— Attendez-vous quelqu'un, monsieur?

— Oui… c'est-à-dire que non… je me suis seulement arrêté pour me reposer.

— Vous ne vous sentez pas bien? reprit l'autre en le dévisageant d'un œil scrutateur.

— Non, non, je me sens très bien, je vous assure.

— Bon, si c'est comme ça…

Il n'avait pas l'air de croire tout à fait Maurice, mais lui fit un salut de la main et s'éloigna.

— Elle n'ouvre jamais avant le début de juin, cria-t-il quand il fut rendu sur la route. Ça fait une mèche à attendre!

La grosse dame repassa brusquement près de l'auto et lui lança un coup d'œil courroucé. Maurice la regarda s'éloigner, haussa les épaules, puis consulta sa montre: elle marquait trois heures. À partir de ce moment, il sombra dans une profonde somnolence où revenait sans cesse le même rêve obsédant: il se voyait à table devant une assiette fumante, mais personne ne voulait lui donner d'ustensiles; une fourchette apparaissait tout à coup dans sa main; il la plongeait dans l'assiette, mais au même moment un trou se creusait au milieu de la table et il recevait une douche bouillante sur les cuisses. Il ouvrit tout à coup les yeux. Une main tenait devant son nez un sandwich enrobé de cellophane. Il poussa un cri et recula. La grosse dame le regardait en souriant, le bras tendu.

— Qu'est-ce que vous voulez? lui demanda-t-il, ahuri.

150

Mais soudain, il eut comme une attaque de paralysie; ses yeux s'agrandirent, devinrent presque vitreux; un rond énorme distendit ses lèvres et par ce trou béant un flot de blasphèmes jaillit avec une force irrépressible et engloutit le village de Saint-Paul. Platt mit un doigt sur ses lèvres, releva sa jupe et monta dans l'auto. Maurice ne contrôlait plus sa rage. Ses poings s'abattaient partout sur le poète qui encaissait les coups en riant; il se démenait comme un enfant pris d'une crise d'hystérie. La scène aurait pu durer longtemps; mais le poète aperçut un passant; il saisit les mains de Maurice dans une de ses pattes et de petits craquements sinistres se firent entendre.

— Chut! Il ne faut surtout pas attirer l'attention. Je regrette de t'avoir fait attendre si longtemps, mais je devais te surveiller avant de prendre contact avec toi, au cas où quelqu'un t'aurait filé.

— Mais veux-tu me dire enfin ce qui se passe, bout de Calvaire! hurla Maurice en se libérant brusquement.

Platt eut un sourire mystérieux:

— Tu comprendras tout dans quelques instants. Mais il faut d'abord s'en aller d'ici.

Maurice darda sur lui un regard meurtrier:

— Écoute, bonhomme, tu vas *tout* m'expliquer tout de suite, ou je te sacre là et je remonte à Montréal.

Le poète Platt laissa tomber ses bras dans un geste d'impuissance et un profond soupir s'échappa de sa poitrine:

— Mais c'est que... j'ai donné ma parole... Je ne peux tout de même pas la reprendre comme s'il s'agissait d'une paire de lunettes ou de je ne sais quoi... Adieu, fit-il en ouvrant la portière.

Maurice lui saisit le bras et fit démarrer l'auto:

— Où est-ce qu'on va?

Ils s'engagèrent dans un chemin de rang et le suivirent pendant quelques milles. Des champs détrempés s'étendaient à perte de vue. De temps à autre, on voyait une maison de ferme entourée de bâtiments grisâtres. L'auto ralentit, tourna dans une entrée et s'arrêta devant une maison délabrée, à demi cachée par un bosquet de sapins.

— Dis-moi, le Cancéreux est avec toi?

Platt fit signe que oui.

— C'est pour me faire assister à ses derniers râlements que tu m'amènes dans cette cabane?

Le poète le regarda avec une expression malicieuse où éclatait sa fierté de dominer la situation. Maurice l'écarta et poussa la porte. Ils entrèrent dans une grande cuisine poussiéreuse, aux fenêtres tapissées de vieux journaux; à part une table boiteuse et un immense poêle à bois rongé par la rouille, la pièce était vide. Une forte odeur de moisi et de médicaments flottait dans l'air. À leur gauche, un escalier menait au deuxième. Le Cancéreux les attendait en haut, revolver à la main. En apercevant Maurice, il sourit et lui fit signe de le suivre. Ils se retrouvèrent dans une chambre obscure. Devant eux, une forme était allongée sur un lit. Au bout d'un moment, Maurice distingua un visage, si boursouflé qu'il ressemblait à une tête de porc.

— Salut, Ferland, fit une voix pâteuse. Comment vas-tu?

Maurice, interdit, l'examinait.

— Voyons, reprit l'autre, est-ce que j'ai la fraise si maganée que tu n'arrives pas à reconnaître un de tes vieux amis?

— Marcil, fit-il à voix basse.

Il s'avança et lui serra la main.

Depuis son évasion, Robert Marcil n'avait cessé de vagabonder. Il s'était d'abord réfugié au Nouveau-Brunswick, puis en Colombie britannique, et de là il avait filé vers le sud des États-Unis où on l'avait employé plusieurs mois comme ouvrier agricole. Il avait ensuite traversé la frontière mexicaine et, grâce à des contacts qu'il possédait là-bas, avait pu y séjourner plus d'un an. Mais le désir de retourner au Québec et de se remettre à l'œuvre ne le quittait pas. Il essaya de se mettre en contact avec des membres du réseau à Montréal, mais la police l'avait presque entièrement démantelé. Alors il s'était rendu à Montréal au début de la semaine précédente et s'était loué une chambre tout près du port. Ses recherches étaient sur le point d'aboutir lorsqu'un incident ridicule faillit mettre sa vie en péril. En se rasant, un matin, il s'était fait une légère entaille au menton et la blessure s'était infectée. Trois jours plus tard l'enflure avait pris une telle ampleur que l'intervention d'un médecin devint nécessaire. Il lui restait dix dollars en poche et il n'était pas question de se présenter à un hôpital. Qui pourrait donc l'aider? Il s'était tout à coup souvenu du poète Platt. La police avait dû l'oublier, lui! Il l'avait rejoint au téléphone le soir où devait avoir lieu la fameuse réunion de dix heures et, tout grelottant de fièvre, s'était fait conduire chez lui en taxi. C'est là qu'il avait apprécié les connaissances pharmaceutiques du Cancéreux qui s'était procuré des médicaments et l'avait transporté dans cette vieille ferme que ses parents lui avaient laissée en héritage. Platt, exalté et terrifié par la présence de Marcil, les avait accompagnés à Saint-Paul et, rassemblant de vieux souvenirs de romans policiers, s'était mis en contact avec Maurice de la manière que l'on sait. Sa trouvaille du rendez-vous *Chez Rita Patates* le faisait presque suffoquer de satisfaction.

— Je me sens déjà beaucoup mieux, murmura Marcil de son étrange voix pâteuse. Dans une semaine, sans doute, je pourrai vous aider.

— Ah bon! fit Maurice, légèrement contrarié, Platt t'a raconté...

— Il m'a tout raconté.

— Et pourquoi veux-tu nous aider?

— Je vais être franc avec toi: ce n'est pas seulement par amitié. Ton idée est merveilleuse, mais tu vois les choses avec le petit bout de la lorgnette, mon vieux. En réalité, on possède là un moyen extraordinaire de faire avancer notre cause. Si cela te donne en plus l'occasion de corriger une crapule, tant mieux. Mais tu n'es pas le seul dans ton cas; on peut les compter par millions à travers tout le Québec. Pourquoi ne pas s'occuper d'eux aussi?

Maurice ne se sentait pas prêt à discuter. Il tourna plutôt son agressivité vers Platt et se mit à ridiculiser le procédé qu'il avait choisi pour le contacter.

— Je n'ai rien fait de loufoque! protesta le poète. On doit toujours prendre cinq fois plus de précautions qu'il n'y a de danger; c'est la proportion qu'on retrouve dans les manuels d'espionnage!

Maurice décida de retourner tout de suite à Montréal pour continuer les préparatifs; aussitôt guéri, Robert irait se loger à l'appartement de la rue Monselet où l'on mettrait au point les derniers détails de l'enlèvement. Maurice se sentait à la fois menacé et réconforté par la présence de son ancien compagnon. Après avoir causé encore avec lui quelques moments, il partit avec le poète. Deux heures plus tard, il arrivait chez Blandine et lui racontait sa journée. Elle lui posa plusieurs questions sur Robert Marcil. Il ne lui cacha rien.

— Maintenant, je le sais, dit-elle en se levant, toute pâle, rien ne pourra plus arrêter le doigt de Dieu sur le mur.

Elle l'embrassa et alla se coucher. Maurice arpentait la cuisine, l'air soucieux. L'arrivée subite de Robert Marcil changeait tout. Son projet avait pris tout à coup une vie indépendante et venait de l'aspirer. Blandine l'avait bien senti.

XVII

L'appartement de la rue Duquette servit encore une fois de poste d'observation. Mais Platt, qui avait pris beaucoup d'assurance depuis son aventure à Saint-Paul-de-Joliette, exigea qu'on établisse une rotation. Maurice et Blandine durent prendre sa relève à tour de rôle. Malgré les moqueries de son ami, il continuait de s'émerveiller devant son habileté comme agent de liaison.

— Je sortirai grandi de cette histoire! disait-il à tout propos.

Détail révélateur: il s'adonnait moins à la poésie depuis quelque temps et passait la plus grande partie de ses loisirs à dévorer des romans policiers.

Maurice employa ces quelques jours de répit à faire vérifier de fond en comble son automobile. Puis, avec l'aide de Blandine, il compléta l'installation de l'appartement de la rue Monselet.

— Nous devrions aller rendre une visite de courtoisie à cette chère madame Tremblay, proposa Platt un soir.

— Eh bien! mes enfants, comment va la librairie? leur demanda-t-elle, toute réjouie de les voir. Avez-vous un joli local? Est-ce qu'il vient beaucoup de clients?

Maurice sortit de chez elle passablement soucieux:

— Il va falloir procéder au plus vite. Je n'ai pas envie de louer une librairie pour la calmer.

Il était certain, en effet, que madame Tremblay trouvait curieux, sans oser le dire ouvertement, que Maurice ne l'ait pas encore invitée à visiter sa boutique. Dans ces conditions, il fallait prévoir que sa bourse se fermerait tôt ou tard et que ses soupçons pourraient devenir dangereux.

Deux jours plus tard, vers le milieu de l'après-midi, le téléphone sonna à l'appartement de Maurice.

— On vient d'arriver, fit Marcil. Amène-toi avec ton monde.

L'enflure de son visage avait presque disparu; on aurait dit qu'elle s'était résorbée dans tout son corps pour lui donner une énergie prodigieuse. Il avait déjà visité l'appartement, fait plusieurs appels, jeté des notes sur un bout de papier.

— Eh bien! vous êtes mieux équipés que je ne pensais. Mais il nous faut des menottes, du chloroforme, beaucoup plus de conserves, une machine à imprimer. Est-ce que vous savez manier une arme?

Les mitraillettes dormaient dans leur caisse depuis le jour où le Cancéreux les avait apportées. Robert se moqua d'eux et déclara qu'il était futile de poursuivre les préparatifs sans s'être soigneusement exercés. Maurice était un peu agacé par les façons autoritaires de son ami. Cependant, comme tout le monde, il subissait son ascendant et se consolait en voyant approcher le moment de sa revanche.

Le lendemain, ils se rendirent à Saint-Michel-des-Saints; le Cancéreux les suivait en autobus avec un étui à guitare qui contenait deux mitraillettes démontées et une provision de balles. Maurice trouvait ces précautions exagérées.

— La chance, en partant, n'est pas de notre côté, répondit Marcil, alors il faut la convaincre de venir nous trouver.

Ils se louèrent un camp à quelques milles du village et pendant deux jours une sorte de frénésie balistique s'empara d'eux; seule Blandine n'arrivait pas à surmonter son effroi. Au milieu de l'après-midi du troisième jour, le Cancéreux était assis dans un coin de la cour en train de regarder Platt s'exercer lorsque, brusquement, une quinte de toux se mit à le secouer avec une violence extrême; plié en deux, la main sur la bouche, il émettait des sons étranges et effrayants qui faisaient penser à d'énormes frottements d'arcanson. Son visage était devenu écarlate. Il se leva et se rendit à toute vitesse au camp. Tout le monde se regardait en silence. Sur un signe de Maurice, Blandine alla le trouver et revint tout de suite, fort agitée:

— Il a dû oublier ses remèdes à Montréal, je ne les vois nulle part dans sa chambre. Il fait semblant d'aller mieux, mais je le sens *tellement* souffrir, c'est affreux! Faites quelque chose, supplia-t-elle avec des larmes dans la voix.

— On plie bagages, décida Maurice. Il est trop malade pour rester ici.

Le Cancéreux apparut alors sur le perron, chancelant, mais un large sourire aux lèvres, et fit signe à Platt de continuer ses exercices.

— Vous voyez, il n'est pas si malade que ça, fit le poète, que l'idée de partir désolait.

— Allons, va ramasser tes affaires, coupa Maurice, tu n'es plus un enfant.

Chose curieuse, le Cancéreux parut se rétablir complètement durant le retour; à part une petite toux sèche qui lui faisait sautiller les épaules de temps à autre et qu'il écrasait à coups de volonté, on l'aurait cru en parfaite santé. Maurice l'obligea quand même à consulter un médecin dès son arrivée.

Il quitta le bureau avec une feuille couverte de griffonnages, quelques mots d'encouragement et une énorme bouteille de chloroforme qu'il avait réussi à glisser dans son veston; il la remit à Robert Marcil, avec une profonde révérence. Sur les indications de ce dernier, Maurice s'était rendu chez un revendeur de la rue Craig pour se procurer des menottes.

— Il nous faut aussi de la dynamite, décida Marcil.

Maurice écarquilla les yeux:

— Pourquoi?

— Lorsqu'on en a, mon ami, peu importe où on se trouve, l'endroit est imprenable.

— Très juste, fit Platt.

Le lendemain, un entrepreneur en démolition rapportait à la police la disparition de plusieurs bâtons de dynamite.

> — Ah! je tiens dans mes mains
> La foudre de Jupiter
> Et je pourrais demain
> Faire sauter l'univers,

clama le poète en déposant la caisse dans la cuisine.

Robert Marcil l'observait depuis quelque temps:

— S'il continue ainsi, dit-il à Maurice, j'ai peur que cette espèce de détraqué nous cause des embarras.

— On n'a pas le choix, il est avec nous depuis le début. Mais ne t'inquiète pas trop: à partir d'aujourd'hui, je vais lui foutre du valium dans sa nourriture.

Le lendemain après-midi, Platt, qui était de faction sur la rue Duquette, téléphona à l'appartement de la rue Monselet:

— Mes amis, annonça-t-il joyeusement, je vois défiler devant moi suffisamment de caisses de bière pour refaire la Place des Arts.

Maurice se retourna vers les autres et leur annonça la nouvelle.

— Excellent, fit Robert. Ils vont être fin saouls aux petites heures du matin. On procède demain.

Durant la soirée, sur les instances de Robert, Maurice et Blandine allèrent aux nouvelles chez madame Tremblay.

— Ah! mes enfants, soupira-t-elle d'une voix lasse, je vais encore passer une matinée à éponger des vomissures. Mon patron reçoit des amis ce soir; je l'ai vu arriver cet après-midi avec des boîtes de films.

— Est-ce qu'ils vont être nombreux?

— Il invite toujours les mêmes vicieux. Deux espèces d'Anglais qui fricotent des affaires dans je ne sais trop quelles compagnies, et un monsieur Allard qui possède des hôtels à Sainte-Agathe. Je ne compte pas Gilles Pellerin, évidemment: il le suit partout comme un petit chien. Ah! si vous saviez comme toutes ces folies m'accablent! Je n'ai même pas le cœur de me préparer à souper.

— Je vais m'en occuper, fit Blandine, et elle se retira dans la cuisine.

L'expression de madame Tremblay changea complètement et un sourire malicieux parut sur ses lèvres. Elle se pencha à l'oreille de Maurice:

— J'ai de meilleures nouvelles à vous apprendre. Julie est arrivée à Montréal aujourd'hui et elle m'a demandé de vos nouvelles. Je crois qu'elle aimerait bien vous rencontrer.

Maurice rougit violemment:

— Julie? Où est-elle?

— Chez ses parents. Où voulez-vous qu'elle soit? Ah! jeunesse, railla-t-elle doucement en voyant son trouble, on n'est jamais satisfait de ce qu'on a.

— Au contraire, j'en suis très satisfait, répliqua-t-il sèchement, et je vous demanderais même de dire à votre chère Julie que le temps où j'avais envie de la voir est passé depuis longtemps.

Blandine vint les retrouver et ils quittèrent madame Tremblay presque aussitôt.

— Qu'est-ce qui se passe? lui demanda-t-elle dans la rue. Tu as l'air tout nerveux.

Il la regarda avec une tendresse inaccoutumée:

— Ce n'est rien. Un peu de fatigue peut-être. J'ai mal dormi la nuit dernière.

Et à ces mots, il s'absorba dans une profonde rêverie. Blandine, intriguée, le dévisageait de temps à autre, penchait la tête et soupirait discrètement.

À dix heures, Maurice rassembla tout le monde et une dernière réunion eut lieu. On décida que l'enlèvement aurait lieu à cinq heures du matin. Platt conduirait l'automobile, accompagné de Maurice et de Robert. Dès l'arrivée de Turcotte, le Cancéreux se rendrait au métro déposer un message dans une poubelle. Par contre, si personne n'était de retour à six heures, il s'en irait aussitôt à Saint-Paul avec Blandine et attendrait les nouvelles là-bas. Sous aucun prétexte on ne répondrait au téléphone. Aussitôt la réunion finie, Maurice et Robert se retirèrent dans une chambre pour rédiger le communiqué qu'ils devaient faire parvenir le lendemain au gouvernement. Blandine alla les rejoindre. Le Cancéreux inspecta une dernière fois la chambre où serait séquestré le député, puis alla se coucher et s'endormit paisiblement. Le poète Platt, lui, était d'une humeur curieuse. Il décida de se rendre à son appartement au carré Saint-Louis « pour une dernière visite ». En apprenant que l'enlèvement devait avoir lieu le lendemain, son exaltation était brusquement tombée, comme s'il venait tout juste de saisir la portée de son geste. Une morne rêverie s'était alors emparée de lui, et seul un accès de diarrhée, qui s'était déclenché durant l'après-midi, le ramenait de temps à autre au monde matériel et l'empêchait de se perdre complètement dans ses ruminations. À six heures, il avait quitté l'observatoire pour aller souper sans appétit dans un crasseux petit restaurant grec quelques rues plus loin. En vidant sa tasse de café, il eut tout à coup une illumination, comme cela lui arrivait souvent à la fin des repas. (La moitié de mes recueils ont été conçus au début de ma digestion, disait-il souvent).

— Oui, marmonna-t-il, c'est excellent, voilà une excellente idée; il faut se prémunir contre le mauvais sort.

Il quitta le restaurant et se fit conduire en taxi chez une voyante qui jouissait d'une grande célébrité sur la rue Rachel. Une petite fille l'introduisit dans une antichambre mal éclairée où régnait une forte odeur de boules à mites. Les murs étaient recouverts d'un papier-tenture violet poché à plusieurs endroits. Des images de hiboux perchés, de toutes les variétés et de toutes les grosseurs, étaient accrochées partout; les hiboux le fixaient d'une façon menaçante et personnelle qui accentuait sa diarrhée. Au bout d'une vingtaine de minutes, une main décharnée écarta un méchant rideau de coton et, dans un flacottement de dentiers des plus sinistres, Platt entendit une voix lui murmurer:

— Entre, fils de l'Univers.

Le rideau s'écarta davantage. Une vieille femme à lunettes rouillées, que la nature avait gratifiée d'un énorme nez bosselé, remarquable par la puissante végétation de ses narines, l'examinait sans indulgence; elle ressemblait à un ancien joueur de hockey de 110 ans. Platt se leva, le dos plein de frissons. Elle s'assit devant une petite table recouverte d'un feutre violet, posa la main sur une boule poisseuse et lui indiqua une chaise. Son humeur ne semblait pas excellente.

— Que veux-tu, fils de l'Univers?

— Demain, répondit le poète d'une voix tremblante, je dois accomplir un geste très important, et j'aimerais en connaître un peu les conséquences.

— L'argent, demanda-t-elle brutalement.

— Combien?

— Dix dollars pour un aperçu, vingt pour une vue complète.

Platt déposa vingt dollars sur la table. Elle jeta sa main dessus et l'enfouit à toute vitesse dans l'amas de peau plissée qui lui servait de poitrine. Un profond soupir souleva ses épaules et elle se mit à fixer la boule avec attention.

— Je vois rien, dit-elle au bout d'un moment, d'une façon plus brutale encore.

Elle cligna des yeux plusieurs fois et continua de fixer la boule. Cinq minutes passèrent. Sa mauvaise humeur augmentait de seconde en seconde. Platt s'agita sur sa chaise.

— Je... Attention! glapit la voyante, un nuage passe dans ma boule, un nuage de fumée puante et noire. Pouah! Je crois voir, oui... non! Oui! je vois maintenant... je vois...

que vous allez sortir d'ici… très insatisfait… Très.

Elle resta penchée sur sa boule, comme figée, et ne dit plus un mot. Cinq autres minutes passèrent. Le poète se racla la gorge.

— Voyez-vous autre chose? demanda-t-il d'une voix étranglée.

— Non, fit-elle en se levant.

XVIII

Vers quatre heures du matin, Platt entra dans la chambre de Maurice et toussa discrètement. Celui-ci se dressa brusquement dans son lit.

— Excuse-moi… je… j'avais besoin de parler à quelqu'un, bafouilla-t-il, tout intimidé.

Maurice mit un doigt sur ses lèvres et lui montra Blandine.

— Assieds-toi, lui dit-il à voix basse.

Le poète avança doucement une chaise près du lit et s'assit dessus comme si elle avait été en porcelaine; il croisa les jambes, joignit les mains et essaya de sourire. Il avait les traits affreusement tirés; la lumière de l'aube lui faisait un visage de cire; ses cheveux ébouriffés, qu'il rabattait d'ordinaire sur son front, montraient les secrets ravages de la calvitie; en quelques heures, il semblait avoir vieilli de dix ans. Il se pencha vers son compagnon:

— J'ai fait un rêve incroyable, extrêmement ridicule, lui souffla-t-il, honteux. Toute la nuit, une petite chienne beagle s'est tenue debout devant moi en jouant du violoncelle. J'ai encore la mélodie en tête… tum… tum… ti-tu-tum… C'était tellement triste qu'elle en pleurait à gros bouillons, et moi aussi. Il y a un présage là-dedans, mais lequel? Voilà la question que je me pose depuis une heure.

Maurice haussa les épaules:

— Écoute, Platt, fais-moi plaisir et oublie toutes ces

idées farfelues. Tout va très bien marcher, je t'assure. Va plutôt nous faire chauffer du lait à la cuisine; on va tous prendre un bon chocolat chaud avant de partir.

Ils entendirent des pas dans la chambre d'à côté. Marcil venait de se lever.

— Tout le monde debout! lança-t-il joyeusement en faisant irruption dans la chambre. Assez de temps consacré au sexe. Il faut aller à la chasse maintenant.

Dix minutes plus tard, le déjeuner était terminé. On échangea des poignées de main en silence; Blandine s'approcha de Maurice, l'étreignit fortement, puis recula et fit un signe étrange de la main droite.

— Que fais-tu là?

— Que le ciel te protège, répondit-elle en rougissant.

Robert était déjà rendu au garage avec les mitraillettes, dissimulées dans des étuis.

— Prenez place, dit-il, je vais déverrouiller la porte.

Maurice inspecta une dernière fois leur matériel pendant que la porte roulante s'élevait lentement avec un grondement sourd. Platt s'installa au volant et essaya de siffler pour se donner un peu de courage, mais ses lèvres contractées n'émirent qu'une petite note tremblotante et lugubre. Robert vint s'asseoir près de lui et distribua des gants de caoutchouc.

— Ils ne veulent pas glisser, murmura le poète d'une voix plaintive.

— C'est que tu as trop peur, répondit Robert, sarcastique.

Le trajet se fit en silence. L'auto fila sur le boulevard Henri-Bourassa jusqu'à l'avenue Christophe-Colomb, qu'elle suivit vers le sud; bifurquant alors vers l'ouest, elle s'engagea sur la rue Sauriol et se mit bientôt à ralentir.

— On est presque arrivé, dit Maurice à voix basse.

Son cœur battait si fort qu'il en avait la nausée. Robert se tourna vers lui:

— Tu as le trousseau de clefs?

— Je l'ai.

— Vérifie! lança l'autre brutalement.

L'auto s'arrêta. La maison de Jerry Turcotte se dressait à leur droite, entourée d'une pelouse immense qui accentuait

sa banalité prétentieuse. Robert inspecta longuement la rué;
à part une bande de chats qui se pourchassaient sous une
automobile, elle était déserte comme la Lune.

— Si on n'est pas de retour dans dix minutes, dit-il au
poète, fous le camp et allez vous cacher tous les trois à
Saint-Paul.

Ils mirent leur masque, saisirent leur étui et se dirigèrent à grands pas vers la maison.

— Mon Dieu! mon Dieu! murmura Platt en se tordant les
mains; comme les circonstances m'embêtent!

Et il essaya différentes positions pour calmer ses coliques.

Maurice ouvrit la porte sans peine. Ils pénétrèrent dans un
petit vestibule encombré de fougères, fermé par une seconde
porte. Robert la poussa doucement et demeura immobile un
instant, l'oreille tendue. Une musique douceâtre montait de
la cave avec une vague odeur de mets italiens.

— Ils ne dorment peut-être pas encore, murmura Maurice.

Robert haussa les épaules et ouvrit son étui. Ils traversè-
rent rapidement le salon et s'engagèrent dans un corridor;
deux portes s'y faisaient face. Maurice ouvrit celle de droite
et ils descendirent en trombe dans la cave. Au pied de l'escalier, un gros homme était assis dans un fauteuil d'osier, un
verre de whisky à la main.

— What the hell...

Il essaya de se lever mais retomba assis, regardant alter-
nativement Robert et Maurice d'un air complètement ahuri.
Robert inspecta la pièce d'un coup d'œil et fit signe à Maurice de le ligoter. Quand il l'eut couché à plat ventre sur le
plancher, Maurice s'approcha de son compagnon qui dormait affalé sur une chaise devant un écran. Le plancher était
couvert de flaques de bière, de morceaux de pizza, d'éclats
de vitre, de papier gras et d'une demi-douzaine de four-
chettes auxquelles on avait donné les formes les plus fantai-
sistes; des spirales de pellicule se tordaient dans un coin
près d'un projecteur.

— Jerry, you fucking bastard..., marmonna le dormeur.

Le contact du diachylon sur sa bouche le réveilla tout à
fait; il roula des yeux terrifiés et se laissa ligoter docilement.

Maurice se retourna alors vers le fond de la pièce. Couché au milieu du plancher, Gilles Pellerin dormait en souriant, les bras étendus, la tête posée au milieu d'une immense pizza rougeâtre qui lui faisait une auréole de martyr italien. À sa droite, dans un enfoncement de la pièce, deux énormes pieds dépassaient d'un canapé et un ronflement grandiose remplissait la cave. Robert s'avança vers eux.

— C'est bien lui, ton bonhomme? souffla-t-il.

Maurice hocha lentement la tête.

— Mezieu, le bonzoir, lança soudain une voix sonore et extrêmement pâteuse.

Assis devant sa pizza, Gilles Pellerin les regardait avec un sourire stupide en se frottant vigoureusement l'occiput pour y enlever un morceau de fromage.

— Un profèzionel ne parle zamais zur l'ouvraze! reprit-il en levant l'index en l'air.

— Fous-lui un diachylon, fit Robert.

Maurice sortit le rouleau de sa poche; ses mains tremblaient tellement qu'il laissa tomber les ciseaux.

— Oh, oh! s'écria Pellerin en battant des mains.

Le député s'agita sur le canapé et poussa un grognement.

Maurice s'apprêtait à bâillonner Pellerin lorsque ce dernier, d'un geste vif, leva la main et lui arracha son masque.

— Les amis de Mandrake ze retrouvent partout, fit-il en le contemplant d'un air malicieux.

Maurice le renversa d'un coup de genou et le ligota rapidement. Quand il releva la tête, le député Turcotte était assis sur le bout du canapé; les mains sur les genoux, la braguette béante, il les regardait, sidéré.

— Mes chers amis, chevrota-t-il, la voix pleine de sanglots, mes chers amis, que c'est que vous allez me faire?

Il promenait sur ses ravisseurs deux yeux navrés rougis par l'alcool. Robert s'approcha et lui frappa légèrement les côtes avec le canon de sa mitraillette:

— Allons, zippe-toi, vieux vicieux, tu t'en viens avec nous.

— Quoi? Quoi? Où ça? Mes chers amis, je n'ai pas une

cenne, je travaille jour et nuit pour la population; je prends peut-être une bière ou deux par-ci, par-là, mais...

Maurice se planta devant lui et leva son masque. Le député eut une sorte de hoquet; sa lèvre inférieure s'affaissa presque au milieu de son menton; il était dégrisé.

— Vous allez nous suivre tout de suite, sans faire d'histoires, comme un bon garçon, lui dit Maurice calmement. N'ayez pas peur, on ne vous fera aucun mal.

Jerry Turcotte se leva péniblement, les jambes flageolantes.

— Eh bien! pour m'y attendre, je ne m'y attendais pas du tout, soupira-t-il, je ne m'y attendais pas du tout, du tout...

Il se dirigea en chambranlant vers l'escalier. Maurice dut le soutenir au milieu des marches.

— Oh my, oh my, oh my, gémissait-il à tout moment.

— Vous allez vous tenir très droit, maintenant, on sort.

— Tu m'en demandes beaucoup là, mon ami, répondit-il en regardant Maurice avec un pauvre sourire terrifié. Où m'amenez-vous?

Le poète Platt baissa la glace:

— Vite! une auto-patrouille vient de passer!

Le député s'affala sur le siège arrière. Robert lui planta le canon de sa mitraillette dans les côtes et l'auto démarra.

— Arrêtez! lança tout à coup Maurice.

Il se tourna vers Robert:

— Il faut retourner chez lui.

— Hein?

— Le type que j'ai assommé tout à l'heure, eh bien! il me connaissait. Où est-ce que j'avais donc la tête?

Le poète se mit à pousser des pépiements hystériques en se frappant la tête contre le volant:

— Oh non! non! non! je ne peux pas, je ne peux pas!

Robert lui serra l'épaule violemment:

— Surveille-le bien. On revient tout de suite.

Quelques instants plus tard, Gilles Pellerin, encore inconscient, s'écrasait mollement contre son patron. Le poète pleurait d'énervement. L'auto s'ébranla dans un effroyable crissement de pneus.

— Du calme, bon sang! hurla Robert, tu veux nous faire arrêter, quoi?

— Non, non, bien sûr, murmura Platt, les yeux aveuglés de sueur.

Il reprit un peu son sang-froid. Un silence pesant s'établit dans l'automobile, coupé de temps à autre par les soupirs bruyants de Jerry Turcotte. Ils filaient sur le boulevard Henri-Bourassa depuis un bon moment déjà lorsqu'une limousine surgit tout à coup à leur droite en brûlant un feu rouge. Quatre paires de pneus se mirent à hurler en même temps. Les deux véhicules s'immobilisèrent à quelques pouces l'un de l'autre. Pendant un moment, les occupants se dévisagèrent en silence, puis d'un geste brusque le chauffeur de la limousine fit signe à Platt de s'éloigner.

— Qui était-ce? demanda une voix nasillarde du fond de l'auto.

— Oh, des fêtards, monsieur, répondit le chauffeur, rien d'important. Veuillez m'excuser.

— C'est déjà fait, mon ami. Mais deux pouces plus loin, et je n'en aurais peut-être pas été capable.

Un froissement de papier indiqua au chauffeur que son patron s'était replongé dans sa lecture. Dans l'auto des ravisseurs, personne ne pouvait articuler un mot. Quelques minutes passèrent. Maurice se pencha vers Robert:

— Est-ce que j'ai bien vu? chuchota-t-il.

— Oui, mon vieux.

— Eh bien! fit Maurice après une pause, c'est le même homme partout; il se fait conduire de la même façon qu'il conduit le pays.

Quelques instants plus tard, l'auto pénétrait dans le garage. Le Cancéreux sortit d'un petit pas tranquille, une lettre à la main, et se dirigea vers un arrêt d'autobus. Le coup avait réussi.

166

XIX

Dès son retour, Blandine téléphona à un poste de radio. D'une voix mal assurée, elle lut un court message que Maurice venait de lui remettre. Vingt minutes plus tard, la police confirmait l'enlèvement. Un coup de canon sur la place Ville-Marie aurait produit moins d'effet. Toutes les émissions de radio et de télévision furent interrompues. Vers la fin de l'après-midi, plusieurs journaux avaient publié une édition spéciale sur l'*Affaire Turcotte*, où une profusion de photos inutiles compensait le manque d'information véritable. Le ministre de la Justice était monté à Montréal à toute vitesse; on annonça qu'il donnerait une conférence de presse vers la fin de l'après-midi. Plusieurs notables demandèrent la protection de la police et les agences de sécurité furent inondées d'appels. Le quartier général de la rue Parthenais ressemblait aux coulisses d'un théâtre quand tous les décors viennent de ficher le camp par terre. À midi, une vingtaine de personnes étaient déjà appréhendées et on procédait à des perquisitions sur toute l'île de Montréal.

À l'appartement de la rue Monselet, le plus grand calme régnait. Dès leur arrivée, on avait administré aux kidnappés un puissant somnifère qui, conjugué avec l'action de l'alcool, les avait terrassés en quelques minutes.

— Ils doivent s'habituer à la captivité, dit Robert, mais nous aussi. Pendant qu'ils ronflent, on aura le temps de souffler un peu.

Tout le monde s'était rassemblé dans la cuisine pour suivre les bulletins de nouvelles à la radio. Blandine écoutait sans dire un mot; malgré son extrême pâleur, elle paraissait assez calme. Le Cancéreux faisait de grands hochements de tête approbateurs et semblait d'excellente humeur.Quant au poète Platt, sous l'effet des événements, il avait, encore une fois, retrouvé son enthousiasme, et même son appétit; il préparait un énorme spaghetti pour le dîner.

— C'est de loin l'enlèvement le plus réussi que je connaisse, disait-il à tout moment.

Puis, il se mettait à chantonner la *Marseillaise* en y ajoutant des vers de son cru.

Robert se tourna tout à coup vers lui et lui ordonna de se taire.

— Comment! s'écria-t-il, vexé, est-ce que je suis votre prisonnier moi aussi?

Maurice les observait tous deux en silence, l'air soucieux.

Vers quatre heures, le député se réveilla peu à peu.

— De l'eau, demanda-t-il d'une voix affaiblie.

On l'avait étendu sur un lit, un bras menotté au sommier. Au bout d'un moment, il essaya de se lever, fit une horrible grimace et retomba sur l'oreiller.

— Aïe! Aïe! Aïe! ma tête… murmura-t-il en se massant le front.

Gilles Pellerin était couché au pied du lit, pieds et poings liés. Il chantonnait doucement en observant le Cancéreux assis devant lui.

Robert entra dans la chambre en coup de vent:

— Réveillés, mes oiseaux? Soyez courageux, vous êtes devenus des vedettes. Votre nom est partout. Vous allez m'écrire une petite lettre que je vais vous dicter, dit-il en se tournant vers le député.

— Moins fort, s'il vous plaît, mon bon monsieur, répondit doucement Turcotte, la tête va me péter, et de toute façon je ne comprends rien à ce qui se passe.

— Alors je vais vous l'expliquer en trois mots. Vous venez d'être enlevé. Pourquoi? Parce que les Québécois sont écœurés de se faire exploiter par des rats comme vous. Ils en ont jusque-là de végéter aux crochets du Bien-être social ou de l'Assurance-chômage, tandis que vous passez vos hivers en Floride. Voilà pourquoi vous venez d'être enlevé. Votre beau temps est fini. Vous allez servir maintenant à nous libérer, c'est pas beau, ça? Écoutez-moi bien. Si vous voulez sortir vivant de cette chambre, il faudra que le gouvernement libère tous les Québécois qu'il a foutus en prison pour des raisons politiques, et qu'il nous verse, en plus, une bonne grosse rançon qui va servir à éliminer toute votre racaille. Est-ce que vous comprenez mieux, maintenant?

Jerry Turcotte avala sa salive deux ou trois fois; il regardait Robert avec des yeux de myope, souriait, grimaçait, n'arrivait pas à croire son interlocuteur.

— Une rançon... une rançon... et combien, la rançon? demanda-t-il enfin.

— $500,000.

Gilles Pellerin se mit à ricaner, puis se mordit les lèvres:

— Scusez-moi, mais à mon humble avis, c'est la première fois que je reste couché aussi longtemps sur un plancher. Scusez-moi.

Le député s'agitait dans son lit, haletant, le visage tout en sueur:

— $500,000... ça ne tient pas debout! Ils n'accepteront jamais!... et libérer des prisonniers par-dessus le marché! C'est une farce... vous avez voulu faire une farce... Voyons, laissez-moi partir. Je ne vous ferai pas de tort. Je prendrai tout sur mes épaules. Je leur dirai que c'était un truc publicitaire, tiens, c'est ça, une campagne de publicité auprès de mes électeurs.

— Cessez de divaguer. Le gouvernement a reçu notre communiqué ce matin, il connaît déjà nos conditions: $500,000 et treize prisonniers politiques. Jamais nous ne reculerons là-dessus.

Robert se tourna vers le Cancéreux:

— Enlève-lui ses menottes. Je vais vous donner une plume et du papier et vous allez écrire une jolie petite lettre à votre cheuf à Québec.

Lorsque la lettre fut écrite, Blandine la glissa dans son sac à main avec des pièces d'identité du député et, toute tremblante, alla la déposer dans une poubelle de la station Peel. À son retour, Maurice téléphona à un poste de radio pour qu'on aille la cueillir. Blandine avait rapporté des journaux; on se les arracha.

— Les imbéciles, ricana Maurice, ils ont arrêté deux cents personnes aujourd'hui! Ils perquisitionnent jusqu'à Chicoutimi!

— C'est merveilleux, s'écria le poète, nous sommes devenus le centre de l'Occident!

Le Cancéreux lut tous les journaux, puis s'en alla, radieux, à la salle de bain. Il en ressortit lavé, parfumé, les cheveux pleins de brillantine et soupa comme un défoncé, au grand étonnement de tous.

Toute la nuit, on entendit le hurlement des sirènes et le claquement sourd des hélicoptères qui filaient au-dessus des toits. Des gens se réveillaient en sursaut, pour trouver des visages menaçants penchés au-dessus de leur lit. On les bombardait de questions; on chambardait leur maison; le plus petit bout de papier était scruté d'un œil méfiant. Gare à eux, s'ils essayaient de s'y opposer! Au moindre soupçon, on leur ordonnait de s'habiller et ils devaient quitter leur foyer sans savoir où on les emmenait. Alors, à bien des endroits, quand la maison était vide, des électriciens s'affairaient sans bruit, installant des appareils d'une petitesse et d'une efficacité étonnantes. Et c'est ainsi qu'un immense scénario se montait graduellement, dans lequel on essayait de pousser la population de plus en plus effrayée.

Pendant ce temps, à l'appartement de la rue Monselet, chacun grugeait la nuit par petits quarts d'heure de sommeil. Le poète Platt montait la garde dans la chambre des otages, l'œil écarquillé, la paume moite, et de temps à autre, quand il était bien sûr de les voir endormis, griffonnait des vers dans un calepin posé sur ses genoux.

XX

Lorsque Maurice vint relever Platt, Jerry Turcotte se souleva péniblement sur ses coudes (on l'avait libéré de ses menottes) et essaya de se composer tant bien que mal un air affable.

— Maurice, mon ami, est-ce que je pourrais te parler seul à seul?

— Seul à seul?

Il lui montra du menton Gilles Pellerin qui s'étirait en grimaçant:

— Il va falloir vous accommoder de sa présence. Après tout, c'est votre homme de confiance, n'est-ce pas?

Le député hésita une seconde.

— Bon, très bien, très bien, fit-il avec un sourire forcé, tu as raison, je n'ai pas de secret à lui faire.

— J'aime vous l'entendre dire, *boss*.

Turcotte s'assit sur le bord de son lit et fouilla fébrilement dans son veston.

— Cigarette, Maurice? Tu permets que je t'appelle encore par ton petit nom, n'est-ce pas? Ah oui, c'est vrai, tu ne fumes pas. Je l'avais oublié, depuis le temps. Oui! je n'ai pas peur de le dire: depuis le temps. Je t'ai fait beaucoup de tort, et pendant longtemps, je le reconnais. D'ailleurs, comment le cacher? Trois ans de prison, c'est encombrant, comme disait mon grand-père. Mais je ne suis pas fou, je comprends ce que tu veux: je t'ai fait du tort, beaucoup de tort. En fait, j'ai agi comme un écœurant, pourquoi avoir peur des mots? Et tout ce tort-là demande réparation. Mais j'ai toujours été prêt, moi, tu sais... Pourquoi n'es-tu pas venu me voir? Je t'aurais donné un coup de main, mon ami. Je suis même allé te voir une fois, tu te souviens... Mais coupons là: pourquoi éplucher les vieux légumes, hein? Je t'ai fait du tort, ça demande réparation, j'en conviens, et de gaieté de cœur encore. Combien veux-tu? Dis-moi un chiffre. J'ai de l'argent chez moi, beaucoup d'argent. Je le gardais pour toi; je me disais: Quand il sortira de prison, il en aura besoin, c'est normal; alors, j'en aurai. Et je suis content d'en avoir, d'ailleurs, car je lui ai fait du tort, à ce garçon, beaucoup de tort. Mais que veux-tu? Les circonstances ne viennent pas toujours se jucher sur la branche qu'on leur avance, hein? Et c'est parfois difficile de se montrer aussi honnête qu'on l'est dans le fond de son cœur. Mais je coupe là, je coupe là tout de suite. Les morts avec les morts, comme disait mon grand-père. Combien veux-tu? Dix mille? Vingt mille? Je te donne l'argent; je ne porte pas plainte, Gilles non plus, bien entendu. On monte une belle histoire pour la presse et on se quitte aussi bons amis qu'avant. Hein? Ça marche, ça? Ou bien, si tu préfères, je vous aide à passer la frontière, toi et tes amis, et vous allez vous dorer la bedaine aux frais du gros Jerry.

Il se pencha en avant et regarda Maurice avec des yeux suppliants:

— Qu'est-ce que tu en penses?

Maurice, qui l'écoutait sans broncher, se contenta de lui présenter le communiqué qu'ils avaient fait parvenir au gouvernement. Le député saisit la feuille et se mit à lire, avidement, les mains tremblantes, une étoile de rides autour de chaque œil.

— Toi aussi…, murmura-t-il au bout d'un moment, d'une voix éteinte. $500,000… treize prisonniers… Mais vous êtes fous, les *boys,* vous êtes fous comme de la marde! s'écria-t-il avec des sanglots dans la voix.

Gilles Pellerin l'observait avec une attention maniaque.

— Jamais le Premier ministre n'acceptera vos conditions! Et Ottawa? Ottawa? Avez-vous pensé à Ottawa? Écoute, Maurice, oublions le passé, les vieux chaussons avec les vieux souliers… On a eu une petite affaire puante, toi et moi, réglons-la ensemble comme deux grands garçons. J'ai $90,000 à la banque. J'ai toujours gardé cet argent-là pour

172

toi (seulement pour toi). Je te fais passer au Mexique rien que sur une fripe et...

— Mes amis? demanda Maurice avec un sourire cruel.

Le député hésita une seconde. Une lueur d'espoir jaillit dans ses yeux:

— Tes amis aussi, bien sûr! Tout le monde au Mexique, ou ailleurs, si vous le voulez, à Cuba, par exemple, ou en Algérie. Je vendrai une de mes propriétés s'il vous faut plus d'argent; on arrondira à $150,000, disons. Visas, passeports, billets d'avion, je me charge de tout, on se serre la main et tout le monde se quitte content. Qu'est-ce que tu en penses? L'affaire est tiguedou? Hein? Ah! vous m'aurez donné des chaleurs, les gars. Des toffes, j'ai eu affaire à des toffes. Eh bien! c'est ce qu'il faut être dans la vie. Ce sont les toffes qui gagnent. Les bons garçons, eux, se contentent de laver la vaisselle.

— Je crois que vous m'avez mal compris, coupa Maurice. L'affaire dont vous me parlez ne me concerne plus depuis longtemps. Elle ne m'a peut-être jamais concerné, d'ailleurs.

Le député le regardait, sans comprendre.

— Elle concerne qui, alors?

— Bien des gens. Des millions de personnes. Tout le Québec, en fait.

— Tout le Québec? répéta Turcotte, ahuri.

Peu à peu, une expression de détresse sans fond apparut dans ses yeux; ses traits se crispèrent, tournèrent en grimace. Maurice crut qu'il allait pleurer. Il se recoucha lentement dans son lit, ramena ses bras sur sa poitrine et ferma les yeux.

— Tuez-moi tout de suite si ça vous tente, bande de petits calvaires, je m'en fiche.

Maurice l'observa un instant, haussa les épaules, puis alla s'asseoir dans un coin. Gilles Pellerin s'éclaircit la gorge plusieurs fois, s'agita sur son matelas et cligna des yeux:

— Bien qu'on soit en train de vivre une page d'histoire, dit-il enfin, tout craintif, est-ce que je pourrais me permettre de vous demander respectueusement vers quelle heure on sert le déjeuner?

À sa grande satisfaction, après avoir avalé sa portion, il eut droit à celle de son patron. Une fois rassasié, une grande inquiétude le saisit et il se mit à poser toutes sortes de questions à Maurice sur le sort qu'on lui réservait. Elles restèrent sans réponse.

XXI

À midi, on annonça que le Premier ministre du Québec allait faire une déclaration télévisée durant la soirée. Comme on avait pris soin d'apporter deux appareils de télévision à l'appartement, Robert en fit transporter un dans la chambre du député.

— Comme ça, lui dit-il, vous pourrez voir de vos propres yeux si votre p'tit cheuf vous aime ou non.

Le député le regarda en grimaçant; depuis quelques heures, un mal secret semblait le miner; il commença à se plaindre d'une douleur au côté droit.

— Attention, fit Pellerin, mon *boss* a le foie malade! Il souffre de bibérophilie depuis plusieurs années. Le médecin l'oblige à prendre des pilules chaque jour, et ce ne sont pas des paparmanes, prenez ma parole: $27 la douzaine, pas un sou de moins.

— Ah! le foie va me péter! gémissait le député, donnez-moi mes pilules!

Il se tordait dans son lit, se levait, se recouchait, se prenait le côté à deux mains.

— Et si j'allais lui acheter des pilules Carter's, proposa le poète, tout ému. Ça soulage tout, même les coups de soleil.

Robert l'envoya monter la garde et rassembla tout le monde dans la cuisine:

— Gardez votre calme, il nous joue la comédie, c'est clair comme le jour.

— Il faut pourtant le faire taire, fit Maurice, il va ameuter toute la maison; c'est sûrement ce qu'il cherche, d'ailleurs.

Robert se tourna vers le Cancéreux:

— Tu sais ce qu'il lui faut, mon ami.

Le Cancéreux pâlit légèrement, quitta la pièce et revint avec une bouteille.

— Mon Dieu! qu'est-ce qui nous arrive? soupira Blandine, et elle se mit à pleurer sans bruit.

Robert fit signe à son compagnon de le suivre.

— Du calme, vieux bouffon, s'écria-t-il en entrant dans la chambre, sinon je te passe au chloroforme.

Il lui montra la bouteille et le chiffon; Turcotte se tut aussitôt et se recroquevilla dans le lit en le fixant d'un air apeuré. Mais deux minutes plus tard, il avait recommencé à gémir et à se tordre dans ses draps; de grosses gouttes de sueur roulaient sur son front.

— Décidément, il ne manque pas de talent, celui-là, fit Maurice en entrant, et un frisson le parcourut.

À ces mots, Gilles Pellerin se dressa dans son lit et se mit à gesticuler, l'œil fiévreux, le geste prophétique:

— Malheur à vous, mes amis! Vous allez le tuer si vous le prenez pour un comédien. Il n'y en a qu'un ici, et c'est moi! Oui, c'est moi, continua-t-il d'un air exalté, c'est à moi que la Nature a versé du jus de planches dans les veines, mais lui, regardez son visage! Il n'a que de la bile. Nul autre liquide!

Et il se recoucha, souriant, brusquement rasséréné. Effectivement, le visage du député avait pris une teinte verdâtre des plus inquiétantes. Robert était ébranlé et observait la scène sans mot dire. Blandine s'avança pour lui parler, mais elle n'en eut pas le temps; le député s'était brusquement dressé dans son lit et vomissait en lâchant des hoquets épouvantables. Maurice saisit son ami par le bras:

— Il faut faire quelque chose! S'il nous crève entre les mains, tout est foutu!

Platt, qui était sorti de la chambre, vint les retrouver, épouvanté:

— C'est vrai qu'il est malade, on vient de l'annoncer à la radio! Il doit prendre chaque jour des comprimés de diastobilol ou plastobilol, j'ai mal compris. Il faut aller tout de suite à une pharmacie!

— C'est ça, vas-y, répliqua Robert, on ira te voir à l'hôtel Parthenais.

Maurice l'entraîna dans le salon:

— Voyons, cesse de te moquer, tu vois bien qu'il souffre. On ne vomit pas à volonté, tout de même.

— Je sais bien, mais comment lui trouver des remèdes? La police a averti toutes les pharmacies, c'est évident.

Maurice le regarda un moment, puis se retira dans sa chambre, tout songeur.

Peu à peu, la crise s'apaisa; le député somnola jusqu'au souper. Vers six heures, Blandine voulut lui faire boire un peu de bouillon, mais il refusa avec force. Il avait les traits décomposés, la voix éteinte et traitait tout le monde de meurtrier. À sept heures, le Premier ministre fit sa déclaration à la télévision. Chose curieuse, on ne le voyait pas à l'écran; il avait été remplacé par une de ses photographies officielles, que son éternel sourire de collégien rendait presque malséante ce soir-là. Sa voix était assez calme, mais comme brisée. Dès le début, il fut évident que le gouvernement cherchait à gagner du temps; le Premier ministre ne fermait pas la porte à toute négociation, mais demandait des garanties, une preuve certaine que le député était encore vivant, un intermédiaire pour négocier, etc. À plusieurs reprises, il promit aux ravisseurs « toute la clémence des tribunaux » si ces derniers relâchaient immédiatement leur otage. Finalement, tout cela laissait bien peu d'espoir.

— Vous voyez comme on s'aime entre capitalistes, s'écria Robert en se tournant vers Jerry Turcotte. Demain, vous allez écrire une dernière fois à votre p'tit cheuf. Et je vous conseille d'être éloquent si vous voulez sortir d'ici vivant.

Turcotte ne répondit rien. Lorsqu'on ferma l'appareil, il

soupira deux ou trois fois et se remit à gémir. Robert s'élança vers lui et le secoua rudement:

— Ah non! tu ne vas pas recommencer ton petit truc! On
t'a assez entendu, tout de même!

— Mais j'ai mal pour de vrai, pleurnicha le député.

— Écoute, si tu es vraiment malade, on va te donner des
somnifères et demain on essayera de te trouver des remèdes.

— Je veux bien, moi.

Il s'assit péniblement dans son lit, saisit d'une main
tremblante le verre d'eau que Blandine lui tendait et avala
trois pilules. Robert demanda au poète de le surveiller et
se retira dans une chambre avec Maurice pour rédiger la
réponse qu'ils feraient parvenir le lendemain au gouvernement. Ils avaient à peine terminé le brouillon que Blandine
faisait irruption dans la pièce:

— Il est en train de mourir, s'écria-t-elle, affolée.

Par la porte entrouverte, on entendait le député qui s'épui-
sait en efforts de gosier surhumains; au moindre répit que
lui laissait la nausée, il abreuvait le poète d'un flot d'injures grossières pendant que Gilles Pellerin tentait de le calmer
en débitant toutes sortes de sottises.

— Eh bien! on n'a pas le choix, fit Maurice en se levant,
il faut contacter madame Tremblay.

— Madame Tremblay? s'exclama Robert.

— C'est la seule personne qui puisse mettre la main sur
ses remèdes.

— Tu parles d'elle comme si tu étais sûr qu'elle était de
notre côté.

— Je crois qu'elle l'est. De toute façon, as-tu autre chose
à proposer?

— Non. Par contre, je sais que tu ne peux pas aller chez
elle. Quant à lui téléphoner, c'est la dernière chose à faire.

— J'ai eu une idée tout à l'heure. C'est bien mercredi,
aujourd'hui? Quelle heure est-il?

Quelques minutes plus tard, Maurice se faisait conduire
en taxi à l'Oratoire Saint-Joseph. La ville paraissait assez
calme. Mais au nombre d'autos-patrouilles qui sillonnaient
les rues, on voyait bien que le Québec, encore une fois,

vivait des jours tumultueux. Il descendit devant l'escalier principal et se fit indiquer par un gardien l'endroit où se trouvait le musée du Frère André; malgré sa hâte, il monta posément la série de marches interminable qui menait au portail de l'Oratoire; il passa devant, descendit au sous-sol et trouva sans peine le musée, fermé à cette heure-là. Les *Amis du Frère André* se réunissaient deux fois par semaine dans une salle adjacente. Il se chercha un coin discret pour observer l'arrivée des gens, et attendit, le cœur battant. Au bout de quelques minutes, des pas se mirent à résonner dans le corridor et une vieille dame apparut, puis une autre; elles commencèrent d'arriver par grappes, frileuses, papotantes, chuchotantes, accompagnées de temps à autre par un vieux rentier à l'air grognon, mal rasé, parfumé au tabac, ou alors galant, l'œil pétillant, la jambe alerte, rempli de prévenances surannées. Dix minutes passèrent. Les arrivants se faisaient de plus en plus rares.

— Et si elle ne venait pas? se dit-il tout à coup.

Presque aussitôt, elle apparut, marchant d'un pas pressé, la tête courbée, son sac serré contre sa poitrine. Par bonheur, ils se trouvaient seuls dans le corridor. Maurice sortit de l'ombre et l'appela à voix basse au moment où elle entrait dans la salle. Elle s'arrêta, leva les yeux et resta figée sur place, la bouche ouverte.

— Il n'y aura pas de réunion pour vous ce soir, lui dit-il en l'entraînant loin de la salle.

— Mais... mais qu'est-ce que vous faites ici? lui demanda-t-elle, livide, en se retournant de tous côtés pour s'assurer qu'ils étaient bien seuls.

— Est-ce qu'on vous a suivie?

— Non... du moins je ne le crois pas... Que me voulez-vous?

— J'ai besoin de votre aide.

— Mais c'est très imprudent d'être venu ici, n'importe qui pourrait vous...

Elle s'arrêta, embarrassée. Ils se trouvaient dans une petite salle encombrée de planches et de poches de ciment.

— Pourrait me quoi? demanda Maurice d'un ton ironique.

— J'ai tout deviné, répondit-elle avec précipitation, vous ne pouvez rien me cacher.

— Ah oui? Est-ce que la police vous a questionnée?

— Questionner n'est pas le mot. Ils viennent tout juste de me relâcher, j'en ai encore mal à la tête.

— Qu'est-ce que vous leur avez dit?

— Que je ne savais rien. Et je ne sais rien. Je suppose bien certaines choses, évidemment, mais en mon âme et conscience je ne sais rien du tout; alors plutôt que de parler à travers mon chapeau et de faire du tort aux gens, j'ai préféré me taire.

— Vous avez bien fait.

Elle lui saisit le bras:

— Dites-moi… vous ne lui avez pas fait mal, au moins?

— Absolument pas. Mais il est tombé malade aujourd'hui. C'est à ce sujet que je viens vous voir.

— Qu'est-ce qu'il a?

— C'est son foie, je crois. Gilles Pellerin m'a dit qu'il avait le foie malade. Est-ce que c'est vrai?

— Seigneur Jésus! Il a failli mourir d'une crise l'an passé. Relâchez-le tout de suite, pour l'amour de Dieu!

— Il est trop tard maintenant. Mais vous pouvez l'aider en nous apportant ses remèdes.

Elle se tordait les mains, affolée:

— Tout cela va mal finir, j'en suis sûre. Vous agissez par vengeance, je le vois sur votre visage. Et pourtant, j'ai réparé, moi, je vous ai aidé, vous avez reçu les trois quarts de mes économies. Ce n'était pas suffisant?

— Il ne s'agit pas de ça, madame; l'histoire est beaucoup plus compliquée, je n'ai pas le temps de vous la raconter… Donnez-nous ses pilules, s'il vous plaît.

— Mais je ne les ai pas, ses pilules, elles sont chez lui. Pensez-vous que je peux entrer dans sa maison comme dans un moulin?

— Il va falloir que vous y entriez, sinon il va mourir.

Elle réfléchit quelques minutes en se mordillant les lèvres, tout agitée de frissons.

— Je vais essayer de me les procurer demain, lui dit-elle

179

enfin. Je ne promets rien, mais je vais essayer. À une condition, cependant.

— Laquelle?

— Je veux le voir.

— Impossible. N'y pensez pas.

— Je veux le voir, reprit-elle avec force. Je veux voir comment vous le traitez.

Il essaya de la raisonner; rien n'y fit. Il lui démontra qu'en le voyant elle devenait automatiquement leur complice; elle accepta de le devenir. Une sorte de caillot à base d'entêtement sénile et de charité chrétienne venait de lui monter au cerveau et elle ne pouvait plus rien comprendre. Ils discutèrent ainsi pendant une demi-heure. Comme elle menaçait d'appeler la police, il se rendit finalement à sa demande et lui donna rendez-vous pour le lendemain à huit heures, dans un parc du nord de la ville.

— Mais prenez bien garde! Si on m'arrête ou qu'on me prend en filature, vous ne reverrez jamais plus votre patron vivant.

Pendant ce temps, un incident fort étrange s'était produit à l'appartement de la rue Monselet. Aussitôt après le départ de Maurice, on avait fait prendre au député une dose massive de calmants qui l'avait bientôt plongé dans une profonde torpeur. Un ronflement baroque s'éleva dans la chambre, rempli de trilles nasillards, de couacs métalliques, de sifflements mouillés et tremblotants qui transportaient avec eux la tristesse des catacombes. Le Cancéreux alla jeter un coup d'œil, mais ressortit aussitôt; pâle comme un mort, il dut s'appuyer contre un mur, en proie à une frénétique danse de points noirs. Quelques instants plus tard, Platt le retrouvait assis dans la cuisine, perdu dans une méditation lugubre.

— Mon pauvre ami, lui dit le poète en lui tapotant l'épaule, nous sommes tous perdus. Je comprends maintenant la chienne et le violoncelle. Je n'ai pas voulu écouter les enseignements de la musique et je vais être puni.

Soudain, son compagnon tressaillit, leva sur lui des yeux égarés et se précipita dans sa chambre; il saisit une feuille et un bout de crayon et se mit à griffonner fiévreusement. Au bout de quelques instants, il s'arrêta, parcourut lentement le texte qu'il venait d'écrire et un sourire mystérieux apparut sur ses lèvres; il plia soigneusement la feuille en deux, en glissa un coin dans la poche arrière de son pantalon et s'observa dans le miroir. Après l'avoir retiré un peu, il sortit de sa chambre et, prenant son courage à deux mains, alla relever Robert qui montait la garde auprès du député. En s'assoyant, le morceau de papier tomba et vola sous le lit; il fit mine de ne pas s'en apercevoir, pencha la tête et ferma à demi les yeux. Gilles Pellerin l'observait depuis son arrivée; pouce par pouce, il approcha sa main du papier, le glissa dans sa chemise, puis au bout de quelques minutes demanda d'aller aux toilettes. Quand il revint, le Cancéreux vit à son expression que son stratagème commençait à porter ses fruits. Sur ces entrefaites, Maurice arriva à l'appartement. Une discussion mouvementée commença aussitôt entre lui, Robert et le poète Platt; le ton monta rapidement, et bientôt on put suivre leurs paroles d'un bout à l'autre de l'appartement. Le député poussa un gémissement et sortit peu à peu de sa somnolence; dès que Gilles Pellerin le jugea suffisamment réveillé, il lui fit un signe discret et glissa la feuille sous ses couvertures (comme tout cela était facile! décidément, on pourrait même songer à une évasion). Jerry Turcotte observa son gardien un moment, déplia lentement la feuille, puis, se tournant sur le côté, il put lire facilement à la lumière de la veilleuse. Le Cancéreux l'entendit alors pousser un immense soupir de soulagement; il s'étira longuement dans son lit et se rendormit paisiblement pendant que Gilles Pellerin, couché dans l'ombre, sifflotait un pot-pourri de Charles Trenet.

Vers huit heures, le lendemain matin, Maurice alla jeter un coup d'œil sur le député avant d'aller rejoindre madame Tremblay et fut surpris par sa bonne mine.

— Ce n'est qu'un répit, chuchota Pellerin, il va sans doute mourir ce matin.

Le Cancéreux se pencha au-dessus de lui et scruta son visage pendant un long moment; il se releva, indécis, esquissa un geste à l'intention de Maurice, puis se ravisa et alla se rasseoir. Maurice sortit de la chambre et enfila son manteau.

— Tiens, emporte ça, lui dit Robert en glissant un revolver dans sa poche, et prends bien garde qu'on ne l'ait suivie.

Blandine l'embrassa à plusieurs reprises, les yeux noyés de larmes. Quelques minutes plus tard, le député se réveillait et demandait à manger. Quand Maurice revint avec madame Tremblay, il terminait un copieux déjeuner.

— Notre malade va beaucoup mieux, s'écria le poète Platt en accourant vers eux. Il est même guéri. C'est merveilleux!

— Montrez-le moi! Montrez-le moi! ne cessait de répéter madame Tremblay, en proie à une agitation comique, je veux le voir de mes propres yeux!

Robert lui saisit le bras:

— Ne perdez pas le nord, ma bonne dame, et donnez-moi d'abord ses pilules.

Elle lui tendit une enveloppe et ils entrèrent dans la chambre.

— Eh bien! s'écria le député avec une jovialité débordante, ils viennent de vous attraper aussi, mame Tremblay? Vive le Pape! je vais pouvoir regoûter à votre cuisine!

— Serait-il possible, messieurs, demanda Gilles Pellerin, imperturbable, de nous enlever maintenant une autre femme, mais un peu plus jeune?

Maurice gardait le silence, stupéfait par ce changement subit. Le Cancéreux le toucha à l'épaule et lui fit signe de le suivre dans sa chambre. Après avoir soigneusement refermé la porte, il lui décrivit, à forces de gestes, son stratagème de la nuit précédente et lui tendit un morceau de papier. Il s'agissait de la copie d'un fragment de lettre adressée à un personnage imaginaire:

> connais mes idées là-dessus. Nous luttons pour tout
> le Québec et non pour une petite clique d'intellectuels
> extrémistes. Aussi, n'avons-nous qu'un but: le renver-
> sement du pouvoir oppressif actuel et l'établissement

d'une vraie justice économico-sociale. Comment veux-
tu alors que nous acceptions la violence physique et le
meurtre? Tuer au nom du respect de la vie? Laisse-moi
rire. Turcotte est une crapule, je veux bien l'admettre,
mais c'est aussi une victime, à sa façon. Quoi qu'il
arrive, il ne mourra pas. Ceci, nous l'avons juré. En
le tuant. nous tuerions notre cause du même coup.

Maurice le regarda un long moment, estomaqué.

— Eh bien! dit-il enfin, s'il est vraiment guéri, la lâcheté
humaine n'a pas de fond, et toi, tu es drôlement malin!

Le Cancéreux fit quelques pas dans la pièce. Il souriait,
il rougissait, il se mourait d'aise. Ils revinrent dans la chambre du député. Madame Tremblay lui lavait le visage:

— Peut-être qu'il va mieux, peut-être qu'il va plus mal,
comment savoir? Je vais rester un jour ou deux, le temps
d'être sûre qu'il est bien rétabli.

— J'ai une bien meilleure idée, moi, lui dit Robert. Vous
ne quitterez pas l'appartement tant que le gouvernement
n'aura pas rempli toutes nos conditions.

Elle leva brusquement la tête, interdite. Tout le monde
gardait le silence.

— Bon, fit-elle au bout d'un moment, c'est peut-être
mieux comme ça (sa voix tremblait un peu). Il y aura ici une
personne avec un peu de tête sur les épaules.

XXII

La fausse crise de foie de Jerry Turcotte avait empêché
ses ravisseurs de faire connaître leurs réactions au discours
du Premier ministre. Ils ne purent émettre de communiqué
que le lendemain de l'arrivée de madame Tremblay. Ce fut
le poète Platt, transformé par une monumentale moustache
de sa propre fabrication, qui alla le déposer sous un paillasson dans une maison de rapport du boulevard Saint-Joseph.

Robert et Maurice avaient tout de suite deviné la manœuvre (plutôt grossière) du gouvernement, qui cherchait d'abord à gagner du temps, puis à obliger les ravisseurs à fournir le plus d'indices possible sur leur identité et l'endroit de leur cachette. Leur réponse fut courte et brutale: ils refusaient tout intermédiaire; exigeaient l'arrêt immédiat des recherches policières; accordaient un ultime délai de vingt-quatre heures aux autorités pour qu'elles se rendent à toutes leurs conditions; le rejet d'une seule d'entre elles amènerait l'exécution immédiate du député. Celui-ci suivait le dialogue d'un air résigné et riait dans sa barbe:

— Bande de *jokers*, cessez de jouer aux durs et faites vos valises au plus sacrant!

À la réception du communiqué, le gouvernement sembla pris de panique et parut vouloir céder. C'est du moins ce qu'en conclurent les ravisseurs après avoir écouté la déclaration que le ministre de la Justice fit le soir même à la télévision. Pour des considérations d'ordre humanitaire, déclarait-il, et dans le but de sauvegarder la vie du député, le gouvernement n'avait pas d'objection à se rendre à la plupart des conditions posées par les ravisseurs, mais il exigeait un nouveau délai pour qu'on puisse s'entendre sur les modalités d'application desdites conditions et demandait des preuves formelles du bon état de santé de leur otage. Par contre, en échange de la libération immédiate de ce dernier, le gouvernement était prêt à garantir l'impunité totale aux ravisseurs et à leur fournir des sauf-conduits pour le pays de leur choix.

En réalité, les autorités gouvernementales, prises au dépourvu dans les premiers moments de la crise, élaboraient une stratégie de plus en plus précise. Les rapports entre Québec et Ottawa, d'abord flous et comme improvisés, s'étaient rapidement clarifiés. Québec continuait de laisser l'impression de diriger les opérations, mais toutes les décisions importantes étaient maintenant prises dans la capitale fédérale. On intensifia les recherches policières. Les media d'information furent soumis à une censure rigide. Des personnages importants laissèrent entendre publiquement que les cellules terroristes comptaient plusieurs milliers de membres, tous armés jusqu'aux dents, et que le pays se trouvait au bord de la guerre civile. On prit des mesures secrètes afin de pouvoir adopter dans les plus brefs délais la Loi des mesures de guerre, qui faciliterait le travail des policiers; enfin, l'armée reçut l'ordre de se tenir en alerte. Pendant ce temps, les moindres détails de la vie de Jerry Turcotte étaient scrutés à la loupe et des membres de la Gendarmerie royale et de la Sûreté du Québec brassaient fiévreusement des montagnes de dossiers. On put bientôt établir une liste de « personnes recherchées » et de délateurs efficaces. Maurice Ferland fut le premier dont le signalement apparut dans les journaux; ensuite, ce fut celui de Robert. La disparition de madame Tremblay avait fait un bruit énorme, mais ne permit à personne de tirer les conclusions qu'il fallait. Au contraire, elle brouilla les cartes et joua plutôt en faveur des ravisseurs. Le poète Platt était fort dépité qu'on l'ait oublié; deux jours plus tard, il reçut à son tour les honneurs de la publicité; mais on accompagna sa photo de commentaires sur son œuvre qui le jetèrent dans une rage froide. Jamais il ne fit allusion aux propos qu'on avait tenus sur lui, ni personne en sa présence.

Maurice et Robert ne s'attendaient pas à la réponse que leur avait servie le ministre de la Justice; elle les étourdit. Ils ne voyaient pas clairement la règle de conduite à suivre et passaient leur temps à des discussions interminables. Le délai de vingt-quatre heures s'écoula. Ils ne mirent pas leur menace à exécution. Cela raffermit le député dans sa conviction, et des idées audacieuses se mirent à germer dans sa tête.

La présence de madame Tremblay provoqua de grands changements à l'appartement. Sous sa direction, Blandine se lança dans une série intensive de cours d'art culinaire; la qualité des repas fit un bond prodigieux et le moral de tout le monde aussi. Jerry Turcotte, rassuré par sa présence, était devenu docile, presque charmant; il avait un peu l'impression de se trouver chez lui, alité par une maladie bénigne. Le poète Platt, dont on connaît le faible pour la bonne chère, mangeait comme quatre et entourait madame Tremblay de mille prévenances; il lui présenta même un petit poème en hexamètres, *Le ris de veau au sherry*, qu'il avait tiré d'une recette de Jehanne Benoit; elle en fut extrêmement touchée, mais ne put déchiffrer que la liste des ingrédients. Robert montrait beaucoup de méfiance à son égard et tempêtait contre sa présence à tout propos.

— Voyons, lui dit Maurice, cesse de te faire des soucis, je la connais; elle a eu le député sur le dos durant vingt ans et je suis sûr qu'elle n'est pas fâchée de ce qui lui arrive.

Maurice s'inquiétait à son sujet, mais pour d'autres raisons. Est-ce que les nerfs de cette vieille femme paisible supporteraient longtemps l'atmosphère de film policier qui régnait dans l'appartement?

Quelques jours plus tard, en entrant dans la cuisine, il l'aperçut assise à table en train de s'essuyer les yeux.

— Qu'avez-vous, madame Tremblay?

— Oh! ce n'est rien, des folies de vieille femme. Je viens d'entendre une chanson de Rina Ketty à la radio, vous savez, celle qui chantait *Sombreros et mantilles* (non, vous êtes trop jeune, évidemment, ça ne vous dit rien) et cela m'a rappelé le jour où j'ai rencontré mon mari pour la première fois.

— Eh bien! pensa Maurice, son patron est kidnappé et elle pleure en écoutant Rina Ketty. Elle se fiche de lui encore plus que je ne pensais.

Il n'aurait pas été moins surpris du profond changement qui s'opérait chez Gilles Pellerin. À mesure que celui-ci découvrait les dimensions de la poltronnerie de son patron, l'audace et le courage de ses ravisseurs l'envoûtaient de plus en plus.

Un jour que le député était à la salle de bain en train de se faire raser, il se mit à questionner le poète sur les préparatifs de l'enlèvement. Platt, qui était d'humeur épique ce matin-là, lui en fit un récit qui l'enthousiasma à un point dépassant l'entendement.

— Mais c'est du véritable cinéma, ne cessait-il de répéter, du véritable cinéma d'action!

Venant de sa bouche, c'était le plus grand compliment imaginable. À partir de ce moment, il se montra tellement docile et serviable que Maurice et Robert eurent des soupçons. Deux jours plus tard, après un préambule long et tortueux qui lui fit monter au front des sueurs d'accouchée, Gilles Pellerin demanda craintivement au poète si, à son avis, et après avoir donné, bien sûr, des preuves manifestes de sa loyauté, il pourrait un jour se joindre à leur groupe.

— Moi aussi, déclara-t-il, je veux me battre pour une plus grande justice économico-sociale.

Le poète en fut ému aux larmes; il alla trouver Maurice et lui transmit sa demande. Celui-ci éclata de rire et se rendit à la chambre du député:

— Dis donc, mon vieux, faudrait raffiner un peu tes vieux trucs. Tu veux me faire avaler des rails de chemin de fer, ou quoi?

Pellerin devint écarlate:

— Je... je vous ferai remarquer, répliqua-t-il d'un air offensé, que mes intentions sont absolument pures. Je vous en donnerai bientôt la preuve.

Le lendemain au milieu de l'après-midi, Platt, qui venait de dîner comme un ogre, faisait les cent pas en bâillant dans la chambre du député, tandis que ses compagnons, retirés dans une autre pièce, continuaient de discuter de la réponse qu'ils devaient adresser au gouvernement. Le député, couché sur le côté, ronflait comme un orgue de cathédrale, ce qui ne l'empêchait pas, depuis quelques minutes, d'observer les allées et venues de son gardien.

— Comment se fait-il, se demandait le poète en soupirant, qu'un pâté au poulet, si agréable dans la cavité buccale, devienne si punitif dans celle de l'estomac?

Sa digestion devenant de plus en plus laborieuse, il se mit à traîner les pieds; ses yeux se fermèrent à demi, une huile lourde et visqueuse monta lentement dans sa tête et se mit à tournoyer; il prenait de grandes inspirations, rotait, se cognait contre les meubles. Jerry Turcotte se souleva doucement sur un coude, lança un clin d'œil à son associé et lorgna le poète d'une façon significative. Pellerin réfléchit un instant, puis lui répondit par un léger mouvement de tête. Cinq minutes passèrent. Le poète zigzaguait de plus en plus, toutes ses pensées tendues vers un sachet de *Bromo*. Gilles Pellerin allongea brusquement la jambe et Platt se ramassa sur le plancher; il n'eut même pas le temps de se relever: son prisonnier s'était emparé de la mitraillette et la pointait vers lui en souriant.

— Pas un mot, chuchota-t-il. Il s'agit d'une petite plaisanterie. Enlève nos menottes et tu vas bien rire.

— Qu'est-ce qui se passe? demanda madame Tremblay dans la cuisine.

— Ce n'est rien, répondit le poète, je me suis accroché à un meuble.

Il se releva lentement, dans un état d'éberluement qui l'avait transformé en automate, et les libéra tous deux. Pellerin tendit la mitraillette au député et s'empara d'un drap et d'une taie d'oreiller. Il enfonça un coin de la taie dans la bouche de son gardien et le ligota à l'aide du drap. Tout s'était fait dans le plus grand silence. Alors il se rendit à la fenêtre et l'ouvrit doucement. Le député était déjà près de lui, une jambe levée, prêt à sortir.

— Donnez-moi la mitraillette, *boss*. Hé! les amis! criat-il de toutes ses forces en enfonçant le canon dans le ventre de son patron, approchez-vous de la porte!

— Mais c'est la voix de Pellerin, ça, s'écria Maurice en se levant d'un bond.

— Hé! les amis! répéta Pellerin, approchez-vous, que je vous dis!

Tout le monde se précipita vers la chambre.

— N'entrez pas tout de suite! Sinon, la poésie va en prendre pour son compte.

— Il veut nous mitrailler à travers la porte, s'écria Robert qui se rejeta contre le mur en tirant Blandine vers lui. Cachez-vous, souffla-t-il à Maurice, je reviens avec des armes.

Quelques secondes passèrent. Ils entendirent soudain des éclats de voix étouffés, entrecoupés de piétinements; on se disputait à voix basse dans la chambre.

— Mais qu'est-ce qu'ils mijotent? souffla Maurice en se rapprochant de la porte.

Il jeta un regard sur madame Tremblay qui glissait lentement le long du mur, les yeux révulsés.

— Allez-y! Vous pouvez entrer maintenant, lança joyeusement Pellerin.

Personne ne bougea.

— Mais entrez donc, bandes de chienneux! cria-t-il d'une voix furieuse. Entrez, ou je descends votre poète!

Robert venait d'arriver avec des mitraillettes. Maurice le consulta du regard, se plaça de côté et flanqua un violent coup de pied dans la porte. Le spectacle qu'ils virent les figea sur place. À leur gauche, ligoté sur une chaise, le poète Platt se débattait, les yeux exorbités. Jerry Turcotte et son associé se tenaient au fond de la chambre, en face de la fenêtre ouverte. Le député, debout dans une étrange posture, leur tournait le dos tandis que Pellerin le tenait en joue.

— Allez, allez, jusqu'à la dernière goutte, lui ordonnat-il.

Il se tourna vers eux, triomphant:

— Eh bien! me croyez-vous maintenant quand je vous dis que je suis de votre côté? Tenez, cher collègue, ajoutat-il en présentant sa mitraillette à Robert, je vous remets les clefs de la cité.

Jerry Turcotte, écumant de rage, remonta sa braguette et retourna dans son lit, où une bruyante crise d'hystérie acheva de consumer ses forces.

XXIII

Le poète Platt se promenait d'un air stupide à travers l'appartement, incapable d'articuler un mot. À chaque fois qu'il passait près de Gilles Pellerin, celui-ci éclatait de rire et lui flanquait une claque dans le dos:

— Ah! mon ami, on est plus brillant que tu le croyais dans la petite pègre, hein?

— Mais il est timbré, ce bonhomme-là, marmonnait Robert. Je suis pris avec deux fous, un sourd-muet, une illuminée et une ménagère de soixante ans.

Pellerin se planta devant lui, les deux mains sur les hanches:

— Je sais ce que tu penses de moi. Tu penses que la boule me tourne, hein? Tu penses que tes idées sont trop belles pour ma tête? Eh bien! mon petit jeune homme, laisse-moi te dire une chose: si mon père n'avait pas tellement bu, tu serais obligé de fouiller dans ton portefeuille aujourd'hui pour avoir le privilège de me voir. Eh oui! car aujourd'hui je serais un comédien célèbre, et même un acteur de cinéma! La Nature m'a fait pour les grandes situations, moi, et ce n'est pas ma faute si on m'a forcé à quitter l'école à quatorze ans pour aller vendre des capotes dans les toilettes de clubs; ce qui m'amusait beaucoup d'ailleurs, ajouta-t-il en ricanant.

Son visage devint tout à coup menaçant et il fit un pas vers Robert:

— Eh bien! je l'ai enfin, ma grande situation, et personne ne pourra me l'enlever, même pas toi. Ça m'amuse, moi aussi, d'écœurer cette bande de sacs-à-pets qui se prennent pour les Fils du Soleil levant, et j'ai décidé d'être avec vous, malgré vous, s'il le faut.

190

— Ça va, ça va, fit Robert en l'écartant, moins fort, tu me casses la tête.

Maurice lui tapota l'épaule:

— Je vais quand même t'avoir à l'œil, mon ami, car je connais tes petites faiblesses quand la main te tombe sur un portefeuille ou autre objet utile.

Pellerin devint écarlate:

— Ce n'est pas juste, balbutia-t-il, d'attaquer un homme dans ses infirmités. Pensez-vous que j'en serai meilleur?

Il tourna les talons et se rendit à la cuisine.

— Tiens, grand enfant, fit madame Tremblay, rends-toi utile et essuie la vaisselle.

— Non, décidément, fit Robert en arrivant derrière lui, je n'aurai pas l'esprit en paix tant que tu n'auras pas été rejoindre ton patron.

— Mais que voulez-vous de plus? s'exclama-t-il en jetant son torchon sur le plancher. Est-ce qu'il faut que je me déchausse et que j'aille l'étrangler avec mes lacets?

— On ne t'en demande pas tant, gros malin.

Il le saisit par le bras et l'amena dans la chambre. Mais en l'apercevant, Jerry Turcotte se mit dans un tel état qu'on dut ramener son ancien complice dans la salle à manger. L'heure du souper arriva. À sa grande satisfaction, on le fit asseoir à table avec tout le monde. Le poète se trouvait en face de lui et le bombardait de coups d'œil furieux, ce qui l'amusait au plus haut point. Robert et Maurice se levèrent bientôt pour aller terminer la rédaction de leur communiqué. Gilles Pellerin reçut l'ordre de ne pas quitter le salon; le Cancéreux le garderait à vue jusqu'à nouvel ordre; Platt irait surveiller le député, qu'on avait ligoté sur son lit. Alors Pellerin s'affala dans un fauteuil, tout désemparé.

— On ne m'aime pas beaucoup ici, je crois, murmura-t-il en souriant tristement.

— Vous n'avez pas encore mérité leur confiance, lui répondit Blandine, mais je suis sûre que cela ne saurait tarder, car votre cœur est resté bon.

Le Cancéreux fit un grand signe d'assentiment, tout en gardant sa mitraillette braquée sur lui.

— Sans le savoir, reprit Blandine, vous préparez le retour du Christ. Vos mains sèment des fleurs qui embaumeront plus tard vos enfants.

Pellerin la regarda, éberlué:

— Eh bien! voilà ce qui s'appelle prêcher! Un pape n'aurait pas dit mieux!

— Oh! ne me comparez pas au pape, s'écria-t-elle en rougissant, je ne suis rien du tout, une poignée de poussière salie par le péché. Et d'ailleurs, je sens que je vous ennuie.

— Mais pas du tout, bien au contraire, répondit l'autre avec son sourire le plus engageant. Et même, je vous demanderais de continuer.

— Alors excusez-moi un instant, fit-elle en se levant. Elle revint avec un petit fascicule bleu.

— Lisez ce texte plutôt; c'est une sainte qui l'a écrit; elle saura vous parler bien mieux que je ne pourrais le faire, car c'est Dieu Lui-même qui l'a inspirée.

— Une sainte? fit Gilles Pellerin. Il en existe encore? Comment s'appelle-t-elle?

Le visage de Blandine s'empreignit de respect.

— Bernadette Collins. Vous devez sûrement la connaître. Elle a fait beaucoup de bien à Montréal.

Gilles Pellerin prit le fascicule et l'ouvrit.

« Le 17 février 1949, en réponse au soupir de mon cœur en quête de réalité, Jésus apparut près de moi. En sa présence j'éprouvai la joie du salut tandis que mes péchés disparaissaient. »

« Si l'on peut éprouver les douleurs de la culpabilité, on peut aussi savoir le bonheur des péchés pardonnés. Héb. 9:14 nous promet que le sang du Christ purifiera notre conscience. Que dit votre conscience? Avez-vous peur de la mort? »

À cette dernière question, un énorme bâillement se glissa entre ses mâchoires et les écarta démesurément. Il mit le fascicule dans sa poche:

— Si vous le permettez, Blandine, je lirai ça avant de m'endormir. C'est le moment où mon âme goûte le mieux les choses du ciel.

— Gardez-le, je vous le donne. Dieu vous indiquera le moment propice pour le lire.

En disant ces mots, elle contemplait la grosse bedaine de son compagnon tandis qu'une foule d'images étranges caracolaient dans sa tête. Gilles Pellerin tendit alors la main vers un porte-journaux et en tira un gros livre à couverture cartonnée:

— *Pleure, épicéa d'Alaska..* qu'est-ce que c'est que ça? Des vers! s'exclama-t-il.

— C'est un recueil du poète Platt.

— Hum! fit-il, extrêmement impressionné par les rimes, c'est très bien, très-très bien, tout est dit avec élégance. Qu'est-ce qu'un épicéa?

— C'est un arbre, répondit le poète d'une voix retentissante.

Il avait ouvert sans bruit la porte de la chambre du député et se tenait debout dans l'embrasure. Blandine s'était brusquement retournée vers lui, tout interdite. Pellerin le regardait en souriant.

— L'épicéa, continua le poète d'un air grave et sévère, est un conifère qui ressemble beaucoup au sapin. Il pousse dans les montagnes et on en a vu qui atteignaient jusqu'à cent cinquante pieds. Il ne présente rien de particulièrement intéressant pour un poète, sauf peut-être sa hauteur, et encore; les montagnes, à ce point de vue, sont beaucoup mieux. Or j'ai lu un jour qu'un trappeur au XIXe siècle avait eu l'idée de planter un épicéa en Alaska, tout près de la zone polaire. Savez-vous ce qui arriva? En 98 ans, l'arbre ne grandit que de deux pouces. Alors j'ai pensé que cet épicéa pourrait me servir de sujet de poème, car il me rappelait la situation de l'homme dans l'adversité.

— C'est splendide! s'écria Pellerin. Est-ce que vous me permettriez de le lire?

— Bien sûr, répondit le poète, et il s'avança vers lui, la main tendue, avec le sourire de Fernandel.

Une heure plus tard, Robert et Maurice avaient terminé la rédaction du communiqué. Blandine alla le déposer dans une cabine téléphonique. On y annonçait le choix d'un négociateur pour discuter les détails techniques de la libération de Jerry Turcotte. Il s'agissait d'un jeune avocat de Montréal, maître Gonzague Bilodon, renommé dans les milieux judiciaires pour ses prouesses juridiques et son franc-parler. Maître Bilodon avait carte blanche et on lui donnait douze heures pour faire connaître sa réponse. Le gouvernement, lui, disposait de quarante-huit heures pour fixer le sort du député. À la fin du communiqué, les ravisseurs déclaraient qu'ils ne rompraient plus leur silence, sauf pour indiquer, vingt-quatre heures après la fin des négociations et selon le moyen de leur choix, l'endroit où se trouvait leur otage, mort ou vif. On avait également joint au communiqué une lettre du député où ce dernier avait transcrit une manchette de la dernière édition de *La Presse*.

Bientôt, tout le monde alla se coucher. Un lit pliant avait été installé dans le salon pour Gilles Pellerin, juste en face de son ancienne chambre, dont la porte demeura ouverte pour qu'on puisse le surveiller.

— J'ai toujours manqué d'amis sincères, songea-t-il avec tristesse en tirant ses couvertures.

Et il sombra dans un sommeil hanté de visions déprimantes.

XXIV

Vers sept heures le lendemain matin, des chuchotements le réveillèrent. Maurice et Blandine étaient postés devant une des fenêtres du salon et observaient quelque chose dans la rue. Robert vint les retrouver presque aussitôt et ils échangèrent quelques mots à voix basse.

— C'est curieux, fit-il, on ne voit pas d'autos-patrouilles.

Le Cancéreux apparut dans la pièce, les cheveux tout ébouriffés, perdu dans un immense pyjama. Il les écouta quelques secondes en se frottant les yeux, puis se dirigea sans bruit vers la cuisine.

— Tiens, les voilà qui ressortent, s'exclama Robert. Ils sonnent à la porte voisine.

— Qui sonne à la porte voisine? demanda le poète Platt d'une voix sépulcrale, en tenant son pantalon à deux mains.

— Va vite réveiller madame Tremblay, lui ordonna Maurice, et dis-lui de venir ici.

Blandine se retourna vers eux, livide:

— Voilà trois autres policiers au coin de la rue. Nous sommes perdus.

— Mais qu'est-ce qui se passe, pour l'amour de Dieu? s'écria madame Tremblay en faisant irruption dans le salon; la robe de chambre entrouverte, ses cheveux gris jetés pêlemêle sur ses épaules, elle ressemblait à une sorcière surprise en pleine orgie.

— Les appas de la femelle se dessoufflent en vieillissant, ricana Pellerin, mais personne ne l'entendit.

— Ecoutez-moi bien, fit Robert. Vous avez lu comme moi dans les journaux que la police, depuis deux jours, a concentré ses recherches dans certains quartiers « stratégiques », où elle croit pouvoir nous dénicher. Eh bien! nous nous trouvons apparemment dans un de ces quartiers. Au moment où je vous parle, des agents sont en train de faire du porte à porte sur notre rue pour recueillir des informations et ils vont probablement sonner ici.

— Et j'espère qu'ils vont vous descendre toute la gang! hurla le député d'une voix hystérique.

Robert fit signe au poète d'aller le trouver.

— Avez-vous pensé, fit Gilles Pellerin d'un air finaud, qu'il s'agit peut-être d'une petite manœuvre pour entrer ici sans misère? Ils frappent à toutes les portes, mais en sachant quelle est la bonne.

— J'ai pensé à ça, baquet, répondit sèchement Robert, et à bien d'autres choses aussi. Maintenant, écoutez-moi bien, le temps presse. Blandine, tu répondras à la porte, ils ne te connaissent pas. Quant à nous, on va prendre place dans l'automobile avec nos deux otages; si par malheur la police nous découvrait, on pourrait foutre le camp sans se faire inquiéter.

Maurice avait emmené son amie à l'écart et l'encourageait doucement:

— Voyons, calme-toi, c'est très facile; tu leur diras des sottises, n'importe quoi, tout ce qui te passe par la tête. Imagine que tu es une ménagère.

— Hum hum, pensa Gilles Pellerin en la voyant pâlir de plus en plus, avec un peu d'habileté je vais avoir un beau rôle.

Il se rendit à la chambre de bain et revint avec une canette de mousse à barbe dans la poche de son veston. On venait à peine de bâillonner le député, qui se débattait comme un forcené, lorsque la sonnette retentit. Tout le monde se retrouva au garage.

— Mais qu'est-ce que tu fais ici? s'exclama Maurice, horrifié, en voyant arriver Blandine.

Elle se jeta dans ses bras.

— Je n'en ai pas la force, s'écria-t-elle en sanglotant. Le ciel m'a abandonnée.

La sonnette retentit de nouveau.

— Messieurs, fit Gilles Pellerin en repoussant violemment le Cancéreux qui se dirigeait vers la porte, mon heure est arrivée. Prêtez bien l'oreille et vous allez voir quelle sorte d'homme je suis.

Il se couvrit le visage de mousse à barbe et sortit. Robert s'empara d'une mitraillette et fit signe à tout le monde de monter dans l'auto.

— J'arrive! J'arrive! s'écria Pellerin en endossant une robe de chambre. Bonjour, messieurs! Quel bon vent vous amène, si vous me permettez l'expression?

Les deux policiers se regardèrent une seconde.

— Nous enquêtons sur l'enlèvement du député Turcotte, fit le premier. Nous avons reçu l'ordre d'inspecter toutes les maisons du quartier. Est-ce que vous nous permettez de visiter votre appartement?

Et il avança d'un pas.

— Bien sûr, répondit Pellerin d'une voix éclatante, entrez, ne vous gênez pas, je suis enchanté de vous voir, vous tombez à pic.

— Merci, répondit l'autre policier. Auriez-vous noté par hasard quelque chose de spécial dans votre quartier ces derniers jours? Des bruits curieux, quelqu'un de louche, une remarque faite par un voisin, n'importe quoi.

— En effet, messieurs, j'ai beaucoup de choses à vous dire. D'abord, veuillez excuser la tenue de mon visage, mais la peau humaine est si fragile, n'est-ce pas, que certaines précautions sont nécessaires quand on la racle avec du métal... D'autre part, je dois vous dire que j'ai toujours appuyé le principe de l'inspection à domicile. Pourquoi aller à la police quand la police possède de si jolies autos pour venir jusqu'à nous?

— Écoutez, mon cher monsieur, on est très pressés. Alors si vous permettez...

— Non, je vous prie, veuillez m'écouter, poursuivit Gilles Pellerin en retenant un des policiers qui se dirigeait vers la cuisine. J'ai des choses extrêmement importantes à vous dire.

Il fit une pose.

— C'est au sujet de mon voisin d'en haut, reprit-il en chuchotant.

Il s'élança brusquement dans le salon.

— Oui, messieurs, depuis trois jours, il fait jouer son poste de radio non pas comme cela (il l'ouvrit à tue-tête), mais comme ceci! (il mit le volume au maximum). Et sa femme, ajouta-t-il en fermant brusquement le poste, voyez comme elle marche.

Il se mit à faire des enjambées géantes à travers la pièce.

— Je vous prends à témoin, messieurs, c'est comme si on lui avait greffé des pattes d'éléphant. Messieurs, je vous prie, cessez de rigoler en vous donnant des coups de coude; c'est très pénible, croyez-moi, ma vie est très pénible depuis trois jours. Suivez-moi. Quelle pièce désirez-vous visiter? Tout vous appartient, tout!

Ils entrèrent dans la chambre du député.

— Demeurez-vous seul, mon bon ami?

— En voilà une question! J'y réponds avec plaisir. Je demeure avec mes deux frères, plus la plotte de l'un d'eux (il n'y a pas d'autres mots pour la décrire), plus ma vieille mère. Pas de chiens, pas de chats, pas de coquerelles, tout est propre, croyez-moi, j'y veille.

Les policiers continuèrent leur inspection en lui posant toutes sortes de questions, la plupart inutiles. Ils s'esclaffaient à chacune de ses réponses, se tapaient des clins d'œil; l'un d'eux lui donna même une petite tape condescendante sur l'épaule.

— Est-ce que vous parlez toujours aussi fort que ça? lui demanda-t-il en riant.

Pellerin se tourna brusquement vers lui, l'œil méfiant:

— Que voulez-vous dire? Qu'est-ce qu'elle a, ma voix?

— Rien, rien du tout.

— Ça mène à la cave, ça? demanda l'autre en s'approchant de la porte du garage.

— Oui, monsieur, et je suis content que vous m'en parliez, car je veux que vous fassiez un rapport contre mon propriétaire (un sale Juif, évidemment; ce sont tous des Juifs). Figurez-vous, messieurs, qu'il y a deux semaines (j'ai bien dit *deux* semaines, n'est-ce pas?) un vieux chien malade est venu crever dans mon garage en lâchant des pets épouvantables; mon propriétaire refuse de le faire enlever, en prétextant que c'est le mien, ce qui est faux. L'odeur est atroce, messieurs, venez constater par vous-mêmes. Hier, les vers se sont mis dedans, venez les voir, ils sont longs comme la main.

— Je regrette, on n'a pas le temps, fit un des policiers.

Ils se dirigèrent vers la sortie.

— N'oubliez pas de vous faire la barbe, fit l'autre en lui mettant le doigt sur le menton.

— Merci, messieurs, je n'oublierai pas, merci. Maintenant, si vous me permettez: en ce qui concerne le chien, quand viendrez-vous faire le constat?

— Bientôt, bientôt, prenez patience.

Ils sortirent et s'éloignèrent dans le corridor en riant. Gilles Pellerin s'adossa contre la porte, les jambes flageolantes, le front couvert de sueur.

— Eh bien! fit-il en entrant dans le garage, est-ce que j'ai l'étoffe d'un comédien, oui ou non?

Et à ces mots, il s'écroula par terre. Robert s'élança vers lui:

— Aidez-moi à le transporter dans ma chambre. Il a bien mérité de se reposer.

Personne ne bougeait.

— Eh bien! cessez de me regarder avec des yeux de poisson et venez m'aider!

Le député Turcotte ne regagna sa chambre qu'une demi-heure plus tard, quand on fut sûr que le ratissage était terminé.

— Un gars que j'ai tiré de la marde! vociférait-il, la bouche écumante, un petit trou-de-cul qui plantait des quilles pour trois piastres par jour dans un *bowling* de Cartierville! Eh! qu'il va donc me le payer! qu'il va donc me le payer!

Gilles Pellerin avait repris connaissance en touchant le lit et s'était levé aussitôt; il déambulait lentement dans l'appartement, avec un sourire de convalescent. Le poète Platt s'approcha de lui et le serra dans ses bras:

— Ce soir, mon cher ami, je lirai des vers sur vous pendant le souper.

— Me croyez-vous maintenant? Me croyez-vous quand je vous dis que je vous admire?

Madame Tremblay se planta devant lui, les bras croisés:

— Eh bien! je ne vois personne d'admirable ici, mon garçon. Et de plus, laisse-moi te dire que tu t'es conduit tout à l'heure comme un vrai petit cabochon! As-tu pensé à ce qui aurait pu arriver si la police avait décidé d'entrer quand même dans le garage? Nous serions tous morts à l'heure qu'il est, voilà ce qui serait arrivé. Ah! mes enfants, s'écria-t-elle, j'ai l'impression que tout va de travers, les événements se bousculent, je ne vois plus rien, plus rien du tout, sauf que nous sommes en train de nous couvrir de péchés.

Elle s'avança vers Robert et joignit les mains:

— Libérez-le donc, pour l'amour de Dieu, il doit bien vous rester un petit morceau de cœur quelque part? Libérez-le tout de suite avant qu'il ne soit trop tard; je lui ai pardonné, moi, et pourtant il m'a fait souffrir pendant vingt ans.

— Vous vous laissez conduire par vos nerfs, ma bonne dame, et pendant ce temps-là, le déjeuner retarde et votre patron meurt de faim.

Elle le regarda un long moment, poussa un profond soupir et se retira dans la cuisine.

— Il va falloir la surveiller jour et nuit, souffla-t-il à l'oreille de Maurice.

Gilles Pellerin s'approcha d'eux et se mit à les écouter, les mains derrière le dos.

— Dis-moi, fit tout à coup Maurice en se retournant vers lui, qu'est-ce que tu cherches en agissant ainsi? As-tu songé que tu étais devenu notre complice à tout jamais?

— Je m'excuse de vous décevoir, mais il n'y a rien là-dedans pour m'effrayer. Je suis complice depuis l'âge de cinq ans à peu près; en fait, je suis un complice professionnel ou, si vous préférez, naturel. Il n'y a pas de pire souffrance pour moi (juré-craché sur le plancher) que de savoir qu'on machine quelque chose quelque part et de ne pas y participer. Aussi, devant une machination comme la vôtre, devant un coup de cochon aussi romantique et scientifique, je crois que je me serais suicidé plutôt que de rester les bras croisés. Est-ce que cela vous suffit? demanda-t-il avec un sourire suave.

Maurice dut passer le reste de la matinée à consoler Blandine qui sanglotait à fendre l'âme dans sa chambre. Il lui répéta mille fois que tout le monde comprenait sa faiblesse, qu'elle était bien naturelle, et que la même chose lui serait sans doute arrivée. Elle se calma peu à peu. À partir de cette fameuse matinée, on remarqua un changement dans son attitude vis-à-vis de Maurice; elle lui obéissait avec une docilité, une tendre servilité qui étonnaient tout le monde.

— Ma foi! on dirait qu'elle vient de changer de religion! dit un jour Robert en ricanant.

200

Quelques heures après la visite des policiers, la radio annonça que le gouvernement s'était choisi un négociateur; il s'agissait d'un jeune avocat montréalais peu connu jusqu'ici, maître Constant Souplet, de l'étude montréalaise *Briston, Barlett, Supply & Cadieux*. En apprenant cette nouvelle, le Cancéreux se lança dans une danse de joie frénétique sous le regard étonné de ses compagnons, puis alla s'asseoir dans un coin, le souffle coupé, pâle comme un mort. Robert proposa qu'on serve du vin au souper. Le poète battit des mains:

— Vin et poésie! Ce sera le festin des dieux! Ce soir nous allons trôner sur l'Olympe, comme disait Leconte de Lisle!

Personne ne doutait plus de la victoire. Le succès que Gilles Pellerin avait obtenu avec un peu de mousse à barbe et quelques bouffonneries leur avait tourné la tête. Tout heureuse de voir approcher la fin de ses tourments, madame Tremblay s'affairait dans la cuisine en chantonnant. Par la porte entrouverte s'échappaient des fumets qui attirèrent tout le monde autour du poêle. Robert commença à dresser la table, tandis que Maurice apportait des bouteilles de vin. Le Cancéreux les observait en souriant, écrasé dans son fauteuil, qu'il n'avait pas encore eu la force de quitter. Blandine et son professeur d'art culinaire apparurent bientôt avec d'énormes plats enveloppés de vapeurs et on s'attabla. Le vin les émoustilla tout de suite; leurs nerfs tendus depuis si longtemps se relâchèrent d'un coup et les langues se firent aller à qui mieux mieux. Le dessert venu, Platt se leva, une feuille à la main, et se tourna vers Gilles Pellerin, les larmes aux yeux.

— À notre héros! lança-t-il d'une voix étranglée, à celui qui a permis ces agapes fraternelles!

Il se racla la gorge et commença:

À l'heure où tous les cadrans indiquaient presque huit heures
Un héros dormait encore, plongé dans la torpeur.

Soudain résonne un coup! Deux coups! Trois coups!
Au quatrième,
Nous étions tous debout, le cœur battant, la face crème.
— Police! lance une voix, et une autre lance: — Po-
lice!
Or l'otage est là
Et de cachette: pas!
— Tout est perdu! souffle une voix. — Que faire? en
souffle une autre.
Tel le porcelet qui dans les pelures se vautre
Nous nous ébattions avec ardeur
Dans les légumes de la terreur.
— Police! — Que faire? — Ouvrez! Police! — Tout
est perdu!
La peur s'avançait, balançant son gros ventre ventru,
Cherchant à nous étouffer entre ses lourdes mamelles,
Remplies d'un lait fatal à la composition mortelle.

Le poète Platt leva la tête:

— Est-ce que je puis me permettre de vous faire remarquer que le treizième vers de ce poème est entièrement constitué de dialogues? Je n'ai jamais vu ça nulle part.

De légers ricanements lui répondirent, mais il ne les entendit pas et se replongea dans sa lecture. Le Cancéreux le fixait avec un sourire naïf et impitoyable. Gilles Pellerin, par contre, l'écoutait avec le plus grand sérieux; les mains croisées sur les genoux, il ressemblait à un de ces aumôniers de collège qui présidaient autrefois les séances de poésie en cachant leur perplexité sous un sourire bienveillant.

C'est alors que le héros, s'étirant sur son divan,
Leur fit brusquement signe à tous de tous sacrer leur
camp
Au garage où se trouvait, Dieu merci, l'automobile,
Dernier asile de la terroriste famille.

Blandine leva timidement la main:

— Il me semble que… les choses ne se sont pas tout à fait déroulées ainsi.

Elle aurait fait moins d'éclat en jetant toutes les assiettes

202

en bas de la table. Des rires et des cris de protestation s'élevèrent de partout.

— Mais c'est très bien ainsi! c'est absolument très bien! déclara Robert d'un air moqueur.

— J'oserais même dire que c'est génial, renchérit Gilles Pellerin avec de grands signes de tête approbateurs.

Digne et offensé, le poète Platt contemplait la scène; au bout d'un moment, il étendit les mains et imposa le silence:

— Ma chère petite fille, déclama-t-il d'un ton méprisant, un poète n'est pas un chroniqueur de chiens écrasés, mais l'écho sonore de son siècle. Il a pour mission de tirer des événements leur essence la plus intime et de la déposer, pour ainsi dire, sur la langue du lecteur. C'est Victor Hugo...

— Vive l'écho sonore! lança Robert qui craignait qu'une conférence ne vienne allonger le poème et il porta un toast à la santé de Platt et de Pellerin.

— Mais je n'ai pas encore fini, protesta le poète.

On ne l'écoutait déjà plus. Le Cancéreux déposa trois autres bouteilles sur la table et le chahut recommença de plus belle. Soudain, le député poussa un grand cri et se mit à s'agiter dans son lit en hurlant des imprécations. Maurice se leva.

— Amène-le ici, le vieux Turc, ordonna Robert, on va lui servir un coup! Après tout, c'est lui qui a le plus de raisons d'être content, ce soir.

Jerry Turcotte apparut en robe de chambre, la démarche incertaine, un timide sourire aux lèvres, ne sachant trop comment interpréter le brusque revirement de ses ravisseurs. Madame Tremblay lui présenta un verre de vin. Il plongea les lèvres dedans, impatient de refaire connaissance avec son vieil ami l'alcool que ses nerfs fatigués réclamaient impérieusement depuis plusieurs jours. On lui approcha une chaise, quelqu'un poussa une assiette devant lui et il se mit à manger, jetant à tout moment des regards craintifs sur les convives. Madame Tremblay, tout exaltée par le vin et heureuse comme une poule dans une mer de poussins, l'entourait de petits soins. Le Cancéreux fouilla dans sa poche et sortit un harmonica. Tout le monde applaudit. Robert Marcil se mit à danser avec Blandine, puis Gilles Pellerin se joignit à eux. Jerry Turcotte trônait au bout de la table avec un sourire ébahi; il tendait son verre à tous moments, fouillait dans les plats avec sa fourchette, envoyait des clins d'œil à Blandine. Il se pencha vers Maurice:

— Vous êtes de bons diables, dans le fond, murmura-t-il d'une voix déjà pâteuse, mais il faudrait me laisser partir, je perds de l'argent à cause de vous.

— Bah! vous allez en gagner bien plus en vendant des interviews!

— C'est vrai?

— Connaissez-vous un organisateur capable de vous monter une campagne de publicité comme celle qu'on vous prépare?

Le député resta perplexe un instant, puis un large sourire coupa son visage en deux.

— *Right*, fit-il. Les médailles ont deux côtés. Est-ce qu'il vous reste encore un peu de vin, mame Tremblay?

Elle jeta un coup d'œil sur les bouteilles:

— Je crois que vous venez de vider la dernière, monsieur.

— Qu'on m'apporte mon portefeuille! lança-t-il d'une voix éraillée. C'est moi qui paye la traite!

Il saisit le Cancéreux par une épaule:

— Mon ami, va-t'en à la Régie et apporte-nous du fort, ce qu'il y a de meilleur!

— Allons, vas-y, fit Robert, qu'on s'amuse un peu avant le grand jour. Mais sois prudent, ne reviens pas avec la police, tu m'entends?

Maurice était scandalisé par tant d'imprudence; il voulut glisser un mot à Robert, mais se ravisa, craignant de provoquer sa colère, car il était passablement gris. Le Cancéreux revint dix minutes plus tard avec six quarante onces et plusieurs bouteilles de vin. La fête reprit, plus bruyante que jamais. Tout le monde s'était rassemblé autour du député qui servait à boire en faisant des pitreries. Il s'était mis en tête de saouler madame Tremblay; celle-ci s'époumonait en protestations, battait des mains, lançait des coups d'œil effarouchés à droite et à gauche et faisait rire tout le monde.

— Allez, mame Tremblay, fit le député qui s'enhardissait de plus en plus, il y en a à peine trois gouttes! Même si je suis votre prisonnier, vous restez ma ménagère.

Il lui enserra les épaules et approcha le verre de ses lèvres. Madame Tremblay se débattait comme une possédée et l'inondait de scotch, mais elle n'avait pas deviné son stratagème. Soudain, il plongea sa main libre dans son corsage, puis se rejeta en arrière, riant à gorge déployée. Elle poussa un cri perçant et s'enfuit dans la cuisine. Un profond silence se fit tout à coup. Le député promena son regard autour de lui:

— Qu'est-ce que vous avez? Vous n'entendez pas à rire? Je lui joue cette farce-là depuis des années; elle n'en est pas encore morte.

Robert s'avança vers lui; il devait s'appuyer sur le poète, car ses jambes le portaient à peine.

— T'es allé trop loin cette fois-ci, Jerry, balbutia-t-il d'une voix traînante et comme assourdie.

Blandine le regarda et recula de quelques pas.

— Encore une fois, Jerry, t'es-t-allé trop loin, reprit-il en élevant le ton.

Le député prit une gorgée de scotch et un petit rire niais lui fit trembloter les épaules.

— Jerry, faut pas rire quand je te parle! hurla-t-il, pris d'une rage incontrôlable, car j'ai des choses importantes à te dire, des choses que tu n'as peut-être jamais entendues.

Son visage se radoucit et un sourire sinistre apparut sur ses lèvres. Il s'approcha encore du député, toujours appuyé sur le poète qui se tenait raide comme un piquet et osait à peine respirer.

— Laisse-le tranquille, lui souffla Maurice à l'oreille, tu vas l'effrayer.

— Sais-tu, Jerry, continua Robert d'une voix doucereuse, comme s'il n'avait rien entendu, que tu viens de déshonorer une femme du peuple?

— C'était seulement pour rire! protesta le député. Faut pas prendre ça au sérieux! On a bien le droit de s'amuser un peu, tout de même!

— Comme c'est étrange, reprit l'autre d'un air rêveur et théâtral, voici un homme qui a déshonoré une femme du peuple, une *vieille* femme du peuple, et pourquoi l'a-t-il déshonorée? Par vengeance? Non. Pour obtenir de l'argent? Non plus. Alors pourquoi?

Il soupira:

— Pour rire... seulement pour rire un peu.

— Ça suffit, coupa Maurice, t'es complètement saoul, viens te coucher.

— Comme c'est original, continua Robert en s'approchant toujours du député, vraiment, on ne pourrait trouver mieux, même en cherchant dix mille ans.

Le député voulut répondre, mais il se retrouva tout à coup sur le plancher, suffoqué, les yeux pleins de scotch, plié en deux par un coup de pied au ventre.

— Ce n'est que le commencement! vociférait Robert pendant qu'on l'entraînait vers sa chambre. Vous allez tous y passer! Profiteurs! sacs à piastres! on va tous vous traîner au cimetière, comprends-tu?

— As-tu perdu la tête? s'écria Maurice en refermant la porte. Tu ne te rappelles donc plus tout le mal qu'on a eu avec lui au début?

— Des bestiaux, marmonna Robert en s'enroulant dans ses couvertures, on est seulement des bestiaux pour eux, voilà ce qu'on est.

Et il sombra dans un profond sommeil. Maurice fit signe à Platt de rester auprès de lui et revint en toute hâte dans la salle à manger. On avait installé le député sur une chaise et Blandine lui épongeait le visage.

— Allons, fit Maurice à voix basse en passant près du Cancéreux, prends ton harmonica et joue. Vous sentez-vous mieux? demanda-t-il au député. Je ne comprends pas ce qui lui est arrivé; l'alcool l'a rendu fou... mais il vient de reprendre ses esprits et il vous demande de l'excuser... Tenez, laissez-moi vous aider.

Jerry Turcotte le repoussa violemment:

— Crissez-moi le camp toute la gang!

Il se leva péniblement. Son visage avait pris une légère teinte verdâtre et sa respiration était sifflante. Par sa robe de chambre entrouverte, on voyait monter et descendre son ventre bedonnant, couvert de longs poils gris, à demi caché par un grand slip de coton fleuri où le sexe dessinait une bosse imposante.

— Remettez-moi mes menottes et ramenez-moi à mon lit. Je ne suis qu'un prisonnier et je veux qu'on me traite en prisonnier.

Personne ne bougea. Alors il leva le menton et se dirigea lentement vers son lit en s'appuyant sur les meubles, la ceinture de sa robe de chambre s'allongeant derrière lui comme une traîne loufoque.

Durant la nuit, Maurice fit un rêve étrange. Il se trouvait sur la Lune, au milieu d'un immense cratère, en train de jouer de la flûte. Chose curieuse, en s'échappant de son instrument, les notes se transformaient en petites bulles chatoyantes et montaient lentement dans l'espace, se multipliant à l'infini. La vue de ces bulles le plongeait dans un ravissement profond. Perdu dans la solitude désertique de la Lune, il se suffisait à lui-même et son seul désir était de continuer à jouer en contemplant le ciel noir qui se colorait lentement. Soudain, quelqu'un toussa discrètement à côté de lui. Il abaissa son regard. Assis dans un énorme fauteuil rouge, le Prince l'écoutait attentivement, un sourire narquois aux lèvres, le menton appuyé sur ses mains croisées. Maurice cessa de jouer et le contempla sans dire un mot. Le Prince fit alors un léger signe de la main droite et ils furent brusquement entourés par une haie de soldats armés, coiffés de casques énormes qui plongeaient leurs yeux dans l'ombre. Maurice tournait sur lui-même, affolé.

— Mais jouez, mon ami, murmura le Prince d'une voix doucereuse, on aime la musique ici.

XXV

À neuf heures, le lendemain matin, la radio annonça que le gouvernement, dans le but de faciliter les négociations, avait convenu avec maître Bilodon de les tenir secrètes jusqu'à l'entente finale.

On commenta longuement cette nouvelle. Robert flairait une manœuvre. Platt, lui, continuait de nager dans les délices de la gloire; avec l'aide de Gilles Pellerin, qui venait de l'initier à une théorie allemande sur la courbe des ondes de vitalité en fonction des orgones, il se lança dans des calculs compliqués pour connaître le jour exact où la nation leur élèverait un monument collectif; après six heures de travail, ils aboutirent au 7 avril 1983.

— Ah! mes amis! s'écria-t-il, transfiguré, je sens que je viens d'entrer dans la lignée des poètes politiques! Maïakovski me tend les bras, c'est merveilleux!

Deux jours plus tard, son extase avait fait place à un modeste optimisme. Maurice, lui, ne cachait plus son inquiétude. Robert réunit ses camarades dans la salle à manger et railla durement leur naïveté; il proposa d'envoyer un communiqué au gouvernement pour dénoncer son attitude hypocrite et exiger l'exécution immédiate de leurs demandes. On le rédigea sur-le-champ et le Cancéreux, malgré l'état de faiblesse dans lequel l'avait plongé la beuverie, s'offrit d'aller le porter. Le lendemain soir, personne ne l'avait encore diffusé et, par la suite, le gouvernement n'y fit jamais la moindre allusion.

— C'est clair, maintenant, fit Robert, ils ont décidé de scrapper le député plutôt que de céder. La valeur marchande d'un Québécois n'a jamais été bien forte sur la rue Saint-Jacques. On ne joue pas à armes égales. Il va falloir changer de tactique.

Le Cancéreux griffonna quelques mots sur un bout de papier et le tendit à Maurice.

— Pourquoi ne pas laisser Bilodon jouer à notre place? lut celui-ci. On ne risque rien et lui non plus.

Robert était d'un avis différent, mais Maurice réussit à le convaincre de patienter encore deux jours.

Quelques heures plus tard, un incident inattendu créait une véritable commotion à l'appartement. Ce soir-là après le souper, Maurice était allé s'étendre sur son lit et avait sombré aussitôt dans un profond sommeil. Vers minuit, il se réveilla en sursaut, comme si quelqu'un venait de le tirer par le bras. Un silence pesant régnait dans l'appartement. Il se leva, ouvrit doucement la porte et jeta un coup d'œil dans la salle à manger, vide et plongée dans la pénombre. Une lueur verdâtre s'échappait du salon, donnant aux objets un aspect étrange. Il traversa la pièce sans bruit et tendit le cou. Un spectacle des plus piquants s'offrit alors à ses yeux. Gilles Pellerin avait repoussé Blandine dans un coin et, planté devant elle, le pantalon rabattu sur les pieds, agitait sa main dans un va-et-vient bien connu en poussant de petits grognements de plaisir. La tête rejetée en arrière, elle le regardait, terrifiée et fascinée par cette énorme verge violacée qui n'arrêtait pas de grossir. Un long jet de sperme vola joyeusement jusqu'à sa robe et s'écrasa sur le plancher en grosses gouttes blanchâtres. Maurice s'élança sur Pellerin et lui flanqua une taloche qui le jeta à terre, tout emmêlé dans son pantalon.

— L'honneur est sauf! cria celui-ci. Je ne l'ai pas touchée!

Maurice lui bourrait les côtes de coups de pied, le faisant sautiller comme une goutte d'eau dans une poêle chaude. Blandine en profita pour filer et alla s'enfermer dans sa chambre. Gilles Pellerin se releva péniblement, courbé sous une volée de gifles qui lui arrachaient des gémissements, remonta son pantalon et referma laborieusement sa braguette. Il essaya de parer les coups quelques instants, puis sauta sur le divan:

— Je le sais! Je le sais! On va me traiter de vicieux et

209

de malade mental! Eh bien! allez-y. Je l'accepte d'avance! Je suis une épave, je ne vaux pas la moitié d'une coquerelle! Mais je n'ai pas manqué à l'honneur! Demande-le à Blandine! Je ne l'ai pas touchée du plus petit bout de mon petit doigt, je te le jure!

On entendit des portes s'ouvrir. Une voix demanda:

— Mais qu'est-ce qui se passe?

— Ce qui se passe? répondit Maurice. Venez voir ce gros maquereau gluant qui s'amusait à se masturber devant Blandine!

Nullement décontenancé, Gilles Pellerin se tourna vers la porte où tout le monde s'était massé:

— Donnez-moi votre avis: n'avez-vous jamais eu envie de vous envoyer une tite femme après deux semaines de carême au lit? Eh bien! j'en avais envie, moi, et pourtant je ne l'ai pas fait, car ç'aurait été déloyal, et on me claque la face parce que j'ai préféré le compromis!

La porte du député s'était ouverte et le poète Platt l'ornait de ses deux yeux ronds pendant que des ricanements étouffés s'élevaient du fond de la chambre.

— Après tout, reprit-il, on ne m'a pas coupé l'appareil quand on m'a amené ici, et mon cœur a besoin d'amour comme celui de tout le monde. Je n'en pouvais plus, moi, fit-il en s'adressant à Maurice, de vous entendre jouir tous les soirs en me passant un poignet sous mes couvertures, sauf votre respect à tous. Il n'y a pas si longtemps, je ne passais pas trois nuits de suite dans mon lit sans qu'une waitrisse ou deux viennent le réchauffer. Alors ce soir (c'est bien compréhensible), j'ai voulu m'amuser un peu en compagnie d'une femme, sans cochonner son ami cependant. Mais j'aurais mieux fait de coucher avec elle en cachette!

Robert s'esclaffa.

— Allons, gros crapaud, lança Maurice, couche-toi et ferme ta gueule, je m'occuperai de toi demain matin.

Il sortit de la pièce et retourna dans sa chambre. Blandine, enroulée dans ses couvertures comme dans un cocon, le regardait d'un air craintif:

— J'aurais dû crier, appeler quelqu'un, murmura-t-elle d'une voix brisée, mais je ne le pouvais pas.

Il essaya de la réconforter, lui fit prendre une rasade de cognac et ne ferma l'œil qu'après l'avoir vue endormie.

Quelques instants plus tard, elle se retrouvait devant la porte d'une taverne. Une forte odeur de bière, d'urine et de tabac s'en échappait, mais, chose curieuse, elle n'en ressentait aucun dégoût, la humant au contraire avec délices. Soudain, elle aperçut Jésus-Christ assis à une table; Il était vêtu d'une tunique de lin sous laquelle apparaissaient deux énormes botterleaux tout souillés de boue. Sa table était presque entièrement couverte de draffes, et à l'éclat de ses yeux on voyait qu'il l'avait déjà nettoyée deux ou trois fois. Il était seul; sa tête dodelinait lentement de côté et il regardait Blandine d'un air grave et sévère. Il allongea lentement ses jambes et lorsqu'elles furent complètement étendues, lâcha un gros rot et soupira:

— Blandine! Blandine! ma pauvre tite fille, t'as rien compris... t'as pas compris une seule miette de ce que je te dis depuis des années et des années...

— Excusez-moi, Jésus.

— Excusez-moi, Jésus... comme si les excuses pouvaient arranger quelque chose... Voilà deux mille ans que les hommes viennent s'excuser devant moi de m'avoir installé sur la croix, mais toutes leurs excuses ne m'ont pas encore fait descendre d'un pouce... Il ne faut pas t'excuser, ma tite fille, mais comprendre.

Il soupira profondément et continua:

— Je ne vois pas encore le jour où tu vas le faire, cependant, et pourtant j'ai tous les jours alignés devant moi comme une rangée de bocaux.

— Alors aidez-moi, je Vous en prie, Jésus, demanda Blandine d'une voix étranglée, aidez-moi, car sans Vous je ne puis rien faire. S'il Vous plaît, aidez-moi!

Le Christ prit le temps de vider une draffe; puis il s'essuya les lèvres avec la manche de sa tunique, rota une seconde fois et se mit à réfléchir.

— Eh bien! si tu veux le fond de ma pensée, Blandine,

dit-il au bout de plusieurs minutes, si tu veux vraiment le fin fond, je te dirai tout bonnement que t'es-z-égoïste... t'es-z-égoïste à un tel point que ça n'a plus aucune espèce d'allure.

Il se leva d'un bond et se mit à chanter à tue-tête:

— Plus d'alluuuuuuure! Plus d'alluuuuuuure!

Mais l'instant d'après, il était de nouveau assis à table, la tête dodelinante, son regard sévère posé sur Blandine.

— En quoi suis-je égoïste, Jésus? demanda-t-elle, toute tremblante.

De grosses larmes coulaient sur ses joues et tombaient une à une de son menton. Il les regarda avec un intérêt marqué, puis murmura d'une voix pâteuse, à peine audible:

— Leur cœur a besoin d'amour...

Il répéta ces mots une seconde fois, puis se tut. Blandine se tordait les mains. Elle faisait des efforts désespérés pour comprendre les paroles du Christ, mais leur sens continuait à lui échapper.

— Je vois tes jours alignés devant moi comme une rangée de bocaux, reprit celui-ci tout à coup, et tous les bocaux sont remplis d'égoïsme.

Blandine se mit à sangloter.

— Pas la moindre trace de confitures. Seulement de l'égoïsme. De l'égoïsme jusqu'au couvercle. Et pourquoi s'en surprendre, Blandine? Tu ne penses qu'à toi. Tu t'amuses au lit quand tu le veux, aussi longtemps que tu le veux, en suivant toutes tes fantaisies. Mais les autres, eux, comment se sentent-ils? Te l'es-tu déjà demandé? Eh bien! ils sèchent sur pied tout seuls dans leur coin.

Blandine sanglotait tellement qu'elle avait peine à respirer.

— Qu'est-ce que je dois faire, Jésus? demanda-t-elle d'une voix entrecoupée.

Le Christ dodelinait de la tête de plus en plus, ses coudes glissaient sur la table.

— Tu le sais maintenant, répondit-il en clignant de l'œil.

Il fit un grand effort et leva un bras en l'air.

— Charité... bien ordonnée commence par... *soi-même*, ne l'oublie pas.

Et à ces mots, il roula en bas de la table et se dissipa en vapeurs. Blandine ouvrit les yeux, réveilla Maurice et lui raconta son rêve. Il eut envie de l'envoyer au diable, mais en voyant son désarroi, il se contint et essaya de la calmer. Au petit matin, ils eurent une longue discussion. On entendit des éclats de voix, puis le ton baissa peu à peu. Maurice sortit de la chambre avec un air étrange et comme détaché. Blandine le suivit presque aussitôt. Un doux sourire illuminait son visage. Elle regardait ses compagnons avec une bienveillance humide et chaude, tout attendrie, et glissait sans bruit d'une pièce à l'autre, prenant les objets comme on prend des chiots. Sa présence lénifiante emplissait l'appartement d'une torpeur huileuse. Aussi, malgré les craintes de Gilles Pellerin et à la grande déception de Jerry Turcotte qui s'était préparé à des distractions violentes, Maurice sembla avoir oublié l'incident de la veille et la journée s'écoula dans le calme.

Vers minuit, quand tout le monde fut couché, Blandine sortit de la chambre sur la pointe des pieds et alla retrouver Robert dans son lit. Deux heures plus tard, ce fut au tour de Platt qui, après un long moment d'ahurissement et de confusion, abandonna sa virginité avec un enthousiasme délirant. Gilles Pellerin se tenait debout contre la porte, dans un état d'exaltation difficile à décrire; Platt dut bientôt lui céder sa chambre et aller poireauter dans la cuisine, où il essaya vainement de se consoler avec la Muse. Seul le Cancéreux ne put avoir sa part au banquet; après quelques timides caresses, il sourit tristement à Blandine et lui fit comprendre qu'on avait davantage besoin d'elle ailleurs. Jamais on ne fit allusion à ses randonnées nocturnes. Maurice partageait toujours sa chambre avec elle et leur lit tombait de temps à autre dans un désordre caractéristique, mais ses manières s'étaient comme refroidies, si bien que madame Tremblay, qui n'était pourtant au courant de rien, s'étonna un jour de son indifférence. Platt, par contre, flambait comme un sapin.

— Je commence ma deuxième jeunesse, disait-il à tout propos en faisant des clins d'œil.

Il laissa tous ses poèmes en plan et se lança dans la composition d'une longue suite érotique intitulée *La Chute de la fermière*. Blandine n'arrivait pas à satisfaire sa passion. Sa visite quotidienne ne faisait que l'exciter et le secret qui entourait leurs ébats le plongeait dans un état d'exaltation presque mystique. Ses quarante années de virginité baroque venaient de fuir à tire-d'aile, mais le « feu sauvage » (*sic*) qui les avait remplacées leur ressemblait beaucoup. Il essayait de le calmer en buvant du vin. Il vidait deux bouteilles de *Manoir-Saint-David* par jour, une le matin après son déjeuner, l'autre durant l'après-midi devant sa table de travail (quand il n'était pas de garde). Vers trois heures, l'alcool commençait à mettre du plomb dans ses envolées charnelles; il s'étendait alors sur son lit et ronflait jusqu'au souper. Un jour, vers 208 avant Jésus-Christ, il se promenait dans les rues de Rome en récitant des poèmes latins; une foule de courtisanes à demi nues le suivait, pâmées d'admiration. À mesure qu'il avançait, la foule grossissait et l'enthousiasme se transformait peu à peu en délire. Une jeune Nubienne, aux seins magnifiques, apparut tout à coup devant lui et se jeta à genoux, échevelée, les narines frémissantes. Il se pencha vers elle pour la relever et l'amener galamment chez lui, mais quelqu'un le saisit soudain par les épaules et se mit à lui donner de grands coups de poings dans le dos:

— *Quousque tandem habeas corpus?* rugit-il en se retournant dans un mouvement magnifique qui fit voler sa toge.

Il se retrouva devant Blandine; elle le tirait par le bras, tout anxieuse:

— Mais lève-toi donc! On t'attend à la cuisine!

Il arriva en titubant, tout étourdi de sommeil; l'expression qu'il vit sur tous les visages le réveilla comme une douche d'eau froide. Il reconnut aussitôt la voix rude, presque vulgaire, de maître Bilodon à la radio; l'avocat répondait à un journaliste au milieu du brouhaha d'une conférence de presse qu'il avait convoquée pour annoncer la fin des négociations.

— Je suis humilié, disait-il, on m'a honteusement trahi. Le gouvernement est de mauvaise foi, il ne cherche qu'à gagner du temps. On exige de ceux que je représente des conditions préalables ridicules, suicidaires. Le mandat qu'ils m'ont donné ne me permet pas de continuer mon travail sans trahir leur idéal révolutionnaire. Aussi, je n'ai pas d'autre choix que de me retirer des négociations.

Cela lui fut d'autant plus facile qu'une heure plus tard, des policiers se présentaient à sa chambre d'hôtel et le conduisaient au quartier général de la Sûreté du Québec. Au cours de la nuit, le gouvernement d'Ottawa faisait voter la Loi des mesures de guerre qui accordait aux forces policières des pouvoirs inouïs et supprimait plusieurs libertés civiles. Un contingent de 2,000 soldats arriva à Montréal et se dispersa dans toute la ville. On fit garder tous les édifices publics importants et la résidence de plusieurs personnalités du monde politique et financier. La population était saisie d'une stupeur craintive et s'attendait aux pires calamités.

À l'appartement de la rue Monselet, on parla peu ce soir-là et tout le monde se coucha tôt. La lumière brilla longtemps dans la chambre de madame Tremblay. Recroquevillée dans son lit, elle marmonnait son chapelet d'un air absent et se levait à tous moments pour aller jeter un coup d'œil inquiet à la fenêtre. Le lendemain matin, personne ne fut debout avant dix heures. Madame Tremblay déjeuna seule dans la cuisine; assis dans un coin du salon, Maurice et Gilles Pellerin vidaient une bouteille de rhum en silence. Une tension insupportable avait mis tous les nerfs à vif. Vers la fin de la matinée Blandine s'occupait à préparer le dîner lorsqu'un œuf lui glissa des mains et se fracassa sur le plancher; elle éclata brusquement en sanglots. Maurice entra dans la cuisine et se mit à rire en la voyant, puis, comme elle continuait de plus belle, une rage

215

subite s'empara de lui et il se mit à la rabrouer avec une violence inexplicable. Le Cancéreux lui lança un regard furieux et sortit en coup de vent. Indignée par les propos de Maurice, madame Tremblay piqua une colère noire et menaça de tout laisser là et de s'en aller. Robert, qui montait la garde dans la chambre du député, entra avec fracas et essaya de rétablir le calme, mais il fut entraîné en un tour de main dans une engueulade-fleuve avec Maurice. Ils s'échauffèrent à tel point que Platt et Gilles Pellerin durent s'interposer pour les empêcher d'en venir aux coups. Tout le monde comprit alors que quelque chose venait de se détraquer dans le groupe, mais personne n'osa le dire. L'atmosphère en fut d'autant plus empoisonnée. Maurice et Robert n'échangèrent pas un mot du reste de la journée et aucune décision ne fut prise au sujet de Jerry Turcotte. L'appartement s'était comme rempli de blanc d'œuf jusqu'au plafond; ses occupants, hébétés, ressemblaient à d'étranges poissons se mouvant avec une lenteur infinie, au prix d'efforts immenses, leur cerveau englué n'arrivant plus à produire d'idées.

Durant la nuit suivante, l'insomnie commença à se faire des adeptes. Platt fut le premier. Il était sur le point de s'endormir, après avoir reçu sa visite habituelle, lorsque la chienne beagle apparut brusquement à ses pieds, lui planta son violoncelle dans le ventre et en tira une plainte tellement affreuse qu'il se dressa dans son lit, la main sur le cœur, croyant mourir.

— Compose ton épitaphe, venait de lui souffler une voix à l'oreille.

— Mon épitaphe? s'écria-t-il en tournant la tête de tous côtés.

Ses dents se mirent à claquer et une nausée lui monta à la gorge. Il se recoucha, ferma les yeux, essaya de tourner son esprit vers des pensées agréables, mais l'idée de l'épitaphe ne le quittait pas; elle le terrifiait et le fascinait en même temps et il comprit bientôt que la seule façon de s'en débarrasser serait de prendre une plume et du papier. Après avoir résisté encore quelques minutes, il se leva péniblement, ramassa des feuilles et se rendit à la cuisine. En passant devant la porte de madame Tremblay, il aperçut un rai de lumière et l'entendit soupirer pesamment. Il hâta le pas et s'arrêta devant la chambre du député, tout réconforté à l'idée de pouvoir parler à quelqu'un. Il entrouvrit doucement la porte. Le Cancéreux était affalé sur une chaise, sa mitraillette entre les genoux. Il dormait, la bouche ouverte. Platt fut frappé par sa maigreur. Son haleine pénétrante et fade se rendit jusqu'à lui et il dut refermer la porte, car un deuxième haut-le-cœur venait de lui remuer les entrailles. Il entra dans la cuisine, s'assit devant la table, tambourina dessus quelque temps, puis se gratta la nuque (ce geste annonçait habituellement l'arrivée imminente de l'inspiration). Alors il accoucha du premier vers de son épitaphe, le seul qu'il pondrait cette nuit-là:

Hélas! mes chers amis, me voilà décédé.

La journée suivante fut particulièrement morne. Il ne fut pas question une seule fois de Jerry Turcotte et des manœuvres du gouvernement. Gilles Pellerin tenta d'aborder le sujet pendant le déjeuner, mais Robert le rabroua si vertement que personne n'osa plus se risquer. Maurice avait observé la scène d'un air étrangement apathique. Pour la première fois depuis son arrivée à l'appartement, madame Tremblay se plaignit de douleurs dans le dos et alla se coucher en pleine matinée, laissant à Blandine le soin de préparer le dîner. Celle-ci se lança sur les chaudrons comme sur une bouée de sauvetage. Le repas fut excellent, mais les dîneurs ne firent que picocher dans leurs assiettes et cinq minutes plus tard la salle s'était vidée. Durant la nuit, l'insomnie se fit deux disciples de plus. Robert s'était retiré dans sa chambre vers dix heures en emportant la dernière bouteille de vin. Il en but la moitié d'une traite, se coucha et s'endormit aussitôt. Vers une heure, un bruit étrange et persistant s'infiltra peu à peu dans son sommeil et se mit à le dissoudre lentement. Il ouvrit les yeux et se laissa flotter un moment dans l'obscurité, se demandant s'il dormait ou non. Le bruit semblait provenir de la salle de bains. Il s'in-

terrompait de temps à autre, coupé par des sifflements
étouffés, puis reprenait, inégal, raboteux, avec des montées
cocasses et des trémolos qui donnaient le frisson. Il se leva.
La porte de la salle de bains était fermée; après avoir hésité
une seconde, il frappa doucement. Le silence se fit aussitôt, puis au bout d'un moment le Cancéreux montra la tête.
Robert eut un mouvement de recul:

— Bon sang! qu'est-ce qui se passe, mon vieux?

L'autre essaya de sourire. Il faisait des efforts désespérés pour donner à ses traits l'apparence d'un visage souriant. Mais la douleur était plus forte que lui. L'espèce de
rictus qu'elle faisait naître était d'une laideur cynique insupportable. En voyant la réaction de Robert, le Cancéreux
voulut refermer la porte, mais son compagnon fut plus rapide que lui; il glissa le pied dans l'entrebâillement et se
força un chemin à l'intérieur. La pharmacie était grande
ouverte et le couvercle des toilettes encombré de flacons,
de tubes et de pots de toutes sortes. Le Cancéreux tenait
un verre d'où s'échappait une odeur de mercurochrome,
d'alcool à friction, d'aspirine et de plusieurs autres sub-
stances difficiles à identifier; mais un relent sinistre trônait
au-dessus d'elles, calmement, royalement. Sa fadeur écœu-
rante arriva aux narines de Robert. Il essaya de lutter contre elle, mais dut bientôt battre en retraite.

— Qui peut bien être dans la cuisine à cette heure-ci? se
demanda-t-il en traversant le salon.

Il mit l'œil à la serrure, puis s'éloigna en haussant les
épaules:

— La powésie... Ma foi du bon Dieu, il devient plus
fou chaque jour.

Il retourna dans sa chambre, alluma une cigarette et fit
les cent pas jusqu'à l'heure du déjeuner.

Peu à peu, un va-et-vient permanent, discret, accompagné de silements de robinets, de chuchotements, de soupirs d'aise, de frottements de briquets, se mit à régner
durant la nuit; on mangeait, on s'étreignait, on réfléchis-
sait, les yeux perdus au plafond; on tournait dans son lit
en soupirant, des livres s'ouvraient et se refermaient au

218

milieu des bâillements, les cendriers se remplissaient, débordaient sur les meubles; le jour commença à se peupler de teints cireux, d'yeux cernés, de muscles secoués par des tics incessants; des éclats de voix retentissaient à tous moments, des claquements de portes faisaient vibrer les murs. Le poète Platt s'était mis à maigrir. Il passait des journées entières accoudé à la fenêtre, songeant aux délices de se promener tranquillement sur un trottoir en sifflant, ou alors il s'enfermait dans sa chambre devant une feuille blanche, cherchant en vain les vers de son épitaphe. Seul Jerry Turcotte, qui avait failli crever de peur au début de sa détention, dormait paisiblement toutes ses nuits et prenait de la chair comme un champignon sur un tas de fumier.

Le cinquième jour après la conférence de presse de maître Bilodon, le Cancéreux ne put se lever et refusa de manger. Un début d'œdème apparaissait sous son menton; sa peau avait pris la couleur d'un vieux journal. Il respirait avec peine et crachait sans arrêt; une agitation continuelle achevait de consumer ses forces. L'aggravation de son état fut une révélation brutale pour tout le monde, sauf pour Robert qui n'avait pas oublié l'incident de la salle de bain. Jusque-là, son entrain, sa discrétion obstinée et le tourbillon d'événements qui les avait tous emportés depuis le jour de l'enlèvement, avaient jeté un voile épais sur ses problèmes de santé. En l'apercevant, madame Tremblay fit une crise de larmes spectaculaire et menaça d'aller chercher un médecin sur-le-champ. Robert endura ses plaintes pendant quelques minutes, puis se plantant devant elle, il se mit à l'apostropher avec une telle violence qu'elle s'arrêta de pleurer net, terrifiée, et se réfugia dans la cuisine. Maurice alla la retrouver. Elle était devant l'évier et pelait des pommes de terre avec une application étrange.

XXVI

— Pourrais-je me permettre? fit Platt en levant la main. Pourquoi un Anglais? Ils sont très difficiles à vivre, vous savez.

Tout le monde s'était réuni dans la chambre de Robert où une grande agitation régnait. Assis sur une commode, ce dernier dirigeait la réunion avec une raideur militaire. Il se tourna vers le poète:

— Ce n'est pas sorcier, mon vieux. Il s'agit tout simplement de s'attaquer aux vrais bonshommes qui font marcher la machine et non plus à des marionnettes insignifiantes comme Turcotte. Ç'a été notre erreur. Voilà pourquoi ils ne veulent pas négocier. On n'a qu'un zéro à leur offrir, une coquerelle de parlement. Tout le monde sait que le vrai pouvoir n'a jamais logé là-bas. Nos politiciens ne sont que des faiseurs de discours téléguidés de New York ou de Toronto. Il faut que la population le sache. En kidnappant un Anglais, c'est comme si on faisait une démonstration au tableau. On obtiendra tout de suite la sympathie de beaucoup de gens qui n'ont rien compris à l'affaire Turcotte; les journaux ne pourront plus jouer de l'harmonium en faisant pleurer les femmes de ménage.

— Bah! peu importe qui on enlève, coupa Maurice d'un air maussade, c'est un coup de folie. On n'aura pas fait trois coins de rue qu'ils nous auront mis la main au collet.

— Connais-tu d'autres moyens? Je suis sûr que la police ne nous cherche même plus. Ils se sont assis sur leur gros cul en attendant qu'on se vende les uns les autres ou qu'on s'entretue. Mais n'oubliez pas qu'on a un atout énorme dans notre jeu: la surprise. Personne ne s'attend à une pareille manœuvre. Notre projet ne tient pas debout, et c'est justement ce qui fait sa force.

Il se fit un profond silence. Madame Tremblay était blanche comme un drap et faisait des efforts héroïques pour retenir ses larmes. Gilles Pellerin se trémoussait de plaisir et lançait des clins d'œil à tout le monde. Maurice contemplait le plancher d'un air parfaitement dégoûté. Blandine se tournait à tout moment vers lui, mais il avait comme oublié sa présence.

— Alors, qui doit-on enlever? demanda le poète d'une voix étranglée.

— Il y a deux ans, j'avais monté avec des amis quelques dossiers sur des candidats possibles. Mon favori, poursuivit-il en dépliant une feuille, serait un certain Donald Thompson, président de *Quebecoil* et d'*Allied Trust Corporation,* membre du conseil d'administration de plusieurs compagnies, telles que *Coronet Food and Products, Trans-Canada Investments*, etc, et trésorier de la Fédération libé-rationale du Québec, ce qui ne gâte rien. J'ai ici un article qui avait paru sur lui dans le *Time* de janvier 1969 où on nous parle de sa femme, de sa carrière, de ses sports favoris et de son grand garçon qui étudiait au *London School of Economics*. On nous apprend même qu'il se pique d'être gastronome, que sa cuisine favorite est l'ancienne-cuisine-russe-du-temps-des-tsars-s'il-vous-plaît et qu'il adore follement la littérature française, celle de France, j'entends. C'est pas beau, ça?

— Alors, messieurs, fit Gilles Pellerin en imitant la voix caverneuse de Boris Karloff, faisons-lui goûter sans retard à notre fameux caviar aux épinards!

Tout le monde éclata de rire nerveusement et, une demi-heure plus tard, l'auto des ravisseurs roulait en direction de Ville Mont-Royal. On s'amusait ferme dedans. Une curieuse transformation s'était produite chez Maurice; son mécontentement avait brusquement cédé la place à une insouciance débridée qui lui donnait des allures d'homme ivre. Gilles Pellerin avait déniché un bâton de rouge à lèvres dans la boîte à gants et s'amusait à dessiner toutes sortes de folichonneries dans la glace sans que personne ne songe à l'arrêter. Platt gueulait une chanson incompréhensible qu'il disait de Schubert. À les voir, on aurait cru qu'ils s'en allaient faire un pique-nique à la campagne, un de ces pique-niques monumentaux qui exigent de boire comme un trou, de se rouler dans l'herbe en riant, de manger des douzaines et des douzaines de sandwichs et d'aller les vomir sous un arbre, puis de retourner plus gai encore vers d'autres sandwichs, d'autres bouteilles de bière, d'autres flacons de gin; un pique-nique total et parfait, quoi; un pique-nique définitif.

Platt pointa le doigt en avant:

— Voilà la fameuse clôture de Ville Mont-Royal! Ah! mes amis, nous sommes des élus! nous posons le pneu sur l'asphalte sacré!

— Eh bien! voilà, fit Robert au bout d'un moment. C'est juste en face. La grille est ouverte.

Une maison toute blanche, à trois étages, se dressait au fond d'un jardin à la française aux allures assez prétentieuses. Les fenêtres de la façade, violemment illuminées, créaient un contraste étrange avec le calme et l'obscurité des alentours. L'auto s'engagea lentement dans l'allée et s'arrêta à deux pas de l'entrée. Robert sortit le premier et scruta longuement les lieux; le silence était total. Alors, il fit signe à ses compagnons de le suivre et monta rapidement les marches du perron; la porte s'ouvrit de la façon la plus naturelle du monde. Ils entrèrent dans le vestibule. Un filet de voix grésillante se faisait entendre à l'intérieur, accompagné d'une vague musiquette sud-américaine. Gilles Pellerin se retourna, un large sourire aux lèvres:

— C'est Ginette Reno... *Souvenir de Rio*... Un vrai délice!

Et il poussa la seconde porte.

— Bonsoir, ce monsieur, fit-il en braquant sa mitraillette sur un vieil agent Philips assis juste en face de lui devant une table à cartes. Il va se montrer bien gentil, ce monsieur, et ne pas toucher à sa ceinture et lever ses deux petites mains en l'air et se lever lui-même doucement, lentement, c'est ça, juste devant la table, pendant que...

Il ne se donna pas la peine d'achever. Maurice était passé derrière le garde et l'avait désarmé; Robert, tout souriant, lui ligotait les mains pendant que le poète Platt, avec des prévenances de barbier, lui posait un immense diachylon sur la bouche. Maurice se pencha vers lui:

— La patron, c'est par en haut?

L'autre fit signe que oui. Gilles Pellerin lui saisit le menton et le pressa doucement entre ses doigts comme pour s'assurer s'il était assez mûr:

— Deux tits coups de tête, ça voudra dire qu'il se trouve au deuxième, et trois, au troisième. Qu'est-ce que tu dis de ça, mon ami?

L'agent donna deux coups de tête. Le voilà seul maintenant. Le moins qu'on puisse dire, c'est qu'il jure dans le décor. Pauvre bonhomme! Sa table à cartes souillée de taches de soupe et son Coke grand format produisent un effet plutôt curieux sous la *Vue de Tivoli* que Donald Thompson, grâce à une longue série d'intermédiaires, a réussi à obtenir d'un certain monsieur Corot, peintre de talent. Mais voilà qu'il se passe quelque chose d'intéressant dans son visage. Ses yeux s'exorbitent, son teint devient rouge brique, ses muscles se mettent à tirer dans tous les sens... et le diachylon tombe! Ouf! Il était temps! Un sourire triomphant s'étale sur ses lèvres encore collantes. Il tourne la tête à droite, à gauche, tend l'oreille, prend une profonde inspiration, ouvre la bouche et... les yeux à demi fermés de plaisir, pose goulûment ses lèvres sur la paille cirée qui se remplit lentement de nectar coké.

Les ravisseurs, eux, sont parvenus en haut de l'escalier depuis longtemps; ils ont traversé silencieusement l'austère bibliothèque de monsieur Thompson, puis sa virile salle de billard, toute tapissée de cuir foncé. Les voici maintenant devant une grande porte de chêne ouvragé, légèrement entrouverte. Une sonate de Mozart s'en échappe discrètement, un peu honteuse d'être surprise en si financière compagnie. Gilles Pellerin se tourne vers ses compagnons, leur décoche un clin d'œil et frappe doucement à la porte.

— Who is it? fait une voix grave, un peu bourrue.

— Time Magazine, sir.

Quelques secondes passent.

— Come in, répond la voix, surprise.

Maurice donne un violent coup de pied et ils entrent tous les trois, mitraillette au poing.

— Please, sir, excuse our manners, continue Pellerin (il prend un plaisir visible à s'exprimer en anglais). Your last interview with us proved to be so interesting, so revealing, should I say, that we couldn't resist asking you for another one, perhaps slightly more analytical.

Il se tourne vers les autres:

— Qu'est-ce que vous pensez de ça? Shakespeare prendrait son trou, hein?

Donald Thompson est debout, livide, mais apparemment assez calme. Il leur sourit faiblement:

— FLQ, eh?

— Levez les mains et reculez-vous au mur, lui ordonne Maurice. Vous allez enfiler votre veston et nous suivre.

— Tout ce que vous voulez, messieurs, répond-il avec un léger accent.

Robert se met à ricaner et lui lance son veston à toute volée. Le poète Platt, interdit, observe la scène sans bouger.

— Si je comprends bien, messieurs, reprend Thompson d'une voix à peine altérée, ma peau ne vaut plus très cher, pour employer une expression… réaliste. Alors, aussi bien vous parler franchement, puisque vous êtes venus, dites-vous, pour me questionner.

L'apprêt exagéré de ses paroles trahit quelque peu sa peur. Maurice le sent et devient grossier:

— Pas question. Tu viendras faire ta parlotte chez nous. Et recule-toi encore un peu, veux-tu? Le coup du bouton d'alarme sous le bureau, c'est un truc éventé, mon vieux. On est allé aux vues dans notre jeunesse.

Donald Thompson serre un peu les mâchoires et recule d'un pas.

— Allons! mets ta défroque et viens-t'en, lance Robert, furieux.

Il s'approche et lui plante sa mitraillette dans les côtes. Les traits de Thompson se convulsent; il devient cramoisi:

— Permettez-moi tout de même, messieurs, lance-t-il d'une voix étranglée en repoussant légèrement Robert, de vous dire malgré tout quelques mots. Vous perdez votre temps à enlever des personnes telles que moi. Vous pouvez m'humilier, me torturer, m'assassiner même, et c'est, je crois, ce que vous allez faire, mais vous ne changerez pas votre situation. Ceci est peut-être désagréable, mais voici que j'ai 58 ans et même si je suis allé rarement dans vos maisons, je connais bien les Canadiens français, croyez-moi. Vous êtes seuls, messieurs, complètement seuls. J'ai lu et bien observé vos compatriotes et je puis vous dire qu'avoir peur, pour eux, c'est comme respirer. Excusez-moi, messieurs, mais faisons un petit tour dans l'histoire, et que voit-on? Vous avez peur du roi de France, vous avez peur du roi d'Angleterre, vous avez toujours peur. Et maintenant, depuis longtemps, n'avez-vous pas peur des Américains? Et des Russes? Et du chômage? Fear is in your chromosomes. Trois cents ans de domination, vous comprenez? Il est trop tard maintenant. You're only a handful of tough guys. Your people won't move an inch. Quand ils regrettent un peu trop d'avoir perdu cette fameuse bataille à Québec, nous faisons gagner les *Canadiens* au Forum, et voilà. Et les tavernes complètent le reste, n'est-ce pas? Les tavernes et les députés et *Household Finance* et tout et tout. We've built a whole system to keep this country a dormitory and good luck if you want to destroy it. Romantic rarities, that's what you are. Bons pour faire des poètes ou des gardiens de nuit, voilà. And pretty soon your children will tell you the same in English.

Un crépitement assourdissant éclata tout à coup. Donald Thompson porta la main à sa poitrine tandis que Platt laissait tomber sa mitraillette avec un soupir horrifié; l'homme d'affaires avait glissé sur le plancher, on n'apercevait plus que ses pieds sous le bureau. Un léger gargouillement se fit entendre, puis s'éteignit. Platt se tenait adossé contre la porte, tout tremblant; les yeux lui dansaient dans le visage:

— C'est... c'était malgré moi... j'ai dû trébucher... cette façon... de parler des gardiens de nuit...

Robert s'avança et lui saisit la main d'un geste convulsif:

— Eh bien! mon vieux, voilà un excellent faux pas!

Un rire strident s'éleva dans le bureau; il se gonfla peu à peu, triomphant, sauvage, et s'étendit par grandes nappes coupantes, envahissant les pièces l'une après l'autre, répandant partout une atmosphère d'hystérie. Maurice fut le premier à reprendre un peu ses sens. Ses mains tremblaient; il les leva lentement au-dessus de lui comme un prêtre à la fin de l'office:

— Après de telles paroles, mes amis, il faut purifier le Québec, sinon tous nos arbres vont sécher, nos maisons vont pourrir et nous tomber sur le dos et le pays tout entier va s'engloutir dans la marde.

Ils saisirent le cadavre et s'avancèrent silencieusement à travers les pièces. Lentement, ils descendirent l'escalier et passèrent derrière l'agent Philips qui n'osait pas tourner la tête. Le visage sévère et triste, ils avançaient en cortège dans le salon comme dans une église sous le regard terrifié des fidèles tremblants et subjugués, au milieu d'un silence écrasant. Ils s'arrêtèrent devant le foyer et déposèrent le cadavre sur les cendres. Tour à tour, chacun d'eux vida sur lui des flacons d'alcool que Gilles Pellerin venait de dénicher dans un cabinet. La flamme s'éleva brusquement, avide et nerveuse, et se jeta partout à la fois. Ils étaient assis en rond devant le foyer et regardaient Donald Thompson partir en fumée, buvant comme des trous, les membres agités de tremblements convulsifs.

— Eh bien! notre compte est bon, observa Maurice en sortant de la maison.

Gilles Pellerin fit une petite steppette sur le gravier:

— Notre compte est bon, rigodon-ron-plon!

Le poète apparut dans la porte:

— Nos verres sont vidés, rigodé-ron-plé. Notre corde se noue, rigodou-ron-plou!

Platt descendit les marches en titubant, saisit Pellerin par les épaules et ils se mirent à tourner:

— Nos yeux sont vitreux, rigodeux-ron-pleux! Nos

tripes sont au vent, rigodan-ron-plan! Et hop! et hop! et hop!
Plus vite! Plus vite!

Ils trébuchaient, haletaient, faisaient craquer leurs coutures et finirent par s'effouèrer dans la poussière en riant à
pleine gorge. Maurice les regardait, déconcerté.

— Allons, bande de caves, cria Robert en leur donnant
des coups de pied dans les côtes, montez dans l'auto, dépê-
chez-vous!

Maurice prit le volant et démarra en trombe.

— Toi aussi, tu perds la tête? fit Robert.

— Bah! un peu plus... un peu moins.....

— Rigodin-ron-plin! compléta Pellerin à tue-tête.

Platt s'étouffait de rire sur le siège arrière.

— Je meurs! je meurs! criait-il en se frappant les cuisses.

— Tu meurs? fit Pellerin.

Son visage s'empreignit de gravité et il se pencha à
l'oreille de son compagnon:

— Eh bien... RIGODEUR-RON-PLEUR!

Le poète plissa les yeux; ses narines se pincèrent, sa bouche se distendit d'une façon monstrueuse et un bruit rappe-
lant le déchirement d'une feuille de tôle s'en échappa, vol-
tigea d'octave en octave et s'amplifia à tel point qu'on dut
baisser la glace pour lui permettre de se pomper un peu d'air
frais. À cinquante pieds devant eux, le feu vira au rouge.
Maurice appliqua brusquement les freins. Robert se heurta la tête contre le pare-brise et, en arrière, les deux fêtards
se retrouvèrent sur le plancher; Platt venait de laisser un
morceau d'incisive dans le cendrier et se massait les lèvres
d'un air hébété. Il se rassit, brusquement calmé. Maurice,
rouge de confusion, n'osait lever les yeux. Mais Gilles
Pellerin, lui, avait conservé tout son enthousiasme.

— A-ta-tow! s'écria-t-il tout à coup en baissant vivement la glace.

Une Buick rutilante venait de s'arrêter à leur côté. Le
conducteur et sa femme, tous deux âgés, leur jetaient des
regards étonnés et se parlaient avec animation.

— Tranquille, Pellerin, ordonna Robert.

— Le beau nœud papillon-ron-ron! Ah! mon vieux pata-
chon! j'ai envie de te frotter le bedon!

Il sortit de l'auto et ouvrit la portière de la Buick. Le
vieillard leva les bras et poussa un cri. Trop tard: son col
de chemise était déchiré et sa femme piquait une crise de
nerfs.

L'auto des ravisseurs repartit en trombe. Robert était
hors de lui:

— Maudit cave! Veux-tu donc qu'on se fasse descendre
en pleine rue?

Pellerin ajustait le nœud-papillon à son col de chemise:

— Pour un homme comme moi, répliqua-t-il d'une voix
pâteuse, c'est la seule mort convenable.

— Eh bien! voici un avant-goût! fit l'autre en se retournant, et il lui flanqua un coup de poing en plein visage.

Pendant quelques secondes, Pellerin fut sous l'effet d'une
profonde stupéfaction, puis ses yeux s'inondèrent de larmes:

— Tu n'as rien compris! Vous n'avez rien compris,
bande d'idiots! On vient de tourner la dernière page de
notre calendrier, vous ne le saviez pas, non? Laissez-moi
au moins choisir mon décès, c'est tout ce qui me reste! Je
vous ai tout donné, moi! Mon talent! Mon génie! et bientôt
jusqu'à mon sang! Que voulez-vous de plus? Vous n'avez
aucun droit sur moi, ne l'oubliez pas, et si j'ai envie d'aller
souper au *Vaisseau d'or* en nœud-papillon, je n'ai pas
besoin de vous le demander! Il voulut ouvrir la portière.

— Occupe-toi de lui, Platt, lança Robert.

Le poète se jeta sur lui et, l'enserrant de ses puissantes
pattes, le comprima avec une vigueur toute paternelle. Il
était dessaoulé depuis longtemps. Son épitaphe avait recommencé à lui voltiger dans la tête. Les yeux perdus dans le
vide, il s'était remis à la recherche d'un autre vers à lui
donner en pâture.

En pénétrant dans la cuisine, Robert laissa échapper une
exclamation furieuse et s'arrêta sur place, les bras ballants.
Madame Tremblay se tenait debout derrière la table et regardait les arrivants.

— Ce n'était plus possible, balbutia-t-elle, il souffrait trop.

Un tube de pilules luisait sur la table, près d'un reçu d'ordonnance.

XXVII

Vers trois heures du matin, Jerry Turcotte se réveilla en sursaut, ébloui par la lumière, étourdi par le bruit des marteaux.

— Qu'est-ce qui se passe? demanda-t-il, tout ahuri.

Maurice se retourna:

— T'inquiète pas, mon ami, on va vendre chèrement ta vie. Pour l'instant, il s'agit de protéger ton intimité. C'est tout plein de flics en bas, ils pourraient leur prendre envie de venir reluquer aux fenêtres, tu comprends?

On tapait du marteau dans toutes les pièces. Blandine, encore en robe de nuit, disposait des boîtes de cartouches dans le salon. Madame Tremblay s'était réfugiée dans sa chambre et poussait des aboiements de chien mélancolique. Le Cancéreux, qu'elle avait fait transporter près de son lit, la fixait d'un œil brumeux, sans trop comprendre ce qui se passait. Turcotte s'était assis dans son lit et secouait ses menottes:

— Mais rendez-vous, bande de caves! Vous n'avez pas une chance sur un million! On va tous crever comme des rats! Cesse de clouer, Maurice, écoute-moi, je t'en supplie! Je les connais, tu sais! Ils vont être sans pitié! Ne comptez pas sur le Prince! Pour l'amour du saint Ciel, ne comptez pas sur lui!

Maurice le regarda en souriant et se remit à clouer:

— Ah! mon vieux Calvaire, tu trouves la soupe trop chaude, hein? Mais c'est pourtant toi qui l'a préparée.

Une deuxième série de sanglots se mit à résonner dans l'appartement; mais elle était bien plus riche en effets dramatiques, et rehaussée de tintements métalliques et de brassements de sommier qui l'harmonisaient parfaitement avec les événements étranges de cette nuit-là. Robert apparut dans l'embrasure de la porte, un sourire hargneux aux lèvres:

— Voyons, Jerry, prends sur toi, mon minou. Ils vont penser qu'on te torture et il n'y aura plus rien pour les arrêter. Le canon va s'en mêler.

Ce fut une phrase de trop. Elle transforma brusquement le député en un soprano délirant, échevelé, épileptique. Les couvertures volèrent au plafond, la table de nuit tomba à la renverse. Maurice et Robert se consultèrent du regard, mais ils n'eurent pas le temps de faire un geste; madame Tremblay entra en trombe, larmoyante, sa chemise de nuit ouverte sur deux gros seins flasques ornés de mamelons en étoiles de mer. Elle saisit le député par les épaules et le gifla à toute volée:

— Respectez au moins votre âge, espèce de pâte molle! Ils vont tous nous prendre pour des lâches!

Le député se tut aussitôt et se pelotonna dans un coin, terrifié. Robert et Maurice sortirent. Après avoir observé un instant son ancien patron, madame Tremblay les suivit. Un profond changement venait de s'opérer en elle. Fouetté par les événements extraordinaires qui venaient de se produire, son catholicisme de bonne femme venait de donner une floraison tardive et imprévue. Elle déambulait lentement à travers les pièces, enivrée par les effluves de la résignation chrétienne, et son regard calme et triste semblait fixer les murailles des catacombes. Jerry Turcotte resta seul, assis dans son lit sous l'éclairage violent du plafonnier. Il fixait la feuille de contre-plaqué qui bloquait la fenêtre de sa chambre.

— Ça ira, murmura-t-il au bout d'un moment avec un étrange sourire, ça ira.

— Ils viennent de couper l'eau, annonça Maurice en entrant dans le salon.

Madame Tremblay le regarda un instant, puis se retourna et sortit discrètement son chapelet.

— C'est ça, fit Robert avec un rire sarcastique, dites des Avé, la sainte Vierge va venir nous porter un char d'assaut.

On avait cloué une immense feuille de carton à la fenêtre du salon. À l'aide d'un canif, Platt s'occupait à y percer des trous à hauteur d'œil lorsqu'on l'entendit soudain pousser une exclamation.

— Tiens, l'électricité, maintenant! fit Robert, pendant que le poète agitait son pouce ensanglanté. Où sont les chandelles, Blandine?

— Dans la cuisine, répondit-elle d'une voix tremblante. Deuxième armoire à gauche du poêle.

Un éclat de rire énorme retentit tout à coup au milieu d'un brassement de sommier assourdissant:

— Ah ça ira, ça ira, ça ira! Ah! ça ira, ça ira, ça ira, les aristocrates et les culs-de-jatte!

— Mais c'est Turcotte, ça, s'exclama Maurice, stupéfait.

Dans la pénombre, Pellerin eut un sourire piteux:

— Le *boss* vient de dérailler. Finis les beaux jours.

Robert réapparut et jeta une boîte sur la table:

— Tiens, allumez-moi ces chandelles, je vais m'occuper de lui.

Maurice le suivit. Gilles Pellerin frotta une allumette et planta une chandelle au bout de la table. Le poète Platt ressembla soudain à une apparition de Ramsès II:

— Au-delà des limites de la raison, observa-t-il avec gravité, s'étend la plaine de la folie.

On entendit Maurice dans la chambre du député:

— Ça va, mon vieux, conserve ta voix pour le Parlement.

Le député se mit à chanter encore plus fort. Il se tortillait dans son lit comme un ver, les yeux dilatés de joie, enivré par un spectacle extraordinaire qu'il était seul à contempler. Soudain, le sommier se décrocha dans un fracas de fin du monde qui le fit hurler de frayeur; puis un claquement sec retentit et le silence se fit brusquement. Robert revint dans le salon:

— Installez-vous chacun à une fenêtre, mais que personne ne tire. On va se contenter de surveiller leurs mouvements.

Une lueur intense traversa tout à coup la feuille de carton et une voix géante fit vibrer les murs:

— Rendez-vous. Vous êtes cernés. Vous n'avez aucune chance de vous en sortir.

Pendant un moment personne ne dit mot. Puis Robert se pencha vers Maurice:

— On a fait une gaffe en posant ces feuilles de carton. Ils doivent penser que Turcotte est mort. Ils vont peut-être essayer de nous gazer.

La voix reprit:

— Écoutez-moi bien. Nous sommes prêts à discuter. Montrez-nous votre otage. Nous devons nous assurer qu'il est bien vivant.

— On n'a pas le choix, montrons-le, s'écria Maurice.

Robert lui adressa un sourire quelque peu méprisant et fit signe à Pellerin de le suivre; ils se dirigèrent vers la chambre du député.

— Mon problème, dit-il, c'est que je viens de l'envoyer dans les pommes. Espérons qu'il va pouvoir marcher.

Platt faisait les cent pas au milieu de la pièce en marmottant.

— Qu'est-ce que tu baragouines là, mon vieux? lui demanda Maurice.

— C'est la fin de tout, se contenta-t-il de répondre.

Maurice sentit quelqu'un se glisser contre lui et deux mains moites lui saisirent le bras.

— J'ai peur, chuchota Blandine en le regardant avec un sourire éploré. Je sens deux présences en moi. Je sens Jésus qui lutte en moi contre la peur, mais sera-t-Il assez fort?

Le visage tendu vers lui, elle attendait une réponse. Maurice la prit entre ses bras et essaya de la calmer.

— Pardonne-moi, lui dit-elle d'une voix entrecoupée de sanglots. Si j'ai mal agi, c'est à cause de Lui. Je ne pouvais pas Lui désobéir. Est-ce que tu me crois?

Platt observait la scène, étonné. Le Cancéreux, étendu sur un divan tout près, avait pudiquement détourné la tête.

232

— Déjà le duo d'amour de la fin? s'écria Robert d'une voix railleuse en revenant dans le salon.

Aidé de Gilles Pellerin, il s'avançait en soutenant le député. On enleva la feuille de carton et un violent flot de lumière inonda la pièce.

— Allons, vieux Calvaire, tiens-toi debout, fit Robert, tes admirateurs sont venus se rincer l'œil. Fais-leur un petit discours.

Maurice brisa un carreau.

— Un petit discours? répéta Turcotte, hébété.

Il resta debout quelques instants, titubant, clignant de l'œil, toujours soutenu par ses gardiens. Soudain, une expression d'effroi intense lui tordit le visage. Il leva les bras, les lança violemment en arrière et se jeta la tête la première dans la fenêtre. Un énorme fracas retentit. On entendit des exclamations à l'extérieur. Robert Marcil et Gilles Pellerin se précipitèrent sur lui. Il battait des pieds avec une frénésie désespérée, engagé jusqu'à la taille, la chemise pleine de sang.

— Oh, ho! mon vieux renard! s'écria Robert pendant que Maurice donnait des coups de crosse dans les débris de vitre, tu voulais nous jouer un tour! Les bains de foule, c'est pour plus tard!

— Ils veulent me tuer, ils veulent me tuer! glapissait le député en sanglotant.

On réussit enfin à le retirer et le carton fut replacé à toute vitesse. Il était assez effrayant à voir, le visage inondé de sang, la bouche écumante, le corps agité de tremblements saccadés. On l'étendit sur son lit et le Cancéreux (où avait-il pris sa force?) arriva dans la chambre avec une trousse de secours et se mit à lui éponger le visage pendant qu'on le maintenait sur le matelas. Au bout d'un moment, il leva la tête et fit signe à Maurice que les blessures étaient sans gravité, puis lui montrant du doigt un paquet de pansements, il retourna au salon et se laissa tomber sur le divan, épuisé par l'effort qu'il venait de fournir.

— Ah! mon vieux snoreau! soupira Robert, tu pourras

te vanter de nous avoir fait peur. Finies les apparitions en public!

— Non! non! s'écria Turcotte, échevelé, les yeux hagards. Je refuse d'accepter! J'en appelle à l'Assemblée nationale! Qu'on m'apporte le confesseur du roi! Citoyens! Tout le monde aux barricades! Laissez votre soupe, prenez le taxi! L'heure de la gloire est arrivée!

Madame Tremblay fit irruption dans la chambre une seconde fois:

— Pour l'amour de Dieu, donnez-lui un calmant! Il va tous nous rendre fous!

Le pansement était terminé et le député solidement attaché au lit. Le haut-parleur se fit de nouveau entendre; tout le monde se précipita au salon.

— Ah! ça ira, ça ira, ça ira! chantait de nouveau Jerry Turcotte en fixant le plafond d'un air galvanisé.

— Étant donné l'état critique de votre otage, disait la voix géante, nous vous envoyons quelqu'un pour négocier sa libération immédiate. Cette personne n'est pas armée et vient vous trouver en toute bonne foi.

Gilles Pellerin glissa une longue-vue dans l'ouverture de la pièce de carton.

— Ho! les amis! s'exclama-t-il, venez voir ce que je vois.

Maurice accourut. La maison de rapport qui les abritait s'élevait sur un coin de rue. Toutes les issues avaient été bloquées par des barrages d'autos-patrouilles. Dans la lumière blafarde de l'aube, on voyait des soldats et des policiers se déplacer par grappes, d'un pas indécis; d'autres couraient, criaient des ordres, se faisaient des signes, transportaient des caisses. Derrière eux, une masse grise bougeait doucement, retenue par un cordon de soldats. En face, on voyait des ombres s'agiter aux fenêtres, des lueurs métalliques s'allumaient et disparaissaient. Maurice braqua sa longue-vue vers le ciel. Des carabines de francs-tireurs dépassaient le rebord des corniches; le soleil levant faisait briller les projecteurs qu'on venait d'éteindre. Impossible d'apercevoir un homme qui ne portât pas d'uniforme. L'appareil militaire et policier avait créé autour d'eux un vide terrifiant. Soudain, il aperçut, entre deux pâtés de maisons une énorme limousine noire entourée de soldats. Un homme d'assez grande taille se tenait à demi assis sur une aile, dans une attitude à la fois nonchalante et orgueilleuse. De temps à autre, il se penchait vers un officier qui portait un poste émetteur en bandoulière et lui glissait quelques mots en agitant faiblement la main. Maurice poussa un long sifflement:

— Eh bien! mes enfants, notre gloire est assurée! Le Prince a pris la peine de venir lui-même nous soincer!

La longue-vue se mit à circuler. Personne ne faisait de commentaires. Quand arriva son tour, madame Tremblay la repoussa:

— Je suis déjà assez folle comme ça, bougonna-t-elle.

Quelqu'un frappa à la porte.

— Pas si vite! lança Robert en retenant Gilles Pellerin par le bras.

Il fit signe à chacun de s'embusquer et alla jeter un coup d'œil à la fenêtre. Un éclat de rire enfantin retentit soudain dans la pièce voisine et le député se remit à sa chanson, l'ornant de trilles et de roulades du plus curieux effet. Robert alla fermer la porte de sa chambre et vérifia sa mitraillette.

— Ouvrez-moi, fit une voix dans le corridor. Je suis maître Constant Souplet. Je viens de la part du gouvernement.

— Tu es seul et sans arme, Souplet?

— Seul et sans arme.

La voix était jeune et pleine d'assurance, presque joyeuse. Gilles Pellerin ouvrit la porte et maître Souplet apparut, souriant et plein d'aisance dans son habit à la mode et l'éclat viril de ses vingt-sept ans.

— Bonjour, les amis, fit-il, et il écarta largement les pans de son veston. Voyez, je ne suis pas armé. Vous pouvez tous vous montrer, je n'ai qu'une parole.

On aurait cru qu'il venait d'entrer en scène pour animer une émission de variétés. Gilles Pellerin se mit à le fouiller.

— Allez, allez, ne vous gênez pas. Eh bien! fit-il en se

retournant vers Marcil, vous pourrez vous vanter de nous avoir donné du fil à retordre. Mais je suis sûr qu'avec un peu de bonne volonté tout peut s'arranger.

Robert haussa les épaules et fit signe aux autres de sortir de leur cachette. Maître Souplet souriait à tout le monde, parfaitement à l'aise, sûr de son magnétisme.

— On ne rencontre pas tous les jours un groupe aussi varié que le vôtre, dit-il en faisant un signe de tête à l'intention de Blandine et de madame Tremblay.

— Suffit pour la parlotte, coupa Robert. Qu'est-ce que tu as à nous dire?

L'avocat le fixa quelques secondes, puis se remit à sourire comme si son interlocuteur venait de lui faire une remarque flatteuse.

— Si vous le voulez bien, j'aimerais d'abord m'assurer de l'état de santé de votre otage, ce qui nous permettrait ensuite...

Il s'arrêta brusquement. Entouré d'une horde de sansculottes assoiffés de sang, Jerry Turcotte venait de se lancer à l'assaut de la Bastille à grands coups d'anachronismes.

L'avocat se tourna vers Maurice:

— Est-ce que c'est bien lui?

Il cachait avec peine son trouble. L'autre eut un geste d'impuissance et fit signe que oui. Maître Souplet se dirigea rapidement vers la porte.

— Arrière, salauds! hurla le député d'une voix menaçante. N'arrêtez pas le peuple dans sa course triomphale! La conscription n'aura pas lieu! Le pain restera à 12 cennes et tout le monde pourra fourrer le dimanche! Arrière et à l'assaut! Les aristos tous dans le métro!

Maître Souplet referma la porte et se retourna vers les ravisseurs. Malgré tous ses efforts, sa voix tremblait un peu:

— Que lui avez-vous fait pour le réduire à cet état?

— Rien, répondit Maurice, il n'a pas tenu le coup, c'est tout.

Platt poussa un profond soupir:

— Le cerveau humain est un bijou fragile...

236

— Oui, je veux bien le croire, mais... enfin, ce n'est peut-être que passager.

Il secoua la tête comme pour chasser une pensée désagréable et retrouva son sourire:

— Venons-en au fait. Après tout, je suis venu pour discuter, n'est-ce pas? Que voulez-vous exactement?

Robert et Maurice se consultèrent du regard.

— Vous ne lisez donc pas les journaux? demanda ce dernier avec un sourire arrogant.

— Messieurs, messieurs, protesta l'avocat avec une chaleur sympathique, la situation n'est plus la même. Vous êtes cernés. Vous n'avez plus d'eau, plus d'électricité. Bientôt vous n'aurez plus de nourriture. On m'a envoyé auprès de vous pour discuter d'une façon civilisée et réaliste. Faites-moi une proposition. Je vous répondrai.

Il sortit de sa poche un paquet de cigarettes et en offrit à la ronde.

— Garde tes petits cadeaux et cesse de nous prendre pour des imbéciles, fit Robert. Notre situation n'a pas changé et tu le sais bien. Coupez l'eau, privez-nous d'électricité, laissez-nous crever de faim, voilà qui fait notre affaire, on n'espérait pas tant de votre bonté. Quant à nos conditions, elles resteront les mêmes tant que notre otage sera vivant, et il le sera jusqu'à six heures ce soir. Écoute-moi bien, le jeune avocat brillant, et n'oublie pas un mot de ce que je vais te dire: à six heures, vous aurez libéré les treize prisonniers politiques que nous avons désignés dans notre communiqué; un avion pour Cuba nous attendra à Dorval avec $500,000 en lingots d'or et vous aurez préparé des sauf-conduits pour tout le monde, *y compris le député.* Si une seule de ces conditions n'est pas réalisée, jetez vos fusils et entrez dans l'appartement, la porte sera ouverte; vous pourrez y faire les constatations d'usage, comme on dit dans le métier.

Maître Souplet rejeta lentement une bouffée de cigarette; sa nonchalance était si étudiée que Maurice se mit à rire.

— Vous jouez dur, les amis, dit-il enfin.

— C'est en vous regardant qu'on a appris. Maintenant,

fous-moi le camp, on t'attend pour une conférence de presse.

L'avocat eut un sourire narquois et tourna les talons. Il était sur le point de franchir le seuil lorsque deux mains s'accrochèrent aux pans de son veston et faillirent lui faire perdre l'équilibre.

— Ne partez pas, ne partez pas tout de suite! s'écria madame Tremblay, le visage ruisselant de larmes, ils sont trop jeunes pour comprendre! Pour l'amour de Dieu, expliquez-leur ce qui va se passer, ne nous laissez pas mourir!

Maurice et Robert se jetèrent sur elle et l'entraînèrent au fond de la pièce; elle se laissa emporter sans résistance, vieille Ophélie fanée déjà noyée dans son destin.

En sortant de l'immeuble, maître Souplet fut entouré d'une escorte et se dirigea rapidement vers la limousine du Prince. Ce dernier lui fit signe de monter près de lui. La porte eut un claquement sourd et moelleux et un profond silence entoura les deux hommes.

— Est-il vivant? demanda le Prince en se tournant vers l'avocat avec un sourire énigmatique.

— Complètement détraqué, monsieur, mais vivant tout de même.

Le Prince s'amusa quelque temps à croiser et décroiser ses doigts en donnant à ses belles mains blanches toutes les formes imaginables.

— En ce cas, mon ami, murmura-t-il d'une voix douce-reuse, vous direz à tout le monde que vous l'avez trouvé mort et vous décrirez ses blessures.

Il se mit à rire silencieusement et fit signe à maître Souplet que leur entrevue était terminée.

— Il sort de la limousine, s'écria Gilles Pellerin, tout grimaçant au bout de la longue-vue. Le voilà qui s'éloigne avec des policiers; ils tournent le coin d'un immeuble... Je ne les vois plus.

Un claquement sec retentit tout à coup dans la rue. Pendant quelques secondes, il demeura rivé à la longue-vue, incapable de parler, son visage exprimant la plus complète stupéfaction. Robert lui arracha l'instrument des mains et le repoussa:

— Ils... ils transportent un policier... Quelqu'un vient d'abattre un policier!

Madame Tremblay leva la tête, tirée de la profonde torpeur où l'avait plongée son chapelet. On la voyait à peine, perdue dans un vieux fauteuil au fond de la pièce; elle s'apprêtait à se jeter dans une autre mer d'Avé lorsqu'une balle traversa la fenêtre et alla s'aplatir dans un miroir au-dessus de sa tête. En tombant, un éclat de vitre coupa son chapelet en deux et lui fit une profonde entaille à la jambe. Aussitôt, la fusillade devint générale.

— À terre, tout le monde! cria Robert.

Maurice se traîna jusqu'à lui:

— Ils sont devenus fous! Qu'est-ce qui se passe?

Gilles Pellerin s'était frappé la tête contre un coin de table en se jetant sur le plancher; il se massait la tempe en sacrant comme un bûcheron. Platt s'était recroquevillé dans un coin, les bras croisés sur la poitrine, et contemplait la scène d'un air stupide.

— Où est Blandine? demanda Maurice.

Le Cancéreux lui montra du doigt la chambre de Robert. Madame Tremblay venait de la rejoindre, en laissant derrière elle une longue traînée de sang. Les balles criblaient les murs, sillonnaient les meubles, labouraient le plancher; le divan était devenu un champ de choux-fleurs; les vitres volaient en morceaux avec des éclats de rire sinistres; une fine poussière de plâtre flottait déjà dans l'air et s'infiltrait dans toutes les bouches. Un coup de sifflet retentit soudain et la fusillade s'arrêta net.

— Ah! ça ira, ça ira, ça ira, chantonnait le député d'une voix monotone.

— Prenez vos armes, hurla Robert, et tirez dans le tas!

Les fenêtres du salon et de la salle à manger se garnirent en même temps et un tapage infernal se répandit dans l'appartement. Les sanglots de madame Tremblay réussissaient quand même à le percer de temps à autre.

— J'en ai un! cria Pellerin, et il lança un hurlement de joie.

Maurice se pencha vers Robert:

— Je ne comprends pas. Qui l'a descendu, ce policier?

Robert eut un sourire sardonique et haussa les épaules. La riposte venait d'arriver, terrible. Le crépitement des mitraillettes s'était transformé en un grondement continu, terrifiant, qui semblait vouloir disloquer chaque molécule d'air. Maurice sentit comme une brûlure à son avant-bras et un filet de sang lui glissa jusqu'au poignet et se mit à couler sur le plancher. Au même moment, la feuille de carton se détacha de la fenêtre, à demi pulvérisée, laissant une ouverture béante; Platt la jeta par-dessus son épaule et courut se réfugier derrière le divan. Robert s'approcha lentement de la fenêtre, serrant contre sa poitrine un objet que Maurice n'arrivait pas à distinguer; il prit son élan et le lança dans la rue. Une forte détonation secoua le quartier. La poitrine criblée de balles, il se tordait sur le plancher et n'entendait déjà plus rien. Rivé à sa mitraillette, Gilles Pellerin n'avait rien vu.

— Va-t'en, cria Maurice en repoussant Blandine qui essayait fébrilement de poser un pansement sur son avant-bras.

La fusillade s'arrêta de nouveau, aussi brusquement que la première fois.

— Rendez-vous! Vous êtes perdus, vous le savez bien! rugit le haut-parleur.

— Voilà, voilà comment nous allons nous rendre! cria Gilles Pellerin.

Il se leva et déchargea sa mitraillette en poussant des hurlements sauvages. Platt lui décocha un violent coup de pied dans les jambes.

— Merci, *chum*, lui dit-il en se relevant sur les coudes et il lui tapa un clin d'œil.

Son regard tomba soudain sur le cadavre de Robert. Une pâleur de cendre s'étendit sur son visage et il se retourna précipitamment vers la fenêtre.

— Est-ce qu'il est mort? lui demanda le poète à voix basse.

— Eh bien! quoi? qu'est-ce que tu penses qu'il est en train de faire? Regarder à travers le plancher?

Il voulut prendre une cigarette, mais ses doigts tremblaient tellement qu'il laissa tomber le paquet. Un cri perçant partit de la chambre de Robert. Madame Tremblay se tenait debout dans l'embrasure en se tordant les mains. Elle se précipita sur Robert et déchira sa chemise pour inspecter ses blessures. Un second cri retentit, encore plus déchirant. Elle l'embrassait en gémissant, lui caressait les cheveux, le soulevait sur ses genoux pour le déposer sur le plancher, affolée, éperdue, désespérée, comme si on venait de lui arracher le principe même de sa vie.

— Que le diable m'emporte! grogna Pellerin. Il faut crever pour devenir sympathique, maintenant!

Un filet de voix enrouée, presque moribonde, mais remplie d'une joie inextinguible, s'éleva doucement dans la chambre du député:

— Ah! mes amis! chantonnait-elle, ah! mes amis! nous sommes les maîtres de Paris!

Dix minutes passèrent.

— Qu'est-ce qu'ils peuvent donc mijoter? marmonna Maurice.

La réponse se trouvait dans la limousine. Le Prince achevait d'y transmettre ses ordres, les traits altérés par la colère:

— Qu'est-ce que cette tuerie d'*Allô Police?* disait-il de sa voix nasillarde et sèche. Le gouvernement doit se distinguer de la pègre. On ne gagne pas le peuple à coups de spectacles disgracieux.

— C'est peut-être une sorte de trève imposée par le traité de Genève, suggéra le poète en se tournant vers Maurice.

En disant ces mots, il eut comme un large sourire, porta la main au côté et tomba la face sur le plancher. Une seconde balle siffla près de Gilles Pellerin. Ce dernier se leva d'un bond, saisit le poète par les épaules et le traîna vers sa chambre.

— Tout le monde dans la salle à manger! lança Maurice en entraînant Blandine.

— Mon Dieu, soupira le poète, comme je saigne, comme je saigne....

— Ce n'est rien, ça, mon vieux... ce n'est que le système circulatoire...

— Ah oui... le système circulatoire... c'est juste...

Sa tête tomba sur sa poitrine et il sombra dans une sorte de délire.

— Il faut... que l'épitaphe circule... c'est juste...

Gilles Pellerin l'étendit sur son lit et lui cala la tête sur des oreillers. Platt agita faiblement la main:

— Un crayon... du papier... vite! murmura-t-il. Je suis... dans le vif du sujet.

Sa respiration était devenue sifflante et un léger tremblement agitait ses jambes; la tache de sang qui maculait sa chemise s'agrandissait rapidement. Gilles Pellerin voulut la déboutonner.

— Non! supplia le poète, un crayon... du papier! Dans ma commode, ajouta-t-il, haletant.

Pellerin tournait la tête de tous côtés, complètement affolé. Il se précipita vers la commode et ouvrit tous les tiroirs. Dans la salle à manger, le crépitement des mitraillettes avait repris, relevé de temps à autre par les imprécations de madame Tremblay.

— Voilà, j'ai tout ce qu'il te faut, s'écria Pellerin en s'approchant du lit.

Ses pieds s'accrochent l'un dans l'autre, des feuilles tombent sur le plancher. Platt se soulève lentement et, au prix d'un effort inouï, s'adosse contre la tête du lit. Il saisit feuilles et crayon. Ses mains bougent difficilement et le sifflement de sa respiration s'accentue de seconde en seconde, mais le premier vers est terminé:

— Hélas! mes chers amis... me voilà décédé.

Il marmonne quelques mots, cligne de l'œil plusieurs fois, prend une profonde inspiration et commence le second.

— Six pieds de sol... me tiennent... enterré.

242

Les feuilles glissent lentement sur ses genoux, mais il ne s'en aperçoit pas.

— Que les fleurs du fleuriste… restent…

Il lève la tête tout à coup et regarde Pellerin d'un air étrange:

— Que se passe-t-il? La chambre est… toute bleue…

Son crayon tombe. Gilles Pellerin le regarde mourir, figé sur place. Ces yeux égarés, cette bouche gargouillante et distendue le remplissent d'une horreur sans borne, mais ses jambes refusent de le porter ailleurs.

— Ah! ça ira, ça ira, ricane une voix à son oreille.

Il pivote sur ses talons, mais son poing ne fauche que du vent. À travers l'épaisse poussière blanchâtre qui flotte dans le salon, il distingue le Cancéreux couché sous une table, un mouchoir sur le nez, battant lentement des paupières. Un sanglot lui monte à la gorge; il se précipite dans la salle à manger:

— Il faut se rendre, Maurice! Platt vient de mourir! On va tous crever!

Il arrache sa chemise et l'agite comme un drapeau. Maurice la saisit au vol et la lance dans un coin:

— Retourne à ta mitraillette, pauvre fou! Ce n'est pas ta petite queue de chemise qui va les arrêter.

Pellerin se jette à quatre pattes sur le plancher et rampe vers sa mitraillette. Un long filet de diarrhée lui coule le long de la jambe; il en pleure d'humiliation. Sur un signe de Maurice, Blandine s'est installée à la mitraillette de Robert et l'actionne de temps à autre, terrifiée par le crépitement. Madame Tremblay ne hurle plus. Assise sur le plancher, elle distribue les munitions d'un air résigné. Le feu devient de plus en plus serré. Un nid de mitrailleuses s'est installé juste en face de la fenêtre et les asperge impitoyablement. De grandes plaques de plâtre s'écrasent sur le plancher à tout moment et les murs dévoilent peu à peu leurs lattes brisées. Gilles Pellerin pousse un hurlement; une balle vient de lui érafler la joue et il contemple avec stupeur sa main couverte de sang.

— Suivez-moi! crie Maurice.

Il saisit Blandine par la main et l'entraîne dans la chambre de Robert, qui est dépourvue de fenêtre. Madame Tremblay se lève la dernière. Elle se tient la poitrine à deux mains, les doigts tout ensanglantés. A-t-elle crié? Le tapage a dû couvrir sa voix. Elle s'avance en titubant vers la cuisine pendant que tout le monde s'affaire dans la chambre. Elle s'assoit péniblement devant la table où elle avait l'habitude d'éplucher ses légumes, et demeure immobile, toute droite, les bras pendants, son tablier dénoué, posé sur ses genoux, puis sa tête s'incline brusquement et elle va rejoindre sa pauvre mère dans les félicités du ciel.

Sur l'ordre de Maurice, Blandine s'est réfugiée dans une penderie tandis qu'il va chercher le Cancéreux au salon. Gilles Pellerin s'est embusqué derrière le lit avec un matelas comme rempart et tient sa mitraillette braquée vers la porte. Les balles continuent d'écorcher les murs, mais le feu a beaucoup diminué d'intensité. Maurice traverse les pièces avec une insouciance qui l'étonne lui-même.

— Ils sont sûrement en train de nous préparer une surprise, marmonne-t-il. Pourquoi ne lancent-ils pas de bombes fumigènes? Mais... où est donc passée madame Tremblay?

En disant ces mots, il l'aperçoit dans la cuisine. Il s'avance vers elle, puis s'arrête et l'observe un moment. Un sentiment étrange s'est emparé de lui. Une sorte de gêne mêlée de respect l'empêche de s'approcher et même de lui adresser la parole. Le temps d'un éclair, il se retrouve dans une petite chambre, remplie de senteurs d'herbe: un vieillard est étendu devant lui, les yeux fermés, le visage baigné de soleil. Il tourne les talons et se dirige vers l'autre pièce. En le voyant arriver, le Cancéreux a tenté de se lever, mais c'est peine perdue; ses forces ne le lui permettent plus. Il tend les bras vers Maurice et se laisse porter comme un petit enfant, un enfant d'une espèce plutôt hideuse à la vérité, avec ses longues jambes veineuses et son visage vieilli et décharné. Maurice le dépose dans un coin de la chambre près de Gilles Pellerin qui recule, tourne la tête et se pince discrètement le nez.

— Mais où est donc mame Tremblay? demande-t-il à son tour.

Il se met à secouer Maurice comme un prunier, pris d'un accès de panique incontrôlable:

— Où est-elle? Dis-le moi! Est-ce qu'ils l'ont tuée elle aussi?

— Mais non, calme-toi. Je viens de la voir dans la cuisine. Il faut la laisser tranquille. La police ne lui fera pas de mal.

D'une main fébrile, le Cancéreux a sorti un vieux calepin tout fripé de sa poche et le présente à Maurice.

— Qu'est-ce que tu veux que j'en fasse, mon vieux? fait celui-ci d'une voix pleine de compassion.

Le Cancéreux s'agite, lui fait des signes impératifs. Maurice tourne quelques feuillets, son regard s'arrête sur un court griffonnage, le dernier, semble-t-il, que son ami ait jeté sur le papier.

— Mais... pourquoi n'y avais-je pas pensé? s'écrie-t-il tout à coup en jetant le calepin sur le lit, et il s'élance vers la chambre du député.

— Allons! aide-toi un peu! lui crie-t-il en le saisissant à bras-le-corps.

Les voici dans le salon. Maurice donne un coup de pied dans la porte-fenêtre et, se servant de son otage comme d'un rempart, l'oblige à s'avancer sur le balcon. Quelqu'un a deviné sa manœuvre. Le feu s'est arrêté depuis quelques secondes et un profond silence s'établit.

— C'est... c'est la voix du *boss* que j'entends! s'exclame Pellerin en s'approchant prudemment de la porte.

Le Prince est sorti précipitamment de sa limousine. Impassible, légèrement pâle, il écoute les phrases que Jerry Turcotte, sous la dictée de Maurice, débite d'une voix saccadée. L'apparition du député vient de lui porter un coup imprévu. L'assaut qu'il mène depuis trois heures va causer un scandale énorme. Maurice et Jerry Turcotte ont bientôt quitté le balcon. Des centaines de regards se tournent vers lui, anxieux.

— Bah! fait-il avec un sourire dédaigneux, laissons-les partir puisque c'est leur désir. Cela va nettoyer le pays.

Gilles Pellerin pleure de joie en embrassant le Cancéreux affalé contre un mur, les yeux fermés. Sous l'avalanche des baisers, sa tête dodeline lourdement et les paroles de son compagnon lui arrachent un pâle sourire. Blandine vient de quitter sa cachette et les observe, étonnée.

— Allons, les amis, s'écrie Maurice en poussant le député devant lui, tout le monde au garage! On part en croisière!

Jerry Turcotte s'assoit sur le bord du lit, le dos courbé, les mains entre les jambes. Il regarde quelque chose devant lui d'un air amusé. Pellerin s'approche de Maurice, un sourire craintif aux lèvres:

— Tu crois que ça va marcher? Qu'ils vont nous laisser partir pour Cuba?

— Et pourquoi pas, grosse tête? Ramasse les mitraillettes et va les porter dans l'auto.

Il s'accroupit devant Blandine, qui pleure silencieusement, assise dans un coin.

— Allons, calme-toi, c'est fini, on va pouvoir se reposer maintenant.

— On va pouvoir se reposer maintenant, reprend Jerry Turcotte avec une voix de petite fille.

— Toi aussi, il faut que tu viennes, ajoute Maurice en se retournant vers le Cancéreux. On va te faire soigner chez Fidel.

— Fidel, Fidel, Joyeux Noël, chantonne le député en balançant les bras.

Le Cancéreux garde les yeux fermés et fait signe que non. Maurice lui secoue les épaules.

— Voyons, sois raisonnable. Qu'est-ce que tu vas faire ici tout seul? Veux-tu passer le reste de tes jours en prison?

Il s'apprête à le prendre dans ses bras, mais l'autre ouvre tout à coup les yeux; son visage se convulse et un grognement furieux s'échappe de sa bouche. Maurice se relève, stupéfié. Son compagnon le fixe avec des yeux exorbités; ses lèvres s'agitent par saccades; il lève le bras et montre la porte d'un geste impérieux et un second cri, encore plus déchirant que le premier, le secoue de la tête aux pieds et lui amène des gouttes de sang aux lèvres. Maurice a saisi Blandine par la main; de l'autre, il pousse le député devant lui et ils quittent la chambre à toute vitesse. Le Cancéreux a refermé les yeux et tourné sa tête vers le mur; de sa main droite, il pianote doucement sur le plancher. On dirait le roulement lointain d'un cortège funèbre.

— Et le Cancéreux? demande Gilles Pellerin en les voyant entrer dans le garage.

— Je t'expliquerai tout à l'heure. Assieds-toi près de lui, ajoute-t-il en faisant monter le député dans l'auto, et tiens-le en joue aussi longtemps qu'on ne sera pas tous montés dans l'avion.

Pellerin le regarde, étourdi, haletant. L'absence de leur sauveur vient de lui faire perdre le peu de sang-froid qu'il lui restait. Maurice s'approche de la porte du garage, écoute un instant, puis d'un brusque élan la fait glisser au-dessus de sa tête. Une multitude de soldats et de policiers l'observent silencieusement. On en voit partout: sur les pelouses, dans les autos-patrouilles, aux fenêtres, du haut des toits, et jusque dans un hélicoptère immobile au-dessus des maisons. Mais la rue est dégagée. Il l'examine un long moment, essayant de flairer un guet-apens, puis monte dans l'auto. Les voilà qui roulent lentement sur la chaussée déserte, bordée par une foule silencieuse et grave. Gilles Pellerin s'agite en arrière, soupire, tousse, puis se décide finalement à parler:

— Dis-moi, Maurice... le Cancéreux... est-ce qu'il vient de... crever lui aussi?

— Non. Il ne voulait pas venir, c'est tout.

— Allons, n'aie pas peur de me dire la vérité: il vient de crever, n'est-ce pas?

— Mais puisque je te dis que non, bon sang! Il a piqué une colère à tout casser quand j'ai voulu insister. Je suppose qu'après toutes ces souffrances, il pensait avoir mérité de mourir en paix.

Un silence pesant s'établit dans l'auto. La tête rejetée en arrière, le député contemple le ciel par la vitre et cette vue semble le plonger dans une félicité totale. Ses ravisseurs sont loin de la partager. L'image du Cancéreux hante Maurice. Il le voit affalé contre un mur, rudoyé par les policiers avides de renseignements, tandis que dans la pièce voisine on s'affaire méticuleusement autour du cadavre de Robert. Puis, il se voit lui-même à Cuba, étendu au soleil sur une chaise longue, un verre de rhum à la main, répondant aux questions d'un reporter de l'U.P.I. sous le regard intrigué d'un employé d'hôtel. Un profond sentiment de honte s'empare de lui. Il serre les mâchoires, ses yeux se remplissent de larmes. Quant à Gilles Plelerin, il n'en mène guère plus large! Sa terreur ne cesse de grandir; elle s'étend comme l'empire américain, et l'investit de toutes parts, impitoyablement. Le ronronnement du moteur s'affaiblit. Un étrange gargouillis prend sa place. Le gargouillis s'amplifie de plus en plus, se peuple de soupirs et d'éructations horribles, de sifflements terrifiants qui lui vrillent les tympans. Gilles Pellerin secoue la tête avec désespoir, puis se jette brusquement de côté. Est-ce une goutte de sang qui vient de frôler son pantalon? Sa panique tourne à la folie. Voilà qu'il s'imagine être à l'appartement. Il est debout devant Robert et contemple avec horreur son visage grimaçant, ses mains crispées, maculées d'un sang visqueux. Soudain, les jambes du cadavre se rapprochent l'une de l'autre, ses pieds s'entrecroisent et lui emprisonnent les chevilles. Il réussit à grand-peine à se libérer et s'enfuit dans la cuisine. Madame Tremblay est affalée sur une chaise au milieu de la pièce et lui tourne le dos. Ce dos immobile, à demi courbé, semblable à n'importe quel autre dos de bonne femme, le terrifie plus que tout le reste. Cachée derrière, il le sait, la Mort l'observe en ricanant. Elle a jeté sur eux un liquide invisible qui les a tous agglutinés les uns aux autres comme des mouches sur un papier collant. Rien ne pourra le sauver désormais, jamais il ne sortira vivant de cette auto dont les parois se resserrent lentement sur lui. Maurice se retourne:

— Qu'est-ce qui se passe? Tu as l'air tout drôle.

Au même moment, un camion-remorque surgit devant eux à l'intersection d'une rue. Maurice freine de toutes ses forces. Les pneus fument, l'auto réussit à s'arrêter. Pellerin jette un coup d'œil dehors: une ruelle déserte s'allonge devant lui de l'autre côté de la rue.

— Salut, les *chums*, moi je me pousse! crie-t-il en ouvrant la portière.

— Es-tu fou? hurle Maurice.

— Fou-fou-fou, répète doucement le député, les yeux toujours au ciel.

Trop tard. Il est déjà loin.

— Tous pris dans la colle, marmonne-t-il, moi... je m'arrache!

Il rit, il se croit déjà sauvé. Il cherche des yeux un hangar, une cave, un dessous de perron, n'importe quel abri où il pourrait se terrer trois jours, cinq jours, dix jours s'il le fallait, puis quitter la ville en douce une bonne nuit et sacrer le camp aux États-Unis. Tout va bien jusqu'ici. Personne ne se montre dans la ruelle. Il tourne la tête: tout va bien, personne derrière. Il aperçoit au loin une porte de hangar entrebâillée. Le hangar s'appuie contre un bâtiment d'assez grandes dimensions surmonté d'une enseigne-néon dont on n'aperçoit que les premières lettres. T-R-O, dit le bout d'enseigne.

— TROPIC, achève Pellerin, hors d'haleine, sans même entendre les détonations qui viennent d'éclater derrière lui. Le cinéma *Tropic*. Je vais me cacher là une heure ou deux.

Il accélère sa course, riant du bon tour qu'il vient de jouer à tout le monde. Il rit à pleine gorge malgré la brûlure qui vient de s'allumer à son épaule gauche et malgré ce pincement profond qui vient de le mordre à l'omoplate, et cet autre en haut des fesses. Enfin! le voilà rendu. La porte claque derrière lui. Il fait noir là-dedans comme chez le diable.

— M'auront pas, marmonne-t-il avec effort, courage, mon tit Gilles.

Il trébuche dans l'obscurité, il se heurte à un fouillis d'objets, des pièces de bois, des rouleaux de câble, des boîtes de carton. Soudain ses pieds s'accrochent dans une chaudière; il pique du nez, les mains tendues, et quelque chose cède devant lui: le voilà dans un corridor puant le moisi et l'eau de javel. Il avance toujours, mais plus lentement. Cette course l'a épuisé; sa chemise est trempée, l'eau (est-ce bien de l'eau?) lui coule le long des jambes et jusque dans les souliers, la tête lui tourne comme une toupie. Il cherche à reprendre son souffle, mais ce curieux pincement à l'omoplate l'en empêche. Des câbles rugueux partis du plafond lui lèchent le visage à tout moment. Il se frappe soudain contre une lourde toile, toute chargée de poussière. Il recule, suffoqué, se jette sur le plancher, puis se relève, chambranlant, au milieu d'une scène, devant des fauteuils vides à demi perdus dans la pénombre. Ses yeux s'agrandissent de plaisir.

— Eh bien! halète-t-il, c'est... dans le plus-que-parfait...

Il regarde de tous côtés.

— Où me cacher? Sous... la scène peut-être?

Il avance avec peine; ses jambes flageolent tellement! C'est qu'il a trop couru, beaucoup trop couru.

— Christ, oui... j'ai plus de souffle...

Chaque nouveau pas l'affaiblit davantage et le couvre de sueur. Ses pieds flacottent dans ses souliers maintenant.

— Où me cacher? se demande-t-il pour la deuxième fois.

C'est qu'il n'a pas envie de se cacher du tout. Il se sent tellement bien ici, face à tous ces fauteuils, dans le silence de la salle. Justement, voilà une chaise dans les coulisses. Il la traîne au milieu de la scène et se laisse tomber dessus, à bout de forces, puis il essaie d'enlever son veston, mais la douleur l'arrête, insupportable. Décidément, ce point dans le dos ne veut pas le lâcher; on dirait même qu'il grandit, qu'il va lui encercler le thorax.

— Je vais me reposer d'abord… puis me cacher ensuite… Voilà… c'est parfait… c'est dans le plus-que-parfait…

Il examine la salle en souriant, affalé sur sa chaise, et fait de légers signes de tête approbateurs. Une rumeur confuse grandit peu à peu. Il entend bientôt des éclats de voix, puis des applaudissements, qui se multiplient, s'amplifient, l'entourent de toutes parts et finissent par s'écraser contre lui en vagues énormes. Alors il se lève (ou du moins il essaie) et salue le public une fois, deux fois, trois fois (Ah! si cette douleur dans le dos pouvait…); il tend les bras en avant, se racle la gorge et le silence se fait aussitôt, un silence attentif, avide, respectueux. Il le savoure pendant quelques instants, puis ouvre la bouche. Une voix puissante et mélodieuse s'en échappe et se répand dans toute la salle.

— Me voici perdu dans les collines, déclame-t-il avec lenteur, oui, me voici… dans les collines.

L'assistance retient son souffle, subjuguée. Le silence a transformé la salle en un immense aquarium. Il s'épaissit de plus en plus, se change en un sirop noirâtre qui se met à boire la lumière peu à peu. Le voilà qui vient de prendre toute la place, tout le temps, toute la lumière, et pour toujours.

— Arrête de fesser dessus, niaiseux, lance un policier, tu vois bien qu'il est mort!

L'automobile roule maintenant vers une piste de l'aéroport. Blandine a enjambé le siège et s'est glissée près de Jerry Turcotte qu'elle tient tendrement enlacé. Ce dernier dort, ou plutôt feint de dormir, car d'étranges sourires apparaissent à tout moment sur ses lèvres. Au loin, un avion s'avance lentement vers eux, puis s'immobilise. Quelqu'un agite les bras dans leur direction. Tout pensif, Maurice se dirige vers l'appareil. Une demi-douzaine d'automobiles roulent derrière lui, à distance respectueuse. Lorsque l'auto des ravisseurs s'arrête, elles s'immobilisent à leur tour. Au milieu d'elles, une énorme limousine noire brille d'un éclat sinistre. Le Prince y cause avec son conseiller spécial qui se gratte le front d'un air soucieux.

— À mon avis, dit le conseiller, voilà un moyen bien hasardeux après ce qui s'est passé aujourd'hui. Il sera difficile de faire croire qu'un accident...

— La chose la plus dangereuse, mon cher, coupe le Prince, impatient, c'est que le gouvernement soit ridiculisé par une poignée d'aventuriers. Tout le reste n'est qu'affaire de présentation. Ce que le peuple ne croit pas mardi, il finit par le croire vendredi; il suffit de le vouloir assez longtemps. Nous ne pouvons pas plier devant ce ramassis d'exaltés. Il n'y aurait pas d'explication possible à cela. Il vaudrait mieux alors tout abandonner.

Le conseiller spécial écoute le Prince attentivement tout en tripotant d'une main nerveuse un bouton de son gilet; il glisse le bouton dans sa poche et regarde l'avion au loin, perplexe.

— Peut-être avez-vous raison, dit-il enfin sans conviction.

— J'ai sûrement raison, mon cher, car je pars du principe qu'il faut jouer avec les cartes qu'on a en main, et non les autres.

Il saisit une longue-vue et sort de l'auto.

— Les voilà qui montent. Ils ont l'air plutôt piteux, ma foi. Se douteraient-ils de quelque chose?

Un long rire nasillard s'échappe de ses lèvres et s'enroule autour d'un soldat de faction près de l'auto; le pauvre reste immobile, n'osant même pas ciller.

Un grondement sourd envahit l'aéroport. L'avion vibre sur place quelques minutes, puis tourne lentement sur lui-même et s'éloigne. Il prend de plus en plus de vitesse et quitte enfin le sol. Le Prince vient de remonter dans sa limousine. La caravane se dirige lentement vers la sortie. Il s'est calé dans son siège et a fermé les yeux. Le visage calme et souriant, il tapote légèrement une serviette de cuir sur ses genoux. Le conseiller, lui, s'est recroquevillé dans un coin et contemple ses souliers d'un air inquiet. Il le serait bien davantage s'il voyait ce qui se passe dans l'avion.

La porte de la cabine de pilotage vient de s'ouvrir avec fracas, dans un léger nuage de fumée.

— Eh bien! fait Maurice en entrant, mitraillette au poing, voilà un tableau de bord un peu trop compliqué pour moi! J'ai un échange à te proposer, dit-il au pilote. Que dirais-tu d'un parachute contre une petite leçon de pilotage? C'est l'aubaine de ta vie, prends ma parole!

— Du champagne... où est le champagne? murmure Jerry Turcotte en se promenant dans l'allée, l'œil hagard.

En bas, les autos continuent de rouler lentement. À plusieurs reprises, le conseiller spécial s'est retourné vers la lunette arrière; son regard devient de plus en plus perplexe.

— Je ne comprends pas ce qu'ils font, marmotte-t-il à voix basse, décidément, je ne comprends pas.

— Savez-vous, mon cher, murmure le Prince, les yeux toujours fermés, que votre tempérament ne vous sert pas toujours?

— Monsieur, dit une voix à la radio, la tour de contrôle vient de nous annoncer qu'il se passe des choses étranges à bord de l'avion. On a coupé les communications.

— Quelqu'un vient de sauter en parachute! s'exclame le conseiller en bondissant de son siège.

Les autos freinent et tout le monde se précipite dehors.

— Je... je crois qu'il s'agit du pilote, monsieur, reprend la voix à la radio quelques instants plus tard. On... on m'assure à l'instant que c'est le pilote.

— À la bonne heure, marmonne le Prince avec un sourire cynique, cela fera une personne de moins à sacrifier pour la patrie.

— Mais qu'est-ce qu'ils font? s'écrie le conseiller. L'avion fait demi-tour...

Pendant quelques instants, tout le monde fixe le ciel, l'œil écarquillé, la respiration suspendue.

— Ma foi, murmure le Prince en pâlissant, ils piquent sur nous, ces abrutis!

D'un geste vif, il ordonne à ses compagnons de remonter. On ne l'a pas attendu. Les autos démarrent dans un vrombissement assourdissant. Une course folle commence à travers l'aéroport. Des pare-chocs se frappent, des ailes se froissent, les chauffeurs sont bombardés d'ordres contradictoires. Le grondement de l'avion est devenu terrifiant. Son ombre couvre déjà quelques autos. Des policiers hurlant de frayeur se jettent par les portières et roulent comme des billes sur l'asphalte. L'avion frôle maintenant les toitures. Il se pose sur les autos comme une poule sur ses poussins; il les avale par le ventre, puis se brise en deux. Les fenêtres volent en éclats à des milles à la ronde. Une lueur immense s'élève en tremblant vers le ciel, parmi des volutes de fumée noire. On peut même la voir de Montréal-Est. Là-bas, comme dans le reste de la ville, les rues regorgent de monde. Les balcons débordent. Des curieux sont montés sur le toit des vieilles maisons de briques noircies par la suie; ils portent la main au-dessus des yeux et font de grands gestes. D'autres se tiennent accroupis sur les perrons, un transistor sur les genoux, entourés de têtes avides. Des chiens courent en jappant au milieu de la foule. On voit des gens s'exclamer, scandalisés, d'autres se penchent vers l'oreille de leur voisin, un sourire aux lèvres, l'œil aux aguets. Une grosse ménagère du Faubourg-à-la-M'lasse est plantée sur le coin d'une rue depuis un quart d'heure, tenant son garçon par la main.

— Enlève les doigts de ton nez, dit-elle en se penchant vers lui, et regarde le beau feu brûler.

Pendant ce temps, à proximité de l'aéroport, deux hommes observent les pompiers autour du brasier.

— Eh bien! voilà ce qui s'appelle perdre en gagnant, soupire le conseiller en secouant nerveusement les épaules.

— Bah! fait son compagnon avec une moue dédaigneuse, je ne connais pas de martyrs qui puissent résister longtemps à une bonne campagne de presse. L'essentiel est que nous soyons vivants et eux, morts. Vous voyez, mon ami, l'Histoire marche à coups de petits riens: un bon chauffeur, une auto puissante, et au lieu d'être en cendres, nous pourrons commencer dès ce soir à pacifier les esprits.

Il tourne les talons et va rejoindre un groupe qui l'attend à l'écart.

— Le docteur Friedmann est prêt à vous examiner, lui dit quelqu'un.

— Va pour l'examen, si cela peut rassurer les cœurs sensibles. Où faut-il aller?

— Mon bureau est tout près d'ici, répond le docteur.

— Faites avancer la limousine, ordonne un officier.

— Non, dit-il en secouant la tête d'un air désinvolte. Même si je lui dois la vie, je préfère voyager ce soir dans un véhicule moins... célèbre!

Quelques rires polis accueillent sa remarque et tout le monde se disperse.

PETIT GLOSSAIRE QUÉBÉCOIS À L'INTENTION DES FRANÇAIS DE FRANCE

achaler: importuner

au plus sacrant: au plus vite

baquet: pop. homme gros et court

bardasser: bousculer

bazou: guimbarde

beigne: sorte de beignet

bidous: pop. argent

biscuit-soda: sorte de biscuit sec plutôt salé

Bolduc (Mme): chanteuse québécoise très populaire durant les années 30

bounceur: « videur »

Bordeaux: prison située à Montréal

botte: vulg. rapport sexuel avec une femme

botterleau: sorte de grosse chaussure de cuir

boule à mites: naphtaline

broche-à-poule: treillis métallique utilisé comme clôture dans les fermes, etc.

Bromo: poudre digestive effervescente

cabane à sucre: bâtiment érigé dans une forêt d'érables et où se fabrique le sucre d'érable

cabochon: personne entêtée; lente à comprendre

cave: pop. imbécile

caverie: sottise

cenne: pièce de monnaie valant le centième du dollar

cheuf: plaisamment, chef

chienneux: peureux

comme de l'eau: avec une grande facilité

compagnie de finance: institution qui perçoit pour le compte d'un autre, à des taux d'intérêt élevés, les versements dus sur un article vendu à tempérament

conestache (sans): pop. sans connaissance

coquerelle: blatte

correct: honnête, digne d'estime

crisser: vulg. flanquer (une volée); foutre (le camp)

déjeuner: petit déjeuner

draffe: bière en fût (un verre de draffe ou en abrév.: une draffe)

drave: flottage du bois

drette: pop. droit

écrapoutir: écrabouiller

effouèrer(s'): s'effondrer, tomber

embouveter: travailler les planches de façon à les assembler par des rainures et des languettes

encabaner(s'): s'enfermer

enfirouaper: tromper, rouler

fafouin: sot, étourdi

farce plate: plaisanterie de mauvais goût

fesser: pop. frapper

fifi: pédé

flacoter: équiv. de clapoter

fourrer: vulg. forniquer; flanquer (la volée); rouler, tromper

Français de France: plais., par opposition à « Français du Québec » (Québécois)

fripe (rien que sur une): rapidement, sans traîner

fucker: angl. vulg. gâcher

gang: pop. et non péj. bande. Mot fém. au Québec

garnotte: gravier

Gignac, Fernand: chanteur de charme québécois

gosse: testicule

Hôtel Parthenais: plais. Quartier général de la Sûreté du Québec à Montréal, rue Parthenais

joseph (être): être vierge

jobine: petit emploi mal rétribué

machine à patates: petit autobus transformé en snack-bar où l'on vend des frites, etc.

maganer: maltraiter; fatiguer; détériorer

maison de chambres: maison où on loge sans y être nourri

marde: pop. merde

mèche: en attendre une mèche: attendre longtemps

mettre: équivalent littéral de foutre

minoune: vulg. femme

Millard, Muriel: chanteuse québécoise

openeur: décapsuleur

papermanne: pastille de menthe

paqueté: saoul; truqué (procès etc.)

parfa: déform. de parfait

parties: plu. de party, angl. partie, fête

passer la nuit sur la corde à linge: en ribote

péquiste: du Parti Québécois

piastre: dollar

picocher: picorer

Place des Arts: salle de concert à Montréal

Place Ville-Marie: gratte-ciel à Montréal

plotte: vulg. vulve; par ext. femme

poll: angl. bureau de votation

pouce (faire du): faire de l'auto-stop

repompiner (se): reprendre courage

sacre: juron

sacrer: jurer, blasphémer

sacrer son camp: partir

Saint-Jean-de-Dieu: hôpital psychiatrique de Montréal

scrapper: jeter au rebut; sacrifier

sentir: ne pas sentir quelqu'un: ne pas supporter sa présence

set: angl. mobilier

silement: son aigu et prolongé

skidoo: motoneige, petit véhicule motorisé à chenilles appelé quelquefois en France « scooter des neiges »

snoreau: individu plus ou moins vil

soincer: châtier

souper: dîner

steppette: pas de danse

tanné: las

toffe: obstiné, dur

tourtière: pâté à la viande de lard haché menu

trouble (avoir du): avoir des ennuis

Union nationale: parti politique fondé par Maurice Duplessis en 1935

vue: film; cinéma (aller aux vues)

waitrisse: pop. serveuse

zip: angl. fermeture-éclair

DOSSIER

COMMENT *L'ENFIROUAPÉ* VINT AU MONDE...

J'avais écrit une quarantaine de nouvelles (inédites pour la plupart) lorsque je me suis lancé, en 1969, dans la rédaction de *L'enfirouapé*. Quatre ans auparavant, j'avais terminé de peine et de misère la première version d'un premier roman (inédit lui aussi), mais quand était venu le moment du polissage et des ajustements, mon courage avait coulé à pic devant l'énormité de la tâche et peut-être également parce que je ne trouvais plus grand intérêt à mon texte. Aussi, quand j'insérai dans ma machine à écrire la feuille sur laquelle je devais écrire le début de mon premier chapitre, j'inscrivis en haut: « Longue nouvelle », pour essayer de me cacher que je venais en fait d'aborder encore une fois le roman, ce genre littéraire dont les spécimens peuvent compter de 150 à 20 000 pages.

J'avais d'ailleurs longtemps hésité sur la forme que devait prendre mon récit. J'accumulais depuis longtemps sur de petits calepins des matériaux pour cette histoire que je voulais drôle et violente. Et tout en les accumulant, je m'étais lancé, aidé de mon frère François, caméraman à Radio-Québec, dans la réalisation d'un moyen métrage de fiction que nous avions intitulé *Burlex*. En 1969, nous étions en plein tournage — cela se faisait durant les fins de semaine et dans des conditions plutôt héroïques — et je me demandais parfois en feuilletant mes calepins si ma « longue nouvelle » ne devrait pas plutôt devenir un long métrage, car il me semblait que cette histoire loufoque et cruelle s'y prêtait bien. Et puis je ne pouvais plus me passer du ronronnement de la caméra.

Comme j'hésitais de plus en plus, je résolus d'abord de construire mon histoire. J'écrivis un résumé d'une dizaine de pages, puis un autre qui devait bien en compter le triple, et l'histoire du curieux duel entre le naïf Maurice Ferland et le crapuleux Jerry Turcotte apparut alors devant mes yeux avec un relief extraordinaire (j'espère qu'il en reste quelque chose dans le livre). Survint alors la Crise d'octobre. Trudeau essaya d'imiter Néron, avec un avantage marqué sur l'empereur romain: il pouvait compter sur la télévision et un matériel électronique sophistiqué pour la mise en scène mélo dont il rêvait et qu'il réussit avec beaucoup de brio. Mais je m'aperçus, moi, dans mon petit coin obscur, qu'essayer de trouver des investisseurs pour financer un film qui racontait l'enlèvement d'un député véreux, c'était comme de se lancer à la recherche des baleines bilingues ou des marsouins ventriloques. J'abandonnai donc le projet de film et je m'attelai à la rédaction du roman. Cela me prit environ quatre ans.

Durant l'hiver de 1974, je le présentai tout tremblant à Henri Tranquille, le célèbre libraire de la rue Sainte-Catherine dont j'admirais et redoutais à la fois la vaste culture et l'impitoyable franchise. Il lut le roman en deux nuits et m'ordonna de le faire publier. J'essayai. Cela n'alla pas tout seul. J'essuyai des refus. Le temps passait. Il y avait des matins où je me sentais comme un ver de terre.

Tranquille se fâcha, téléphona à Alain Stanké, qui dirigeait alors les éditions La Presse, et alla lui porter le manuscrit. Trois jours plus tard, Stanké me faisait venir à son bureau pour la signature du contrat. J'étais si transporté de joie que j'aurais signé n'importe quoi, y compris mon arrêt de mort. Stanké fit mieux: il me trouva un titre. Ce fut lui, en effet, qui me proposa: *L'enfirouapé*. Depuis des semaines, ma femme, mes amis et moi nous alignions des colonnes de titres tous plus mauvais les uns que les autres. Cela allait d'*Une jolie chambre pour Jerry* (exercice de diction) à *La vengeance* (de Fantomas, peut-être?). *L'enfirouapé?* Cela me plaisait. Tout était là: le tragique et l'humour, le malheur avec un visage familier, presque sympathique.

À présent, je me rends compte combien ce beau vieux mot venu de l'ancien normand peut avoir quelque chose d'effarouchant pour des oreilles non québécoises, mais comme mon livre a peu voyagé jusqu'ici, le mal n'est pas grand.

Yves Beauchemin
février 1985

EXTRAITS DE LA CRITIQUE

Il faut lire *L'enfirouapé* pour juger de l'étendue de notre aliénation. Jerry Turcotte ne vit que pour le pouvoir et n'hésite jamais devant le crime s'il s'agit de protéger ses intérêts; Maurice et ses amis sont entraînés dans une révolte ridicule, par intérêt, par l'effet d'une idéologie mal digérée et surtout, par bêtise. Comment ce roman ne serait-il pas tragique? D'autant plus que tous les personnages suscitent la sympathie. C'est la quadrature du cercle de la défaite.

> Jean Éthier-Blais
> *Le Devoir*, 15 juin 1974.

Beauchemin sait construire une histoire dont il n'y a rien à retrancher. Il sait inventer des personnages et leur donner assez de substance pour qu'on puisse, avec lui, se moquer d'eux. Il sait choisir la narration quand le déroulement de l'action s'y prête le mieux; le dialogue quand il est nécessaire. Il sait varier le style sans briser l'unité du ton. Il sait utiliser les immenses ressources de la langue française et faire appel, au moment le plus opportun, au lexique québécois. Il sait surtout, et c'est la qualité principale peut-être de son remarquable roman, manier l'humour comme ceux qui, connaissant parfaitement le milieu québécois, ont assez de maturité (ou d'indépendance d'esprit) pour prendre exactement vis-à-vis de lui la distance qu'il faut.

> Réginald Martel
> *La Presse*, 27 avril 1974.

Le roman de Monsieur Yves Beauchemin n'a rien de gratuit et de fou; il a une probité intellectuelle dont manquaient les scénaristes d'octobre. Ce n'est pas une enfirouapette, bien au contraire. C'est seulement l'histoire d'un enfirouapé qui joue son personnage à fond pour le profit du lecteur québécois, qui l'était quelque peu lui-même et le sera moins dorénavant. Pour moi, il aura été l'aventure d'une belle semaine.

> Jacques Ferron
> *Québec-Presse*, 2 septembre 1974.

Des bagarres, des scènes d'horreur, de la tendresse, de la politique, de l'obscénité, de la religion, de la drôlerie, du pathétique, on trouve de tout dans ce récit à la fois burlesque et tragique, réaliste et ubuesque, marqué par une puissance d'invention, par une spontanéité et par une allégresse qui ne sont pas sans rappeler par endroits les romans picaresques les plus farfelus...

Impossible de rester indifférent devant une telle oeuvre qu'il faut lire dans le plus complet délassement un peu comme on lit Rabelais, Alexandre Dumas ou Boris Vian, sans fiches, sans théorie préconçue, uniquement pour se laisser charmer par une verve intarissable, un sens extraordinaire de la démesure et de la fantaisie.

Il s'agit seulement d'être prêt à tout: aux événements les plus invraisemblables, aux dialogues les plus débridés, à l'apparition des plus quichottesques créatures. Car l'action est un véritable feu roulant, une suite époustouflante de coïncidences et de revirements aussi inattendus les uns que les autres: enlèvement, erreurs judiciaires, héritage-surprise, rencontres, trésors, apparitions mystiques, folie, tout y est possible.

François Ricard
Le Jour, 11 mai 1974.

OEUVRES D'YVES BEAUCHEMIN

L'enfirouapé
Roman, La Presse, Montréal, 1974
Éditions Stanké « Québec 10/10 », 1985
Prix France-Québec

Le matou
Roman, Québec-Amérique, Montréal, 1981
Traduit en anglais par Sheila Fischman.
Traduction en suédois, finlandais, danois,
norvégien et portugais.

Sueurs
Nouvelle publiée dans *Fuites et poursuites*,
Éditions Quinze, Montréal, 1982

Cybèle
Nouvelle, Art global, Montréal, 1982
Illustrations Stanley Cosgrove, Claude Le Sauteur,
Henri Masson, Miyuki Tanobe et André L'Archevêque

TABLE

Québec

Roch CARRIER
　　La trilogie de l'âge sombre:
　　　　1.　La guerre, yes sir! (33)
　　　　2.　Floralie, où es-tu? (34)
　　　　3.　Il est par là, le soleil (35)
　　La dame qui avait des chaînes aux chevilles (76)
　　Le deux millième étage (62)
　　Les enfants du bonhomme dans la lune (63)
　　Il n'y a pas de pays sans grand-père (16)
　　Le jardin des délices (70)
　　Jolis deuils (56)

Pierre CHATILLON
　　La mort rousse (65)

Marcel DUBÉ
　　Un simple soldat (47)

Gratien GÉLINAS
　　Bousille et les justes (49)
　　Tit-Coq (48)

Claude-Henri GRIGNON
　　Un homme et son péché (1)

Lionel GROULX
　　La confédération canadienne (9)
　　Lendemains de conquête (2)
　　Notre maître le passé, *trois volumes* (3,4,5)

Jean-Charles HARVEY
　　Les demi-civilisés (51)
　　Sébastien Pierre (78)

Claude JASMIN
　　Délivrez-nous du mal (19)
　　Éthel et le terroriste (57)
　　La petite patrie (60)

Achevé d'imprimer au Canada
sur les presses de
l'Imprimerie Gagné Ltée
Louiseville